LA PRINCESSE OUBLIÉE

DU MÊME AUTEUR

La Gauche en voie de disparition (Le Seuil, 1984).
Un coup de jeune (Arléa, 1987).
Mais 68, histoire des Événements (Le Seuil, 1988).
Cabu en Amérique, avec J.-C. Guillebaud (Le Seuil, 1990).
La Régression française (Le Seuil, 1992).
La Gauche retrouvée (Le Seuil, 1994).
Kosovo, la guerre du droit suivi de *Yougoslavie, suicide d'une nation* (Mille et Une Nuits, 1999).
Où est passée l'autorité?, avec Philippe Tesson (Nil éditions, 2000).
Les Batailles de Napoléon, livre illustré (Le Seuil, 2000).
Le Gouvernement invisible (Arléa, 2001).

Laurent Joffrin

LA PRINCESSE
OUBLIÉE

roman

ROBERT LAFFONT

© Éditions Robert Laffont, S.A., Paris, 2002
ISBN 2-221-09299-6

Avertissement

La plupart des personnages de ce livre sont authentiques; les actes de guérilla et de résistance décrits sont historiques. Mais des dates, des noms et des lieux ont été changés en fonction de l'intrigue : c'est un roman.

Remerciements

Ma gratitude va d'abord à Nicole Lattès qui a cru à Noor dès la première minute.

Elle est aussi grande pour Malcy Ozannat qui a entouré le manuscrit d'une attention et d'une compétence remarquables.

Remerciements

À Sylvie, Pauline et Olivier qui, pendant des années, ont supporté de bonne grâce la princesse de mes rêves...

Prologue

C'était la combattante la plus douce que j'aie connue.
On l'a tirée d'un monde enchanté pour l'envoyer au milieu des barbares, dans cette guerre totale où l'on employait tous les moyens. Princesse des Mille et Une Nuits, elle s'est battue, plus et mieux que d'autres, dans ce combat sans nom, celui des codes secrets, des assassinats dans la nuit et des salles de torture. Les princesses, en général, ne se donnent que la peine de naître. Pour nous, elle s'est donné la peine de mourir.

Dans notre monde sans mémoire, le souvenir des héros s'estompe. Mais, pour moi, Noor est toujours vivante. À l'aube, quand le premier feu de la journée crépite dans la cheminée et que la mer est au loin, je vois son visage flotter sur les vagues. À Granville, où j'écris face à l'ouest, ma plage normande à moi ressemble à celle du 6 juin 1944. C'est peut-être pour cela que je l'ai choisie... Comme à Omaha Beach, les rouleaux d'écume partent au large et le sable mouillé réfléchit les nuages. Comme à Omaha Beach, sur les collines qui bordent la côte, il y a des bunkers. Comme à Omaha Beach, de mon rocher qui avance vers l'eau, on prend la baie en enfilade. Tous les matins, je scrute l'horizon, à la recherche de la flotte alliée qui aurait pu débarquer là, comme à Courseulles ou Arromanches. Cette aurore du 6 juin, la marée la fait revivre chaque jour devant ma maison sur le sable. C'est pour elle que Noor s'est sacrifiée. L'aurore de la liberté... Elle en rêvait au fond de sa prison, elle qui n'avait connu que la tyrannie.

L'avenir de Noor, c'étaient la musique, les poèmes, les pages qu'on noircit dans la fièvre et les tremblements de l'âme. Pourquoi s'est-elle jetée dans cette mêlée alors que rien ne l'y obligeait ? Pourquoi a-t-elle choisi la pire des batailles, celle qu'on livre sans uniforme et sans loi ? Pourquoi a-t-elle affronté le risque le plus grand, elle qui vivait dans la sérénité des livres et des accords de harpe ? Pourquoi est-elle morte pour une idée occidentale, elle qui ne connaissait que les dieux de l'Orient ? La France et l'Angleterre l'ont oubliée et ses camarades avec elle. Pourtant, si nous sommes sortis de l'enfer, c'est aussi parce qu'elle nous a pris par la main.

Aujourd'hui, 6 juin 1964, est un anniversaire. Notre anniversaire. J'ai décidé, finalement, d'écrire son histoire. Parce qu'elle mérite un meilleur cénotaphe que cette plaque usée par la pluie sur un monument de pierre dans la campagne anglaise. Parce que tous ceux qui l'ont côtoyée, amis et ennemis, ne l'ont pas plus oubliée que moi et veulent la voir revivre.

Parce qu'il faut témoigner. Parce qu'on ignore trop, ici, le rôle joué par cette armée d'excentriques qui a envoyé Noor derrière les lignes. Une princesse indienne pour combattre Hitler. SOE... Le service des héros farfelus. Le grand cirque du sabotage. Le royaume baroque des coups tordus. Cependant rien n'aurait dû étonner dans cette guerre improvisée qu'ont livrée les démocraties battues d'avance par l'ordre fasciste.

Nos armées étaient dirigées par un Yankee paraly-tique et un alcoolique anglais. Patton se prenait pour Hannibal, MacArthur pour un proconsul romain. Winston Churchill, sujet toute sa vie à des noires dépressions, avait un dossier médical qui l'aurait écarté du moindre commandement. Lui, le colonialiste raciste, le peintre neurasthénique, le défenseur de la monarchie, l'admirateur de Mussolini, allait devenir le paladin de la démocratie. Et au moment où la Wehrmacht, en juin 1940, s'établissait pour des années sur les rivages de la Manche et de l'Atlantique, c'est lui qui a donné l'ordre à un ramassis d'aventuriers et d'hommes de main, d'aristocrates loufoques et d'homosexuels marxisants, de « mettre le feu à l'Europe ».

En France, l'histoire du Special Operation Executive est ignorée : elle a été occultée par la geste de la Résistance gaulliste et communiste. Pourtant, sans ces milliers d'agents franco-britanniques infiltrés en territoire occupé, les résistants à la croix de Lorraine étaient sans armes, sans argent, sans communications ; les FTP de Duclos et Tillon n'avaient ni fusils ni pains de plastic. Sans le SOE, les insurgés n'auraient pas fixé en Bretagne ces troupes d'élite de la Wehrmacht dont les Allemands auraient eu tant besoin en Normandie. Sans le SOE, la division Das Reich aurait rejoint plus vite les plages du Nord et sans doute fait pencher la balance du côté des nazis. Sans le SOE, colonne vertébrale de « l'armée des ombres », le commandant américain qui assiégeait Cherbourg n'aurait pas pu transmettre au chef de la forteresse nazie le plan détaillé de ses défenses, dressé dans la clandestinité par des espions français et anglais, provoquant son effondrement moral et sa reddition.

En cinq ans, le SOE a envoyé plus de cinq mille agents derrière les lignes ennemies. Avant chacune des réunions d'état-major qu'il tenait quotidiennement, Adolf Hitler lisait avec soin le rapport qui rendait compte des efforts de la Gestapo contre cette légion de saboteurs. Pour ces minutes distraites au génie du mal, le SOE mérite toutes les citations. Si la flamme de la Résistance ne s'est pas éteinte, c'est parce qu'il soufflait dessus.

Et dans cette armée des têtes brûlées et des idiots, dont j'étais l'un des plus notoires, dans cette cour des miracles de la Seconde Guerre mondiale, Noor était une princesse. Moi qui l'ai connue, moi qui ai combattu à ses côtés, je suis le mieux à même de vous dire qui elle était. Je l'ai compris bien longtemps après la guerre, au terme d'une quête de dix ans auprès des survivants de cette farce héroïque. C'est pour eux que j'écris et c'est pour elle. Parce que cette nef des fous était la mienne. Parce que cette espionne, que j'ai frôlée dans la nuit, est la femme de ma vie.

1.

J'ai connu la princesse Noor dans un rayon de lune. Ce n'était pas sous un balcon de pierre, au son d'une mandoline, ni dans la moiteur d'une soirée tropicale, un verre de gin à la main. C'était le 16 juin 1943, dans la carlingue malodorante d'un Lysander volant au ras des flots vers la France occupée.

Pendant une heure, ma camarade de mission ne fut pour moi qu'un profil, comme ceux qu'on voit sur les médailles, une ombre découpée par la lumière de la lune. À Tangmere, en montant dans l'appareil, j'avais à peine eu le temps de lui serrer la main dans l'obscurité. Puis nous avions décollé sans parler, assourdis par le bruit du moteur, cramponnés aux accoudoirs de la banquette de cuir. À l'approche de la côte française, le Lysander avait obliqué à l'ouest pour éviter les canons antiaériens de Cherbourg et chercher la Bretagne moins défendue. Soudain la lumière, jusque-là projetée de côté, l'avait éclairée de face. C'est une madone orientale qui m'était apparue. La peau douce et mate, la bouche gracieuse, la chevelure noire tombant sur ses épaules, elle tournait vers moi de grands yeux effrayés. Un sourire timide anima son visage. Ses lèvres tremblaient. Noor avait peur et cherchait à le cacher. Saisi par tant de beauté, je lui avais rendu son sourire sans pouvoir dire un mot.

Pour prendre une contenance, nous observions le paysage argenté de la Bretagne qui défilait en contrebas. Puis, surmontant ma surprise et mon ravissement, je finis par dire quelque chose. Ma timidité autant que le bruit m'interdisaient tout brio. Un violent effort d'imagination me fit tout de même crier d'un ton bourru et cordial : « Ça va ? » Elle me regarda de nouveau et son sourire s'élargit pendant que ses yeux imploraient un peu d'amitié. Sa main sortit de son manteau et elle leva l'index et le majeur, à la manière de Winston, faisant le V de la victoire. Je ris avec elle et je continuai en criant :

– Je m'appelle Sutherland, dis-je, John Sutherland. Je vais à Paris voir Prosper.

– Nora Wilson !

Et elle me tendit une main brune et fine.

Noor avait reçu l'ordre de ne jamais donner son nom indien, Noor Mysore Vijay Khan. Outre qu'elle gagnait du temps à cette élision, il ne fallait pas qu'on connaisse sa nationalité d'origine. Elle s'y pliait volontiers : une partie de sa famille était en France. La Gestapo aurait été trop contente de s'en servir.

Le pilote réussit sans mal à rejoindre la Loire, qu'il laissa sur sa gauche pour éviter les villes. Il volait vers l'est à trois cents pieds au-dessus de la campagne noire en se retournant seulement de temps en temps pour vérifier que le fleuve était toujours là.

– Je vais aussi à Paris, reprit-elle. Nous prenons le même train à Angers. Vous en première, moi en seconde. Je suis radio, je vais travailler avec Cinéma... Il faut m'appeler Aurore. Je serai le « poste Aurore ».

Cinéma dirigeait un sous-réseau de la vaste confrérie créée par Prosper depuis un an. Le cloisonnement n'était pas total dans le SOE. Nous avions le droit de nous communiquer certains renseignements, à condition qu'ils soient inutilisables pour l'ennemi. En cas d'arrestation, si l'un de nous parlait, les Allemands apprendraient que deux réseaux travaillaient à Paris et dans l'Ouest, Prosper et Cinéma. En fait, ils le savaient déjà... Ils apprendraient aussi qu'un nouveau poste radio était entré en service en Île-de-France, le poste Aurore. Manquerait l'essentiel : les noms sous lesquels Noor et moi opérions, ceux qui étaient inscrits sur nos papiers d'identité et que nous nous cachions l'un à l'autre.

Tout à coup, Noor me regarda droit dans les yeux, la voix pleine d'effroi.

– Croyez-vous que nous reviendrons ?

Je restai interdit, le cœur serré. Depuis le premier jour de la guerre, mon estomac s'était noué. Il ne se dénouerait qu'au moment de la capitulation allemande. C'était l'emprise de la peur. Avant d'entrer au SOE, j'étais lieutenant de commando dans le Special Boat Service. Je m'étais déjà battu derrière les lignes, pendant la campagne de France et en Libye. À la longue, j'avais appris à maîtriser ce malaise qui mine la volonté et qui creuse les traits. Mais une fille comme Noor... J'hésitai. Que pouvais-je dire ? Chacun savait au SOE qu'un agent envoyé en France avait une chance sur deux d'y mourir. Dans une attaque d'infanterie classique, on arrête l'offensive quand le nombre des morts dépasse les dix pour cent. Nous étions une infanterie suicidaire. Nous avions la plus mauvaise part de la guerre. Avec une terreur supplémentaire. Pour nous, en cas d'arrestation, la mort viendrait peut-être trop lentement. Tous, la nuit, nous rêvions de la torture.

Alors je fis la seule chose qui me vint à l'esprit, ce que tout homme aurait sans doute fait à ce moment-là. Je passai mon bras autour de son épaule. Elle se blottit contre moi, le corps secoué de tremblements. Puis, après de longues minutes, comme sa crise s'apaisait, elle se redressa en se mordant la lèvre. Je vis ses ongles qui entraient dans sa paume. Elle se dégagea et fixa le ciel étoilé, loin au-dessus du pare-brise cerclé d'acier. « Pardonnez-moi... » À cet instant, comme un crétin d'Anglais romantique, impossible sous mon masque d'agent secret, submergé par un flot d'émotions à quatre sous, je sus que j'allais l'aimer.

La silhouette du château d'Angers glissa sous l'aile, un méandre brilla devant nous. Le Lysander perdit de la hauteur, jusqu'à frôler les arbres. Avant la naissance du SOE, aucun pilote de la RAF n'aurait voulu combattre dans ce biplan trop lourd. Sa lenteur en faisait une cible commode pour la DCA. Mais les étrangetés de la guerre avaient changé ce défaut en qualité. Le Lysander n'avait pas son pareil pour atterrir et décoller tous feux éteints dans un champ ou sur une lande, quittant le sol trois cents mètres à peine après avoir démarré. Pour les résistants, c'était l'amical oiseau de la pleine lune.

Soudain, dans la pénombre du sol, au milieu des haies fantomatiques, trois lumières apparurent. Elles formaient un L renversé. Le Lysander vira sur l'aile, s'aligna sur le long côté du L et réduisit les gaz. Placé contre le vent selon la règle, l'avion atterrit en rebondissant sur le terrain en pente du Vieux-Briollay, un des aérodromes du SOE. Il roula jusqu'à la deuxième lumière, fit demi-tour, roula en sens inverse et tourna une dernière fois, de nouveau face au vent, prêt à décoller. Un pistolet à la main, le pilote scrutait l'obscurité à l'opposé des lumières. Il savait que les agents au sol devaient attendre alignés sur la droite du L. La consigne lui ordonnait de tirer sur quiconque viendrait de la gauche...

C'est Henri Blainville qui devait nous accueillir. Je l'avais rencontré à Londres, avant qu'il reparte tranquillement risquer sa vie en organisant le transfert de nos agents de la région parisienne. Pilote hors pair, engagé dans la RAF, Blainville accomplissait sa tâche dans le style élégant et affable qu'il affectionnait. En Angleterre, vers 1938, pendant un stage d'entraînement, je l'avais vu sauter de son cockpit après des acrobaties effrayantes comme s'il sortait d'une partie de bridge, son épaisse chevelure châtain bien peignée, le regard bleu et calme, souriant et disert. Un incident avait établi sa légende. Un jour d'hiver, alors qu'il volait au ras des flots vers les falaises du sud de l'Angleterre, pendant une démonstration, le froid avait accumulé du givre sur les câbles des gouvernes. L'avion fonçait droit sur la muraille de craie et les commandes ne répondaient plus. Encore une minute et il allait s'écraser. Au lieu de secouer convulsivement le manche, comme aurait fait n'importe quel pilote, Blainville s'était levé, sous l'œil ahuri de son copilote. Il était allé à l'arrière de l'avion. Il avait dévissé une trappe et tapé sur les câbles avec une clé à molette. Puis il s'était tourné vers l'avant et avait levé un pouce. Le copilote avait tiré sur le manche et l'avion frôlé le sommet de la falaise.

Depuis le début de 1942, Blainville était l'agent de voyage des agents secrets. Pas un atterrissage, pas un parachutage, dans un rayon de trois cents kilomètres autour de Paris, qui ne porte la signature Blainville, horaires ponctuels et accueil courtois.

Trois ombres surgirent du bon côté.

« *Quick, quick !* On dégage, on dégage ! » cria le pilote.

Je me hissai par l'ouverture, descendis les échelons scellés autour de la carlingue et sautai dans l'herbe. Me retournant, je tendis la main à Noor. Je vis deux jolies jambes lancées en avant. Je sentis sa main chaude serrer la mienne, son épaule me frôla et son parfum m'enveloppa un instant, achevant d'enflammer mon cœur de gamin attardé.

Blainville tendit son bras vers les arbres en disant : « Vite ! Là-bas ! » L'odeur des prés flottait dans l'air encore chaud pendant que nous courions nous mettre à couvert. Les deux hommes que nous avions croisés grimpèrent dans le cockpit arrière que nous venions de quitter. L'un d'eux, Blainville me le raconterait après la guerre, allait devenir un politicien assez connu en France. Il serait même plusieurs fois ministre. Il s'appelait Morland dans la Résistance et dans le civil François Mitterrand. Blainville avait hésité. Quelques semaines auparavant, Mitterrand animait encore un mouvement de prisonniers pour le compte du gouvernement de Vichy...

Le moteur du Lysander rugit. Quelques secondes plus tard, l'avion n'était qu'un point dans le ciel, vite avalé par la nuit soudain calme. Dans le chant des grillons, Blainville fit le tour du pré pour ramasser les trois torches électriques. Rien n'indiquait plus, sur ce pré de Touraine, à part un peu d'herbe écrasée, que deux agents du SOE apeurés venaient de se jeter discrètement dans la gueule du loup.

Trois bicyclettes étaient cachées dans le bosquet. Nous nous mîmes à pédaler sur le sable fin qui menait à la départementale. Nos roues s'enfonçaient et nous roulions lentement, contraints de suivre l'une des deux pistes blanches séparées par la bande d'herbe et de broussailles qui courait au milieu du chemin. Je voyais devant moi Noor debout sur ses pédales, ses hanches ondulant en rythme, ses deux mollets dorés tour à tour crispés par l'effort, sa jambe allongée par les sandales à semelle de bois que le SOE lui avait fournies, selon les canons de la mode en 1943. Sur le goudron de la départementale, l'allure s'accéléra. L'air de cette fin de nuit nous caressait le visage. Nous longions la Loire qui luisait sous la lune comme un long miroir, coupée d'îles noires et de bancs de sable blanc. Dans le silence de la campagne, l'heure était exquise. Mais l'angoisse nous dévorait le ventre.

Blainville nous guida dans les faubourgs d'Angers. L'aube pointait, bientôt le couvre-feu serait levé. Au loin les coqs chantaient. Des lumières apparaissaient aux maisons de tuffeau blanc. Blainville bifurqua dans une cour obscure.

– Nous allons attendre ici l'heure du train. J'ai du café chaud dans ma thermos...

Debout près de son vélo, sortant une tasse de fer-blanc de sa musette, il nous la tendit l'un après l'autre. Noor but d'un trait et remercia. Je trouvai le café trop fort, mais sa chaleur me réconforta.

– Pendant le voyage, ne regardez pas les soldats, poursuivit Blainville, le mieux est d'avoir l'air affairé. En semaine, ceux qui prennent le train ont des raisons professionnelles de le faire. Pas de regards étonnés, pas de nez en l'air. Depuis trois ans, la France est occupée. Tout le monde s'est habitué... (Puis, sur un ton plus brusque :) Trop habitué, peut-être.

Sans cette dernière remarque, il m'aurait rappelé les instructeurs du SOE. C'était la touche française... il continua :

– Vous logerez dans l'appartement qu'ont déniché les gens de « Cinéma », dit-il à Noor. C'est un très bon repaire. Personne n'en connaît l'adresse, pas même moi. Vous pouvez être tranquilles. Une seule chose, souvenez-vous du mot de passe. Il y a trois semaines, un agent l'a oublié. Ils ont failli le jeter dehors.

– « Le train du Mans a eu du retard, récita Noor, le charbon manquait »...

– Vous n'auriez pas dû me le dire, répliqua Blainville. Ne l'oubliez pas, c'est tout.

Noor devait partir la première. Elle voyageait seule sous le nom de Jeanne-Marie Firmin, gouvernante pour enfants, tandis que je regagnais Paris en première avec Blainville. J'avais encore un léger accent anglais. Il était plus prudent de me faire accompagner pour passer les contrôles.

– Mademoiselle, dit Blainville d'un ton mondain, j'ai été heureux de vous connaître, vous êtes charmante. La gare est à deux cents mètres. Arrivée au coin de la rue, vous tournez à gauche. C'est au bout de l'avenue Hoche, un peu à gauche, vous ne pouvez pas vous tromper. Au revoir. Je vous dis merde !

Noor remercia, étonnée par ces derniers mots. Elle lui secoua la main, à l'anglaise. Puis elle se tourna vers moi en souriant. Mais, au lieu de me tendre sa main, elle se lança en avant et m'embrassa sur les deux joues. Je restai bête, pendant que sa robe disparaissait à la porte de la cour, accrochant un rayon de lumière.

Vingt minutes plus tard, nous marchions dans l'avenue Hoche en chuchotant, pendant que deux soldats allemands nous croisaient, la voix haute. La gare était sombre, un guichetier, l'air endormi, montait la garde derrière sa vitre à hygiaphone. Trois voyageurs étaient assis sur un banc de bois. Le train pour Paris était annoncé à six heures cinquante-trois, sur une grande ardoise, à la craie. Un contrôleur renfrogné poinçonna nos billets établis à Londres, sous l'autorité de Maurice Buckmaster, chef de la section France du SOE. Sur le quai, plusieurs personnes attendaient en silence dans le petit matin. À trente mètres, la silhouette de Noor était là, le visage tourné vers la gauche. Elle nous regardait fixement, sans précaution. Au bout de dix minutes, soufflant et fumant, le train s'arrêta le long du quai. Après Blainville, impassible dans son imperméable gris, je m'engageai sur le marchepied des premières. Au moment de monter, je jetai un coup d'œil vers le wagon suivant. Noor s'était arrêtée, dans la même position que moi. Je crus saisir son regard. Elle lâcha la rampe un instant et, juste avant qu'elle ne grimpe dans le train, je vis sa main en suspens, l'espace d'une seconde. L'index et le majeur étaient droits, pointés vers le ciel. Elle faisait le V de la victoire.

2.

Sans m'en rendre compte, j'avais déjà croisé Noor. C'était au bord de la mer, au nord de l'Écosse, dans le parc d'Arisaig, le manoir où le SOE formait les agents à ses méthodes de voyous. La lumière de février éclairait une lande roussie par le froid. La mer battait des plages glaciales et des criques obscures. Le vent courbait la bruyère qui recouvrait les collines. Au flanc de vallées abruptes, on voyait des châteaux tristes défendus par des ponts-levis. Les récifs qui parsemaient la baie du Firth semblaient des spectres dans la brume. Nous étions comme les chevaliers de la Table ronde au milieu des forêts sombres et des tours crénelées, pour nous initier au combat contre le dragon. À quelques miles de là, dans une bâtisse de granit construite au bord de la rivière et entourée de tourbières, on distillait le meilleur whisky du monde.

J'étais instructeur. Noor faisait partie d'un petit groupe de femmes qu'on entraînait à part. Le SOE n'hésitait pas à envoyer des filles de vingt ans contre la Gestapo, mais rechignait à les exposer à des exercices de gymnastique avec les hommes ! Éternelle Angleterre...

Joan Sanderson les avait prises en charge et leur menait la vie dure. Je ne suis pas sûr que leur vertu en fût mieux protégée. Ma collègue Joan, officier intrépide, avait des cheveux blonds très courts et affectait une allure virile. Elle portait à ses stagiaires une attention si affectueuse qu'elle avait reçu des remontrances du commandement. Quand je l'avais questionnée, après la guerre, toujours aussi blonde, belle et masculine, elle travaillait dans une agence de mannequins. Elle faisait du « casting », comme on dit en Angleterre... De Noor, elle avait gardé un souvenir exact. Ma princesse lui avait plu, à coup sûr, même si sa favorite s'appelait Violette Laszlo, un sosie de Greta Garbo, pommettes hautes, regard de reine et chevelure de jais, la meilleure tireuse du SOE, qui pouvait mettre dix balles sur dix dans une cible à trois cents mètres.

La présence d'un petit escadron féminin avait provoqué une curiosité émoustillée dans la chambrée chic que formait la promotion. Le premier soir, avant même le début de l'instruction, des manœuvres clandestines avaient commencé. Le SOE avait autorisé l'ouverture d'un bar dans la grande salle du manoir qui donnait sur le terrain de cricket tondu à ras. Les officiers de commando comme moi réprouvaient cet étrange laxisme. Il paraît que les agents devaient être capables de garder leur sang-froid en toutes circonstances, même sous l'emprise de l'alcool. En somme, la création d'un pub au cœur du camp d'entraînement faisait partie de l'instruction militaire... Tout cela me semblait baroque.

J'étais venu boire une bière vers neuf heures et la soirée était déjà chaude. Des petits groupes de jeunes gens en uniforme s'étaient formés autour de chacune des sept futures espionnes, sous l'œil glacé de Joan Sanderson. Bien entendu, c'est Violette Laszlo qui m'avait ébloui la première. Un verre de Pimm's à la main, resplendissante dans sa tenue bleue de la RAF qu'elle avait réussi à rendre moulante, elle pérorait devant quatre jeunes premiers qui riaient à la moindre de ses remarques et restaient l'œil fixe et la lèvre pendante le reste du temps. Sa longue chevelure et sa haute silhouette en faisaient le point de mire de la salle. Pearl Witherington s'était mise au piano et jouait en sourdine « As time goes by », la chanson du film *Casablanca*. Noor était à l'autre bout de la salle. Timide, effacée, elle parlait à un instructeur, Donaldson, qui se penchait vers elle avec un regard attendri. Je ne l'avais pas remarquée à travers la fumée.

Vers neuf heures et demie, Roger de Wesselow, fine moustache et esprit cinglant, fils aîné d'une famille d'origine flamande dont les ancêtres, frères et cousins, avaient combattu à Waterloo, se mit à tousser pour tenter d'imposer le silence. Il avait une écharpe blanche autour du cou, vissait ses Lucky Strike dans un fume-cigarette et parlait la plupart du temps de chasse à courre, toutes choses qui me paraissaient ridicules. C'était lui qui dirigeait le camp. Au début de chaque stage, appuyé au piano, il s'adressait à la nouvelle promotion. Comme le brouhaha continuait, un grand brun au menton en galoche et à l'œil pétillant, John Starr, peintre paysagiste à la petite réputation et à la grande gueule, destiné par le SOE à devenir virtuose dans la confection des faux papiers et des cartes de rationnement factices, cria d'un ton à la fois solennel et goguenard :

– Silence, bon peuple et grands seigneurs ! Silence ! Le général de Wesselow va vous parler !

Wesselow lui lança un regard noir pendant que les conversations s'éteignaient une à une. Il n'était pas général, mais major. Dernier homme du dernier bataillon du corps expéditionnaire britannique de 1940 à monter à bord du dernier canot qui venait ramasser l'armée vaincue sur les plages de Dunkerque, au milieu des bombes des stukas et des obus de la Wehrmacht, son affectation au camp d'entraînement l'avait éloigné des combats et des promotions. Involontairement, la phrase de Starr était plus méchante qu'elle n'en avait l'air.

Le major fit face à l'assistance.

– Mesdames, mesdemoiselles, messieurs, je voulais vous souhaiter la bienvenue au camp de vacances d'Arisaig.

Un ou deux rires ponctuèrent cette exergue.

– Je suis le *major* de Wesselow, je dirige le stage... (il marqua un temps) et je serai nommé général si j'arrive à faire de vous tous de bons soldats et de bons espions... (Puis, fixant Starr d'un air furibard :) Autant dire, à considérer certains d'entre vous, que mes chances de promotion sont minces !

Un éclat de rire forcé par l'alcool emplit la salle au plafond armorié.

Il reprit :

– La guerre que nous allons vous enseigner ici n'est pas une guerre en dentelles, ce n'est pas une guerre loyale, ses règles n'ont rien à voir avec celles du marquis de Queensbury.

Joan Sanderson me raconta en 1950 qu'à ce moment-là Noor s'était penchée vers elle en murmurant : « Qui est le marquis de Queensbury ? » Elle avait répondu à voix basse : « Il a inventé les règles de la boxe. » Et, voyant que Noor s'interrogeait encore, elle avait ajouté : « Un sport de voyous pratiqué par des gentlemen ! » Mais Wesselow avait déjà continué :

– Notre guerre, mesdames, messieurs, est un sport de voyous pratiqué par des voyous ! Il se trouve, en effet, et malheureusement, que notre ami Adolf Hitler n'est pas un gentleman. (Il se caressa la lèvre supérieure.) D'abord, sa moustache fait peuple... (Rires.) Il se trouve aussi que notre ami Hermann Goering a un mauvais tailleur. (Rires.) Et que ce monsieur Himmler a une tête de comptable... Et que, pendant le blitz, ils ont fait la preuve de leur manque de goût en épargnant la cathédrale Saint-Paul !

Rires un peu suffoqués : pour les Anglais, le grand dôme construit par Wren, toujours debout malgré les bombardements – et toujours aussi laid –, incarnait la résistance de leur capitale.

– Mais il se trouve, mesdames, mesdemoiselles, messieurs, qu'on n'a jamais vu dans l'Histoire un tel ramassis de tortionnaires à la tête d'un grand pays !

Le silence s'était fait. Une hostilité électrique parcourait l'assistance. Je compris que Wesselow avait un art consommé de l'adresse martiale. Il poursuivit, en enflant la voix :

– Mesdames, mesdemoiselles, messieurs, nous ne pouvons pas laisser ces ordures gouverner l'Europe. Nous ne pouvons pas les laisser tuer tout le monde. Nous ne pouvons pas les laisser nous insulter. Alors nous allons leur montrer que l'Empire britannique peut, lui aussi, produire une bande de salauds tout aussi efficaces que les leurs, qui les battront sur leur terrain, jusqu'à Berlin ! Et cette bande de salauds, mesdames, mesdemoiselles, messieurs, c'est vous !

Un tonnerre d'ovations avait salué l'envolée du major. Wesselow avait attendu que les applaudissements s'arrêtent. Puis il avait ajouté :

– Sauf John Starr, qui est un trouillard !

Au milieu des rires, Starr lança à la cantonade : « Ne tirez plus, je me rends ! » Le discours n'était pas fini.

– Un jour proche, plus proche peut-être que nous ne le pensons, les armées alliées mettront le pied sur le continent. Ce ne sera pas une chose facile. Les Canadiens...

Au fond de la salle, on entendit un pet sonore, contrefait par un chahuteur. Wesselow changea de couleur et éleva le ton.

– ... Les Canadiens, qui sont plus courageux que vous ne le serez jamais, nous ont montré en se faisant tuer à Dieppe que le débarquement ne sera pas une partie de plaisir.

Personne ne songeait plus à l'interrompre.

– Toute la guerre se jouera en une journée. Si les Allemands sont reposés, entraînés, autrement dit, si nous les laissons tranquilles, ils couperont les boys en morceaux. Notre rôle, votre rôle, c'est de ne pas les laisser tranquilles. Et pour ça, tous les coups sont permis. Vous avez douze semaines pour en apprendre quelques-uns. Vous serez la première tête de pont de l'armée alliée en Europe. Ne l'oubliez jamais. Vous n'y gagnerez rien. Les soldats normaux tombent en pleine lumière, sous l'œil de leurs officiers. Vous tomberez dans la nuit, sous l'œil de personne. On vous oubliera. Vous aurez peut-être une médaille. Ce sera à titre posthume. Vos descendants la mettront dans un tiroir. Mais, si vous survivez, vous pourrez vous dire, quand vous serez vieux : « Je n'ai pas laissé les salauds tranquilles. Pour un idiot comme moi, ce n'est pas si mal. »

Un silence lourd régnait dans la salle. Wesselow emprunta sa conclusion à un officier plus célèbre que lui :

– Maintenant, mesdames, mesdemoiselles, messieurs, l'Angleterre attend que chacun fasse son devoir ! (Il parut hésiter.) Et mon devoir, à moi, c'est de me soûler avec John Starr.

Au milieu des hourras, il prit le jeune peintre par les épaules.

Le discours me parut bon, mais la soirée néfaste. Comment faire de ces buveurs de whisky des soldats d'élite en douze semaines? Une préparation militaire normale durait six mois. Il fallait inculquer à ces civils inconscients l'art des commandos en un temps deux fois plus court. Snobé par les services secrets traditionnels, fondé sur un coup de tête de Churchill, doté d'une organisation autonome parce qu'il fallait assurer aux travaillistes, qui venaient de rejoindre la coalition gouvernementale, le contrôle d'un de ces bureaux de renseignements dont ils se méfiaient à juste raison, le SOE traînait derrière lui une réputation d'amateurisme. Le spectacle de ces agapes écossaises me faisait craindre le pire. J'avertis toute la troupe que le lever serait sonné à cinq heures et je rentrai me coucher.

Le lendemain, je m'ingéniai à dissuader quiconque de renouveler la soirée de la veille. Après deux heures de course à pied à vitesse soutenue dans la lande, qui laissa les jeunes gens à la limite de l'asphyxie et une heure de gymnastique au milieu des cris et des ordres gutturaux, j'assemblai la troupe dans une grange surmontée d'un plafond à grande hauteur, dans lequel une ouverture carrée avait été pratiquée. Chacun fut prié de monter par l'échelle dans le grenier, puis de s'asseoir autour de la trappe, les jambes ballantes. Au commandement, ils devaient se jeter dans le vide et se recevoir comme ils pouvaient quatre mètres plus bas. C'était la hauteur limite au-delà de laquelle la fracture était certaine. Il n'y eut que deux petites foulures, vite soignées. L'après-midi, ils commençaient à apprendre le combat corps à corps. J'expédiai mes stagiaires sur le sol, je leur tordis les bras et leur martelai l'abdomen. Vers six heures, j'entraînai tout le monde pour une heure de course supplémentaire, un sac de vingt kilos sur le dos. « La sécurité du franc-tireur, c'est sa mobilité », expliquai-je. Le soir, seul John Starr se présenta au bar. À huit heures et demie, il était couché.

Dans une autre partie du parc, logée dans une annexe, Noor subissait un entraînement moins rude. La course était limitée à quinze minutes. La gymnastique à une demi-heure. Elle avait pu entamer les cours théoriques. Depuis son engagement dans la RAF, elle avait appris la télégraphie sans fil. Elle savait déjà transmettre en morse à la vitesse de vingt mots à la minute, chaque lettre étant remplacée par les célèbres assemblages de traits et de points. Dans le civil, les opérateurs dépassaient à peine les douze mots. Il lui fallait atteindre le rythme de vingt-quatre mots minute.

La vitesse de transmission était décisive : en territoire occupé, les stations fixes de l'armée et de la Gestapo balayaient sans cesse les fréquences. Quand un poste nouveau était repéré, le service d'écoute téléphonait aux trois stations de détection disposées sur un triangle couvrant toute la France, à Brest, Augsbourg et Nuremberg. Une fois la zone d'émission située dans un espace de quinze kilomètres de côté, trois camions gonio partaient sur-le-champ, roulant doucement pendant qu'une antenne, surmontée d'un cercle d'acier pivotant, cherchait le relèvement du poste clandestin. Avec trois relèvements, les Allemands pouvaient localiser l'émission à deux cents mètres près. Des techniciens à pied munis d'un petit détecteur se faisaient fort de trouver le lieu d'émission. Un peloton de soldats, souvent des SS, suivait les camions. Il fallait en moyenne trente minutes aux équipes de détection pour faire irruption dans la maison où se cachait l'opérateur. Après la guerre, le SOE constaterait qu'un opérateur radio sur deux avait été arrêté. La plupart furent torturés, déportés et exécutés à Dachau ou à Buchenwald.

Au bout de vingt-cinq minutes, la transmission entrait dans la zone dangereuse. C'est-à-dire après cinq cents mots environ, soit un texte d'une cinquantaine de lignes. Avec des opérateurs normaux, l'intensité des transmissions de la Résistance en Europe aurait été diminuée de moitié. Ou bien, pour la même quantité de messages, les risques doublés. Après une semaine de stage, Noor et ses camarades s'étaient mis à rêver en morse...

Mon meilleur stagiaire s'appelait Derek Darbois. C'était un homosexuel qui ne pouvait dissimuler ses penchants, tant sa voix était précieuse et sa démarche efféminée. Il était d'une gentillesse désarmante et portait aux autres une attention de tous les instants. Le premier jour, Starr avait lancé quelques piques contre lui, des rires gras avaient accueilli ses bons mots. Darbois avait serré les dents et s'était refermé sur lui-même. Le soir, à la fin de la course, un sac de pierres sur le dos, il était arrivé une minute avant les autres.

Après l'initiation dans la grange, les apprentis saboteurs étaient passés au treuil : je les soulevais au bout d'une corde, un mécanisme pendulaire se mettait en marche et ils commençaient à se balancer. Quand ils atteignaient l'horizontale à la fin de chaque oscillation, je lâchais la corde : ils devaient se tortiller en l'air, atterrir les jambes les premières et rouler sur le sol durci par le froid. Je les fis ensuite monter dans les arbres et sauter à partir de branches de plus en plus hautes. Les civils qui habitaient autour d'Arisaig appelaient le manoir « le château des singes ». Je m'aperçus deux jours plus tard que Darbois s'était foulé une cheville. Il n'avait rien dit, exigé de l'infirmier qu'il lui bande l'articulation en serrant très fort et repris l'entraînement.

Une semaine plus tard, ils grimpaient, trois par trois, dans une nacelle de bois et d'osier amarrée sous un de ces gros ballons de forme oblongue que l'armée nous avait cédés. Habituellement, la défense contre avions disposait ces énormes saucisses de baudruche remplies d'hélium au-dessus des villes et des nœuds ferroviaires, reliées au sol par un câble. Pour économiser le carburant plutôt que sauter d'un avion, les stagiaires devaient s'initier en se jetant dans le vide à partir de cette fragile nacelle. Ils avaient plié eux-mêmes leur parachute, répété cent fois les gestes à accomplir et surtout vidé leur vessie. En prenant de l'altitude, la nacelle tremblait et se balançait sous l'effet du vent, menaçant apparemment de se décrocher à chaque seconde. Je n'en ai pas vu un seul qui soit monté sans pâlir.

Le troisième groupe comprenait John Starr, Derek Darbois et Peter Greenwood, un jeune banquier élégant qui avait passé plusieurs années en poste à Paris avant la guerre. Comme la nacelle branlante montait au-dessus du sol, je les vis, comme les autres, s'agripper aux poignées de sécurité. Le parc d'Arisaig rapetissait rapidement sous le regard et les bâtiments semblaient des maquettes plantées sur la lande ; on voyait sur la droite l'eau grise de la baie semée de gros rochers noirs. Starr lui-même avait cessé de plaisanter et fixait le sol avec un regard halluciné. Darbois était livide.

En opération, s'ils étaient largués au-dessus de la France, l'avion volerait à cent mètres, à pleine vitesse, pour qu'aucun changement de régime n'intrigue un éventuel témoin. La manœuvre était dangereuse : si jamais le pilote se trompait et larguait ses passagers au-dessus d'une colline, les parachutes n'auraient pas le temps de s'ouvrir et ils s'écraseraient au sol. On ne pouvait pas agir autrement. Même la nuit, les parachutes se repéraient de loin. Il fallait réduire au minimum le temps de descente, et les hommes sautaient à l'extrême limite de la norme de sécurité. Au bout d'une seconde de chute libre, l'ouverture se déclenchait automatiquement. Ils laissaient aussitôt tomber leur sac au bout d'une corde de quatre mètres. Le sac touchait le sol le premier, le parachute allégé ralentissait et ils roulaient dans l'herbe en espérant qu'aucun Allemand n'avait regardé le ciel à ce moment-là.

Dans la nacelle, le premier saut avait lieu à cent vingt mètres. Vingt mètres de marge seulement... C'est le sort des parachutistes : plus ils s'entraînent, plus ils risquent. Quand le ballon s'immobilisa au bout du câble, je vérifiai tous les parachutes, et j'ouvris la trappe à travers laquelle on voyait le paysage aller et venir au gré du vent. Je tapai sur l'épaule de Greenwood, qui était près de tourner de l'œil. « *Go !* » Crânement, le jeune banquier se jeta dans le vide, ne pouvant réfréner un cri de terreur. Le parachute s'ouvrit immédiatement et Greenwood atteignit le sol quelques secondes plus tard en riant très fort. Je tapai sur l'épaule de Darbois. « *Go !* » Rien ne se passa. Les mains agrippées au rebord de l'ouverture, les articulations blanches, les yeux écarquillés, Darbois était paralysé. Je répétai : « *Go !* » Darbois ne bougea pas. Je m'apprêtai à le prendre par le bras et à le jeter dehors quand Starr s'approcha de lui. Il lui passa le bras derrière le dos et le précipita dans le vide en criant : « Allez, la pédale, on te demande en bas ! » Une fois Darbois arrivé, Starr sauta à son tour avant même que je crie : « *Go !* »

La nacelle redescendit pendant que les trois novices ramassaient leur parachute. Nous nous dirigeâmes vers le baraquement des briefings. Greenwood était en tête, exultant. Je le suivais en souriant. Les deux autres marchaient derrière. Darbois disait à Starr : « Merci de ton aide, je n'aurais jamais pu sauter tout seul ! » J'entendis un bruit étouffé et je me retournai. Starr était tombé : le crochet du droit décoché par Darbois l'avait jeté à terre. Penché en avant, les poings serrés, les coudes au corps, se balançant d'un pied sur l'autre, Darbois ajouta, le regard étincelant : « Et tu sauras que les pédales sont meilleures en boxe qu'en parachutisme. » Starr s'était relevé en se frottant la mâchoire. J'allais m'interposer quand il dit : « Désolé, Derek, je suis un con. » Il lui tendit la main, Darbois la prit. Il avait les larmes aux yeux. Starr lui donna l'accolade et lança, avec un sourire en coin : « Excuse-moi, vraiment. Tu as raison de te défendre. D'ailleurs, je ne vois pas pourquoi tu n'aurais pas droit à un parachute rose ! » Darbois éclata de rire. J'entraînai Greenwood vers le baraquement.

J'entendis parler de Noor la semaine suivante. Un incident l'avait opposée à Timothy Keegan, le sergent qui initiait les stagiaires au tir, le sourcil froncé et la moustache rousse en bataille. Par un soleil de fin d'hiver, au milieu de la cour du manoir, sur une grande table de bois ouvragé sortie de la salle à manger, Keegan, un peu humilié, lui, l'ancien de l'armée des Indes, de devoir instruire ce curieux bataillon féminin, avait disposé les armes dont le SOE équipait ses agents et ordonné aux jeunes femmes de faire un cercle autour de lui. Il y avait là des revolvers Bulldog et colt, pareils à des armes de western, avec leur barillet rotatif. Il y avait des pistolets Ruby, colt et Le Français, avec le chargeur dans la crosse, qui ressemblaient à ces brownings noirs qu'on verrait au poing des gangsters dans les films policiers après la guerre. Il y avait surtout une mitraillette Sten, qui était déjà l'arme légendaire de la résistance au nazisme.

– STEN, expliqua Keegan, c'est un acronyme, des initiales. Ça vient du nom des deux ingénieurs qui l'ont inventée, Shepherd et Turpin, et du nom de la ville où on la fabrique, Enfield : S.T.E.N.

Les usines britanniques allaient la produire à deux millions d'exemplaires.

– Elle a tendance à partir toute seule, ajouta Keegan, mais elle résiste au froid et à l'eau. Et c'est la moins encombrante des tueuses !

En quelques secondes, il désossa l'engin, qui se séparait en trois pièces, l'arme elle-même, la crosse de métal léger et le chargeur rectangulaire.

– Vous pouvez la transporter dans un cartable ou même sur vous dans votre manteau, dit Keegan en remontant la mitraillette. Il en montra le maniement, à vide, puis engagea le chargeur et lâcha quelques rafales dans l'herbe.

– Tirez par petites rafales, sinon vous viderez le chargeur trop vite. Il suffit de la pointer à la hanche en la tenant solidement, comme ça, au jugé. Si l'ennemi n'est pas à couvert, il y passera, automatiquement.

Puis il tendit la Sten à la première stagiaire à sa droite, qui dut la démonter, la remonter et tirer sur un mannequin de bois dressé au milieu de la cour.

Les jeunes femmes s'initiaient avec des grâces de débutantes. Pearl Witherington demanda si la poudre noircissait les mains. Puis elle pointa le canon en tremblant, mais tira avec un sourire sauvage. Yvonne Beekman ferma les yeux en appuyant sur la gâchette, les balles se perdirent. Cecily Lefort poussa un petit cri sensuel quand partit la première rafale. Violette Laszlo prit la Sten comme un vieux professionnel et plaça sans viser une courte rafale dans la poitrine du mannequin de bois.

– Dites donc, mademoiselle, c'est excellent! dit Keegan.

– J'ai appris à tirer avec mon mari, répondit Violette.

Mathias Laszlo était un industriel hongrois qui avait emmené sa femme dans le monde entier chasser le gros gibier. Violette avait pris le sport à cœur. À force de pratique, elle était même devenue tireuse d'élite. En 1941, son mari avait rejoint la Résistance, mais il s'était fait prendre et les Allemands l'avaient fusillé. Depuis, Violette s'entraînait pour le jour où elle aurait un uniforme vert-de-gris dans son viseur...

Ce fut le tour de Noor. Doucement, la princesse leva la main, paume en avant, et dit d'une toute petite voix :

– Non, pas pour moi. Je ne l'utiliserai pas.

Keegan la regarda en souriant

– Mais si, vous allez voir, c'est très facile.

Noor sourit à son tour et répondit :

– Je ne veux pas m'en servir...

Keegan la fixa d'un air surpris.

– Comment ça, vous ne voulez pas vous en servir! Mais c'est obligatoire, cela fait partie de l'entraînement.

– Je sais, mais je ne peux pas le faire.

– Tout le monde peut le faire! Tout le monde doit le faire! Si on vous tire dessus, si on vous pourchasse, il faudra bien que vous vous défendiez.

– Non, je ne tirerai sur personne. Je ne veux tuer personne.

– À la guerre, mademoiselle, on tue ses ennemis. Sinon, ils vous tuent.

– Je suis désolée, sergent, je comprends ce que vous dites, j'ai le plus grand respect pour vous et pour tout ce que nous faisons ici, mais je ne pourrai pas tirer.

Keegan la regarda, interloqué. Le rouge lui montait au visage, sa moustache tremblait. Il allait exploser, quand Violette Laszlo lui prit le bras.

– Sergent Keegan, elle vous dit qu'elle ne le fera pas. Je crois qu'il ne faut pas insister. Après tout, elle est radio. Elle n'a pas besoin de tirer sur tout le monde.

– Pas sur tout le monde, mademoiselle. Sur les boches.

– Bien sûr, mais elle ne peut pas le faire. C'est une question de convictions religieuses.

Ébahi, Keegan se tourna vers Noor.

– De convictions religieuses?

Noor hocha la tête. Violette Laszlo précisa que Nora Wilson était d'origine indienne. Et Keegan explosa :

– Mais enfin, nous n'avons pas recruté des fakirs dans cette armée! Ou des mousmés en sari! C'est la guerre! Nous n'avons pas de temps à perdre. C'est ce Gandhi qui vous a mis l'esprit à l'envers. Nous ne sommes pas en Inde et vous ne vous battez pas contre l'armée bien polie de Sa Majesté. Vous vous battez contre Adolf Hitler! Vous connaissez? Vous croyez qu'il fait des cadeaux à ceux qui ne tirent pas? Mademoiselle, vous allez me faire le plaisir de tirer dans ce foutu mannequin.

Des larmes coulaient sur les joues de Noor.

– Je l'avais dit à M. Jepson, murmura-t-elle, il était d'accord...

– Jepson? Inconnu au bataillon, Jepson! Qui est-ce Jepson? Un grand Moghol? Un charmeur de serpents? Un communiste?

C'est encore Violette qui sauva Noor.

– Sergent Keegan, sauf votre respect, il faut que vous parliez avec le major de Wesselow. Il vous expliquera...

– Wesselow est au courant? Je vais lui parler, moi, à Wesselow! Je vais lui expliquer que ces dames ont décidé d'abattre le IIIe Reich avec des éventails!

Il se calma peu à peu. D'un geste brusque, il passa la Sten à Diana Rowden. En serrant ses lèvres minces et en faisant tressauter son chignon, la jeune femme décapita le mannequin d'une seule rafale, ce qui apaisa le sergent.

Selwyn Jepson était le recruteur du SOE. C'était un auteur de théâtre que les chefs du SOE avaient choisi en escomptant qu'il aurait la finesse psychologique nécessaire à la tâche. Ils ne s'étaient pas trompés : Jepson rendit d'éminents services avant de reprendre sa carrière de dramaturge avec succès. Pour répondre aux plaintes de Keegan, Wesselow s'était plongé dans son rapport sur Noor. Jepson y faisait mention des convictions religieuses de Noor. Mais il les avait portées à son crédit : pour lui, les motivations de la jeune femme étaient « les plus hautes qu'on puisse imaginer ». Sa conclusion était péremptoire : Noor serait un excellent agent du SOE. Elle était courageuse, patiente, méthodique et excellente au maniement de la radio. Wesselow avait dit à Keegan de poursuivre l'entraînement comme si de rien n'était. Noor serait dispensée d'instruction au tir. Après tout, elle se débrouillerait. Les radios ne sont pas censés faire le coup de feu. Au contraire, on leur donnait ordre d'éviter toute action violente et de se concentrer sur leur rôle de transmission. Si Noor ne voulait pas apprendre à tirer, c'était son affaire, et les radios compétents étaient trop rares pour qu'on fasse la fine bouche.

Les affaires de la princesse s'arrangèrent la semaine suivante. En même temps que le tir, Keegan enseignait aux jeunes femmes ce qu'il est convenu d'appeler « le parcours du combattant ». Dans les unités normales, il s'agissait de sauter dans des fosses, d'escalader quelques murs, de ramper dans la boue et de franchir des obstacles. Le SOE avait raffiné l'exercice en s'inspirant de l'entraînement des régiments d'élite. Il fallait sauter d'un mur de quatre mètres au lieu de deux, marcher dans une rivière avec de l'eau glacée jusqu'au cou pendant deux kilomètres, attendre une douzaine d'heures tapi dans la boue, ramper pendant qu'une mitrailleuse tirait à cinquante centimètres du sol, descendre en rappel une falaise de cinquante mètres, remonter la même falaise grâce à des prises prévues à l'avance sans être assuré par la moindre sangle, apprendre à attaquer une sentinelle par-derrière et à la tuer net en lui enfonçant une dague dans le dos ou en lui brisant les vertèbres par une torsion brutale de la tête. Les femmes devaient être entraînées dans une version atténuée des mêmes exercices, qui auraient rebuté la plupart des conscrits d'une armée normale.

Un après-midi, Keegan réunit son bataillon de charme devant un grand arbre autour duquel était construite une plate-forme de grosses planches qui s'évasaient à une dizaine de mètres de hauteur. D'une haute branche pendait une corde qui passait devant la plate-forme et descendait jusqu'au sol. Il leur demanda de sauter de la plate-forme, d'agripper la corde à deux mains et de descendre. Les stagiaires montèrent par groupe de quatre sur ce frêle plancher intermédiaire et Keegan leur cria de s'avancer et de sauter.

Quand Pearl Witherington approcha du vide, elle découvrit que la corde flottait à près de deux mètres du bord. Il fallait franchir d'un bond la distance et accrocher la corde au vol, faute de quoi on tombait dix mètres plus bas. Certes, on atterrissait dans l'herbe. Mais les exercices de parachutisme avaient appris aux agents qu'une chute de plus de quatre mètres vous envoie à l'hôpital, quand elle n'est pas mortelle. Pearl pâlit, considéra la corde, le sol en contrebas, et cria à Keegan que c'était trop dangereux.

– La Gestapo est plus dangereuse, répondit Keegan, elle vous poursuit, sautez !

Pearl s'était déjà reculée, hors de vue de Keegan. Le sergent connaissait la difficulté de l'épreuve. Il fit une concession.

– Bon, Violette, allez-y ! Montrez-leur que vous ne flanchez pas !

Violette Laszlo s'avança. Elle aussi mesura la hauteur, la distance à franchir pour attraper la corde, et pâlit.

– Allez, sautez, nom de Dieu. Vous aussi vous avez peur ? hurla Keegan.

Violette se décida. Livide, elle fit quatre pas en arrière, s'appuya au tronc et s'élança. Elle prit son appel sur le pied gauche, bondit vers la corde, arrondit les bras pour l'enserrer et tenta de l'agripper. La main gauche rata sa cible. Quand la main droite se referma sur le chanvre, Violette tombait déjà. La prise ne suffisait pas. La jeune femme continua sa chute, retenue par sa seule main droite. Elle hurla, la paume brûlée par le défilement du chanvre. À deux mètres du sol, la corde secouée en tous sens s'enroula autour de sa cuisse nue. Freinée,

Violette percuta le sol sans trop se faire mal. Elle se releva en tremblant, regarda sa main droite. La paume était rouge et déchirée. Le sang s'écoulait de la blessure sur la manche du corsage. Sans qu'elle y prête attention, une traînée écarlate barrait sa cuisse. Keegan s'approcha, penaud.

– Bravo, Violette, dit-il d'un ton incertain, vous leur avez montré la voie.

– Arrêtez cet exercice, sergent Keegan. Sauf votre respect, c'est trop dangereux, dit seulement Violette à voix basse. Si elles ratent la corde, elles se tuent.

Keegan se dandinait, écartelé entre son devoir d'instructeur inflexible et le bon sens qui lui intimait de maintenir ses stagiaires en vie. Il regarda Violette, leva la tête vers l'arbre et se décida à fléchir. Une petite voix l'arrêta. À la stupéfaction de ses camarades, Noor s'était avancée au bord de la plate-forme.

– Sergent Keegan ! Je crois que j'ai trouvé une méthode !

Keegan hésita quelques secondes, puis se décida. Il était curieux de voir ça...

– Voilà un bon geste, mademoiselle ! Faites attention ! Il faut fermement agripper la corde à deux mains. Sautez franchement et visez bien.

– Non, il ne faut pas sauter, sergent. Laissez-moi faire.

Noor était debout au bord des planches, au-dessus du vide. La petite troupe la regardait, fascinée. Alors elle plaqua ses bras le long du corps, releva le menton et ferma les yeux. Trente secondes s'écoulèrent. On n'entendait que le bruissement des feuilles. Noor gardait les yeux fermés, comme si elle méditait. Au moment où Keegan allait intervenir, Noor ouvrit les yeux, se pencha légèrement en avant et leva les bras jusqu'à les tenir horizontaux, les mains ouvertes vers la corde. Puis elle bascula lentement dans le vide, le buste droit et les bras tendus. Diana Rowden laissa échapper un petit cri. Keegan la fixait, immobile, une goutte de sueur glissant sur son front. Le corps rigide de Noor était maintenant à plus de quarante-cinq degrés. Elle allait tomber. Mais, dans cette position, ses mains touchaient la corde. Elle les referma, ses pieds quittèrent la plate-forme et elle se retrouva agrippée au chanvre, solidement arrimée par les mains et les chevilles croisées. Elle descendit prestement. Arrivée sur le sol, elle se retourna vers Keegan et sourit. Une seconde s'écoula, puis Violette Laszlo exulta :

– Pour Nora Wilson, cria-t-elle, hip ! hip ! hip !

– Hourra ! répondit la troupe.

Au milieu des applaudissements, Keegan garda son air sévère. Pourtant, son œil brillait. Une à une, les stagiaires passèrent derrière Noor et attrapèrent la corde sans encombre. Sur le chemin du retour, Keegan dit d'une voix forte :

– Bien joué, mademoiselle Wilson ! Je ne sais pas si nous vous engagerons. Mais, si vous échouez chez nous, vous pourrez vous présenter dans un cirque !

3.

J'avais encore croisé Noor avant le départ. De nouveau je ne l'avais pas remarquée. En trois mois, l'entraînement physique et militaire des agents était terminé. Wesselow avait écarté une dizaine de candidats qui furent reversés dans leur corps d'origine. Joan Sanderson avait loué la prestation de Noor. Elle l'avait emporté sur les réserves emphatiques de Keegan, qui ne comprenait pas pourquoi on envoyait des adeptes du Mahatma Gandhi lutter pour le roi et l'Angleterre, quand il savait bien, lui, que ces personnages cauteleux n'avaient de cesse qu'ils ne démantèlent l'Empire britannique. Wesselow avait tranché pour Noor.

Après une permission, la promotion se retrouva dans un cottage du Surrey, près de Beaulieu, dans l'école de sécurité dirigée par le colonel Frank Spooner, un rouquin froid aux yeux bleus. Nous étions sur les bords d'une rivière qui serpentait dans la campagne pour se jeter dans le Solent, ce bras de mer qui sépare l'île de Wight de la côte. Les champs étaient entourés de haies agitées par le vent de la Manche. La rivière abritait des petits chantiers de marine qui sentaient le bois coupé et des pubs aux petits carreaux dépolis d'où s'échappaient, le soir, des chants de matelots. L'endroit était célèbre pour ses courses de voiliers et ses manoirs au bord de l'eau.

Les Rothschild et quelques familles richissimes avaient prêté leurs propriétés à l'armée. Lord Mountbatten s'était installé avec son état-major à quelques kilomètres de notre cottage pour préparer les opérations combinées du débarquement. Sur la rivière, on essayait les péniches qui emmèneraient les vagues d'assaut vers les plages de Normandie. Dans les eaux protégées qui avaient vu naître la Coupe de l'America, on avait, ainsi que Drake et Nelson, mouillé une bonne partie de la Royal Navy. Sur ordre personnel de Churchill, les « Mulberries » se construisaient, ces grosses digues flottantes qui seraient remorquées le jour venu à travers la Manche pour établir les ports artificiels d'Arromanches et Colleville. Le BCRA du colonel Passy, l'organisation cousine du SOE contrôlée par de Gaulle, aussi jalouse de son indépendance qu'elle était suspendue à l'aide matérielle de l'armée britannique, disposait du manoir voisin du nôtre.

L'atmosphère n'avait rien à voir avec celle d'Arisaig. Spooner n'accueillait pas les stagiaires avec une harangue ponctuée d'applaudissements et on ne buvait pas le soir. Il expliquait d'une voix coupante que la durée moyenne de survie d'un agent du SOE en France était estimée à trois mois. Dans un silence de mort, il ajoutait que les techniques enseignées à Beaulieu avaient pour but d'allonger le délai. L'exergue valait tous les discours.

J'avais déjà opéré derrière les lignes ennemies en France en juin 1940 et surtout en Cyrénaïque en 1942, quand il fallait détruire les avions de la Luftwaffe sur des aérodromes situés au fond du désert de Libye, loin derrière le front tenu par l'Afrikakorps. Cette fois, il s'agissait de tout autre chose : survivre en territoire occupé, non pas dans un désert, mais au milieu de la population française, dans laquelle il fallait se fondre pour avoir une chance de survivre. Je n'étais plus instructeur mais novice. Pour cette raison, je m'asseyais tous les matins avec mes anciens élèves aux pupitres tachés d'encre, réquisitionnés dans l'école secondaire de Beaulieu et disposés dans la grande salle du cottage, pendant qu'un feu de branches brûlait dans la cheminée.

Un expert en codes secrets nous apprenait tout du chiffrage des messages par la méthode de la double transposition en colonnes; un policier nous enseignait l'art de la lettre anonyme, qui peut déséquilibrer la meilleure administration en propageant en son sein rumeurs, calomnies et fausses nouvelles; un syndicaliste revêche, spécialiste des piquets de grève chez les mineurs du Yorkshire, nous dispensait les principes de la propagande et de l'agitation ouvrière; deux ingénieurs nous détaillaient les points faibles des gares de triage, des centrales électriques et des usines de moteurs de manière à bien choisir les emplacements des explosifs que nous serions conduits un jour ou l'autre à employer à des fins de sabotage; un Londonien à l'accent cockney, tiré par l'armée de la prison où il purgeait une peine de vingt ans pour diverses attaques à main armée, se tailla un franc succès en assurant un cycle d'une semaine, à raison de trois heures par jour, consacré au cambriolage nocturne des établissements publics.

Le cours le plus prisé était celui de Harold « Kim » Philby. C'était un mince trentenaire à la chevelure noire qui tombait sur un large front, cachant un regard profond accompagné d'un sourire. Philby jouait sur du velours. Son cours avait pour thème : « sécurité de

l'agent sur le terrain, mesures et contre-mesures poli-
cières ». Autrement dit, il nous apprenait comment sauver sa peau.

Ancien journaliste recruté par l'Intelligence Service,
Philby dispensait son enseignement avec précision, mais
y ajoutait une touche d'humour, de philosophie et même
de poésie qui nous ravissait. Je l'avais connu à Cambridge et il était devenu un ami. Il faisait partie de ces
guerriers intellectuels que toutes les grandes causes
savent susciter. À cette différence près : on ne saurait
plus, après la guerre, pour quelle cause Philby avait
vraiment combattu. Avec ses condisciples Burgess et
MacLean, il allait être au centre de l'un des plus grands
scandales de l'histoire de l'espionnage. Dès les années
1930 à Cambridge, les trois hommes avaient été recrutés
par le Parti communiste britannique et aiguillés vers le
Guépéou de Staline. Idéalistes, révulsés par la bonne
société anglaise, ses rites de caste et son mépris de la
classe ouvrière, Philby et ses deux complices avaient
voué leur existence à la révolution bolchevique.

Sur ordre, ils avaient rejoint les services secrets britanniques avec mission de les infiltrer pour le compte de
l'URSS. Brillants, courageux, cultivés, ils avaient grimpé
les échelons de l'Intelligence Service. Après l'attaque de
Hitler contre l'URSS, ils avaient d'autant plus déployé
leur intelligence et leur énergie que la cause de leur gouvernement et celle du gouvernement soviétique se
retrouvaient confondues. En instruisant les recrues du
SOE, Philby savait qu'il combattait les ennemis mortels
de ses deux patries, celle qu'il servait et celle qu'il trahissait. Trois années durant, il serait en accord avec lui-
même. Peut-être cela lui donnait-il cet air de bonheur
discret qu'il avait arboré pendant tout notre stage. Ses

états de service allaient lui permettre de mener une carrière de taupe d'élite : agent soviétique, il serait promu dans les années 1950 numéro trois des services secrets britanniques avant d'être découvert. Il s'enfuirait en URSS et finirait sa vie avec une médaille de héros de l'Union soviétique dans une datcha près de Moscou.

Ce jour-là, Philby parlait une nouvelle fois du quotidien de l'agent secret, cette vie de peur et d'attente.

— La meilleure façon de rester en vie, disait-il, c'est de rester chez soi toute la journée. Et aussi toute la nuit, à cause du couvre-feu. Ne rien faire, ne rien dire, ne rencontrer personne : c'est la seule sécurité. L'ennui, c'est que, si vous suivez cette consigne, vous ne nous servez à rien. Autrement dit, tôt ou tard, un agent doit faire quelque chose, même s'il est prostré, livide, suant, paralysé par la peur, il doit faire quelque chose. Sortir dans la rue, par exemple, et crier : « À bas Hitler ! »

Sourires. Philby sourit aussi, puis continua :

— Non. Quoi qu'on fasse, il faut sortir, voyager, rencontrer d'autres agents, monter des opérations, transmettre des informations. C'est pour ça qu'on vous envoie en enfer. Pas pour vous terrer dans un trou perdu en France. Certains agents font cela. D'autres envoient des faux rapports d'activité. C'est bien pire, évidemment. (Puis il prit un ton plus solennel.) Vous devez apprendre à maîtriser cette angoisse. Sinon, vous n'êtes bons à rien. Au bout d'un certain temps, c'est le SOE lui-même qui vous dénoncera, pour ne pas payer votre solde.

Un murmure dubitatif parcourut la classe.

— Non, je plaisante. (Quelques rires fusèrent.) Enfin, je ne sais pas...

Il reprit :

— Premier point, donc, la couverture. Un métier plausible, qui permette de voyager, de sortir et d'entrer à des horaires irréguliers. Poinçonneur de métro, c'est une mauvaise couverture. On vous paiera pour faire des trous et rentrer chez vous tous les soirs à six heures et demie. Le SOE n'en n'aura pas pour son argent. Employé de banque ou vendeur dans un grand magasin, idem. Représentant de commerce, c'est une bonne couverture. Un peu classique : la police s'en méfie. Journaliste aussi, en pire. À éviter. Pas de métier manuel si vous n'avez pas les ongles noirs et les mains calleuses. Pas de métier technique si vous ne maîtrisez pas la technique en question. Ingénieur, cadre commercial, inspecteur des ventes, etc. Vous devez apprendre par cœur tous les éléments de la profession. Vous devez être capable de tenir pendant des heures en discutant avec un spécialiste. Même chose pour l'état civil. Vous avez une nouvelle vie : il faut la connaître comme l'ancienne. Sinon, vous serez pris en trois jours. Entraînez-vous à répondre à votre nouveau nom et, surtout, à ne pas répondre à l'ancien. Vous pouvez toujours tomber sur quelqu'un qui vous a connu avant la guerre... Il faudra rester de marbre s'il vous nomme et lui faire comprendre ensuite discrètement qu'il vous met dans l'embarras. Quand vous voyagez, ne parlez à personne sans y être obligé. Pas de conversation inutile : ce serait multiplier les risques. Vous marchez tranquillement, sans regarder en l'air ou dévisager les passants, occupé, serein et concentré. Dans les transports, faites semblant de vous assoupir : vous dissuaderez les fâcheux. Ou alors mâchez du tabac : on n'aura pas envie de vous parler. Mais c'est un peu voyant. Quand le contrôleur arrive, ou la police, vous dormez. On se méfie moins des dormeurs. Sortez tous vos papiers en même temps : carte d'identité, Ausweis, carte de rationnement, ticket de train. On sera moins tenté de les regarder à la loupe.

Philby fit ensuite un long développement sur les mots de passe. Ces phrases un peu ridicules que deux agents qui ne se connaissent pas doivent prononcer avant d'entrer dans le vif du sujet jouaient un rôle important dans la sécurité. Il fallait les savoir parfaitement, les dire au bon moment, avec le ton le plus naturel, faute de quoi l'autre serait dans l'incertitude, romprait le contact ou, pis, commettrait une imprudence. Philby fit rire l'assistance en racontant quelques histoires de mots de passe oubliés. Jusqu'au moment où il évoqua un funeste rendez-vous où un agent avait totalement oublié les mots convenus. Il avait été interrogé longuement, puis fusillé sur place par un chef de réseau trop méfiant.

Chacun en l'écoutant se projetait dans son nouveau personnage d'espion.

– Très souvent, vous aurez l'impression d'être suivi. C'est normal. L'agent secret est un paranoïaque. En plus, il a beaucoup d'ennemis. (Un sourire éphémère passa sur ses lèvres.) Commencez par vérifier si vous êtes vraiment suivi. La plupart du temps, deux ou trois changements de direction dans des rues moins passantes vous démontreront qu'il n'y a personne derrière vous. C'est l'effet de la peur. Mais il peut arriver que vous ne vous trompiez pas : on vous suit. Dans ce cas, pas de panique. Vous avez encore un délai de grâce. Si vous étiez confondu, on vous arrêterait tout de suite. L'ennemi n'est pas sûr de lui : c'est pour cela qu'il vous suit. Avec un bon plan, vous lui échapperez.

Il s'interrompit, puis pointa son doigt sur Violette Laszlo qui le contemplait d'un air rêveur du fond de la classe.

– Mademoiselle Laszlo, comment vous y prendriez-vous ?

Violette rougit soudain, leva les yeux au ciel, regarda autour d'elle. Plusieurs stagiaires échangèrent des clins d'œil. Violette ne pouvait cacher son inclination pour Philby. Elle se maquillait avec application avant ses cours, elle lui lançait de longs regards et souriait à la moindre de ses paroles. Le professeur trouvait l'élève à son goût. On les avait vus se promener ensemble près de la rivière.

– Je ne sais pas..., dit-elle, je... je... je pourrais par exemple faire demi-tour et croiser celui qui me suit. S'il fait demi-tour lui aussi, je suis fixée.

Philby sourit encore.

– Eh non, ma chère Violette. Si vous faites cela, le policier saura que vous l'avez repéré. Il aura la confirmation de ce qu'il supposait : vous êtes bien un agent, ou une résistante, en tout cas quelqu'un qui a quelque chose à se reprocher. Non. Vous devez déjouer la filature sans que la police le devine. Si vous entreprenez des manœuvres visibles pour vous échapper, vous vous désignez.

Violette, un peu vexée, répliqua :

– Mais comment est-ce possible ? Si on s'échappe, l'ennemi s'en aperçoit.

Philby reprit doucement :

– Pas forcément. Par exemple, vous repérez au bout de la rue un bus ou un taxi qui vient vers vous. Vous commencez à regarder votre montre et vous prenez un air agité, comme quelqu'un qui se rappelle soudain un rendez-vous. Quand le bus arrive, ou le taxi, vous le prenez au vol. Le policier ne pourra pas vous suivre. Et il ne pourra pas savoir à coup sûr que vous l'avez repéré. Autrement dit, il faut s'échapper de la manière la plus naturelle qui soit.

Starr l'interpella de son banc :

– D'autres exemples ?

– Le magasin à double entrée est possible. Vous entrez par une rue, vous sortez très vite par l'autre. Le policier ne pourra pas vous suivre immédiatement. Quand il pénétrera dans le magasin, vous serez déjà ressorti. À condition que la deuxième entrée soit une vraie entrée, grande et visible. Si c'est une entrée de service, il comprendra que vous l'avez semé volontairement. Vous serez repéré comme agent. Autrement dit, quand vous arrivez en France, l'une des premières tâches consiste à se ménager près de votre QG des voies d'évasion permettant de déjouer *naturellement* les filatures. C'est un vrai travail, long et difficile. Mais il en vaut la peine...

Greenwood leva le bras.

– Faut-il être armé en permanence ? Au pire, je suppose qu'on peut se dégager en combattant...

Philby s'assombrit.

– Jamais d'armes sur vous, malheureux ! Comment expliquerez-vous qu'un représentant de commerce se promène avec un colt à barillet ? Agissez simplement, naturellement, en pleine cohérence avec votre activité officielle. L'ennemi cherchera d'abord à déceler des incohérences dans vos réponses. Tout dépendra de la solidité de votre couverture.

Du premier rang, une voix cristalline se fit entendre. C'était Noor, mais je ne voyais d'elle que sa longue chevelure noire.

– Et la radio ?

Philby demanda :

– Comment ça, la radio ?

Noor reprit :

– Il faut bien changer de lieu d'émission. C'est la consigne de base. Il faut donc se promener avec le poste de radio, non ?

Philby sourit :

– Mademoiselle Wilson, vous avez raison. C'est pour cela que la fonction de radio est la plus dangereuse. Vous devrez transporter régulièrement votre poste. Il pèse quinze kilos. Si on vous arrête avec lui, c'est terminé. Essayez toujours de prétendre que c'est du matériel électronique ou photographique. On ne sait jamais...

La même voix cristalline reprit :

– Et si l'on est capturé ?

Le silence total se fit dans la salle.

– Si vous suivez strictement mes consignes, vous avez une bonne chance de ne pas être pris...

Noor poursuivit néanmoins :

– M. Spooner nous a dit que notre espérance de vie était de trois mois. Il y a donc une bonne chance pour que nous soyons pris. Je ne fais pas de défaitisme. Je répète ce que nous a dit M. Spooner.

Philby hésitait. Violette Laszlo soutint Noor.

– Il doit bien y avoir une procédure pour le cas où nous serions arrêtés, tout de même !

Philby avait pris un air grave et attentif.

– Il y en a une, oui . Je comptais vous en parler la semaine prochaine...

Du fond de la classe Starr cria :

– Non, tout de suite Après tout, c'est le meilleur morceau !

Philby sourit.

– Si vous êtes pris, restez obstinément accroché à votre couverture.

Starr n'était pas satisfait.

– Non, soyez plus précis. Comment procèdent-ils ?

Philby lui jeta un regard noir.

– Bon, comme vous voulez. Souvent l'ennemi vous soupçonne, sans certitude. Vous avez été dénoncé, par un voisin ou un collègue. Or les fausses dénonciations abondent. Ou bien vous avez été donné par un camarade qui a parlé sous la torture. Mais la Gestapo ne peut pas être sûre de son fait : l'agent torturé a pu mentir, fabuler. Dans ce cas, je le répète encore une fois : votre seul salut réside dans votre couverture.

Starr n'était pas satisfait, et Greenwood et Darbois le soutenaient.

– Mais encore ? Comment font-ils ?

Philby reprit :

– Ils chercheront d'abord un dossier sur vous. Ils étudieront tout ce qui leur sera utile. Ils sont très professionnels. Ce sont souvent des engagés qui étaient policiers en Allemagne avant la guerre. Puis ils vous feront entrer dans une pièce à peu près nue. S'il y a un miroir, c'est qu'on vous observe de l'extérieur à travers une glace sans tain. Il y a toujours deux policiers. Le premier vous interroge, assis à une table sur laquelle il prend des notes, l'autre se tient en arrière, assis près de la porte. Le second est armé de manière visible. C'est pour décourager toute tentative violente. Le premier est brutal, arrogant, menaçant. Le second est silencieux. Quand le premier sort, le second peut s'adresser à vous d'un ton compatissant, comme s'il réprouvait les méthodes du premier. C'est le piège le plus classique : le second essaiera de vous soutirer une confidence. Ou bien on vous emmènera dans le bureau d'un supérieur, qui fera mine de désavouer les méthodes de ses subordonnés pour vous mettre en confiance. Ou bien la femme de ménage, l'infirmière, le portier vous feront comprendre qu'ils n'aiment pas les nazis pour engager une conversation amicale. Au début de l'interrogatoire, on commencera par des questions sur votre métier. On peut aussi vous poser des questions saugrenues sur la France, la vie quotidienne, votre enfance, la vie politique, votre itinéraire au moment où vous avez été arrêté. Ils cherchent les ignorances secondaires mais révélatrices : vous ne savez pas le nom du dernier président du Conseil, alors que vous vivez en France. Vous ignorez le prix du pain. Vous faites des additions ou des divisions à l'anglaise et non à la française. Vous ne connaissez pas le nom du dernier vainqueur de la Coupe de France, etc. Ou alors ils vous donneront soudain une information fausse sur une ville où vous avez dû aller ou des gens que vous avez rencontrés. Par exemple : « Vous vous souvenez du café Glacier à Antibes ? » Si vous ne corrigez pas, si vous abondez dans leur sens, ils vous auront coincé : il n'y a pas de café Glacier à Antibes. Vous vous en souviendrez, mademoiselle Laszlo ?

Violette approuva.

– Sauf qu'il y a un café Glacier à Antibes. C'est le plus célèbre sur la place principale.

Il sourit encore.

– Ils peuvent revenir vingt fois sur la même question, le même épisode. Ils s'arrêteront de temps en temps pour vous offrir une cigarette ou un sandwich et engager une conversation décousue, informelle. Autre piège. Ou encore ils vous mettront sous le nez les déclarations – fausses – d'un autre agent qui vous accuse. Ils décriront le SOE en vous disant qu'ils connaissent chaque détail de l'organisation et de votre activité. C'est sans doute le plus dur : vous aurez l'impression que tout a été découvert, qu'il y a des traîtres chez nous, etc. En fait, ils mélangent le vrai et le faux. Ils en savent beaucoup. Mais bien moins qu'ils ne diront. Si vous êtes attentif, calme, cohérent, ils ne pourront rien contre vous. Ils ne passeront pas à la torture. Pas par humanisme, mais parce qu'ils n'aiment pas perdre du temps. S'ils ont encore des doutes, ils vous relâcheront avec des excuses et vous placeront sous surveillance renforcée. Le mieux, dans ce cas, c'est de disparaître et de rentrer en Angleterre. Le SOE n'emploie pas des agents qui ont été arrêtés, car nous ne pouvons pas savoir si vous avez parlé ou non. Le mieux, c'est de vous mettre au vert. Aucun contact avec l'organisation et retour à la maison par la Suisse ou par l'Espagne. À moins de changer de région et de couverture. Mais c'est très compliqué... Le mieux est de demander des instructions à Londres par radio.

Ce fut moi qui levai la main.

– Et s'ils savent qui nous sommes ?

On sentit que Philby attendait et redoutait la question.

– Dans ce cas, ils vont essayer de vous faire trahir. Les noms des autres agents, les lieux de parachutage, les procédures, les boîtes aux lettres, les caches d'armes, etc. Si vous résistez, ils passeront aux coups, puis aux sévices...

Starr l'interrompit :

– La consigne, c'est de ne rien dire, quoi qu'il arrive, je suppose...

Philby répondit lentement, solennellement.

– Nous vous demandons une seule chose : résistez pendant quarante-huit heures. C'est le temps nécessaire pour que les autres membres du réseau se mettent à l'abri, à supposer qu'ils sachent que vous avez été arrêté. Mais, comme vous travaillerez en équipe, ils le sauront. Seulement quarante-huit heures. Après, vous êtes délivré du serment. Personne n'est assuré de résister au traitement qu'ils vous infligeront. Même les plus courageux d'entre vous. Nous vous demandons seulement quarante-huit heures. Je sais que c'est long. Mais ils ont une limite : s'ils sont trop brutaux, ils risquent de vous tuer et de perdre les informations. Il faut tenir quarante-huit heures. Après, vous pouvez tout dire. Vous comprenez pourquoi vous devez en savoir le moins possible sur l'organisation et pourquoi nous utilisons tout cet attirail de faux noms, de sobriquets et de couvertures.

Noor reprit la parole.

– Et pour les radios ? Si nous sommes pris, ce sera en flagrant délit. Au bout de quarante-huit heures, on peut tout dire, les codes, les fréquences, les messages de sécurité ?

Philby se tourna vers elle.

– Il y a une procédure particulière. L'idéal, évidemment, est de ne rien dire. Dès que les Allemands ont les codes et les annonces de reconnaissance, ils poursuivent les émissions en se faisant passer pour le radio prisonnier. S'ils nous trompent, ils peuvent demander des parachutages qu'ils intercepteront, faire envoyer des agents qu'ils arrêteront, transmettre de faux renseignements, etc. Ils sont très habiles. Ils savent que chaque radio a un style, une signature involontaire dans la manière de transmettre en morse. Alors, dès qu'ils ont repéré un poste dans leur station d'écoute, ils ne se contentent pas de le chercher avec leurs camions de détection. Ils lui affectent un agent qui écoute jour et nuit et s'entraîne à imiter le style de l'opérateur. Et s'ils capturent le poste, ils peuvent le remettre en service immédiatement en contrefaisant la manière de l'opérateur arrêté.

Noor objecta :

– Mais nous avons des signes de reconnaissance. D'abord un indicatif de début, puis une erreur volontaire dont nous sommes convenus avec Londres, pour qu'on puisse nous reconnaître... Si cette erreur manque, Londres comprend que quelqu'un d'autre émet à notre place.

Philby opina.

– Ce sera l'objet de l'interrogatoire. Ils chercheront à obtenir vos codes. On vous remettra un petit mouchoir de soie où le chiffre est inscrit, et vous apprendrez par cœur les clés de chiffrage. Ils vous les demanderont. Ils chercheront surtout les signes de reconnaissance que mentionne Mlle Wilson. Si vous parlez au bout de quarante-huit heures, donnez-leur le premier indicatif de sécurité, mais pas le second. Nous saurons que le poste est entre les mains des Allemands. Nous ferons comme si de rien n'était pour vous protéger, puis, au bout de quelques semaines, nous mettrons fin à la liaison sous un prétexte quelconque. L'affaire s'arrêtera là.

Violette Laszlo parla d'une voix blanche.

– Et si on sent qu'on ne pourra pas tenir quarante-huit heures ?

Philby se ferma :

– Vous devez tenir. C'est la règle de l'organisation. Vous êtes des soldats. Cette affaire n'est pas une partie de plaisir, Violette. Il y a des devoirs à respecter. Quand notre armée débarquera en France, les soldats des premières lignes se feront tuer aussi. Votre honneur est en jeu. Parler trop tôt, c'est sacrifier vos camarades. Vous aurez leur mort sur la conscience.

Il laissa un moment le silence s'installer.

– Si les sévices sont trop durs pour vous, vous avez deux solutions : l'évasion ou le suicide. L'évasion est rare. Mais il faut essayer à la moindre occasion. Quant au suicide, vous aurez des petites pilules. Si vous êtes à bout de forces, utilisez-le ! Si on vous les a prises pendant les fouilles, il y a la fenêtre, le mur, les fils électriques, etc.

Une petite voix ferme se fit entendre, celle de Noor.

– Oui, monsieur Philby, il faut tenir. Il n'y pas d'autre solution. Mais que nous font-ils ? Ils nous battent ?

Philby la regarda droit dans les yeux.

– Mes instructions m'interdisent de détailler les sévices. De toute manière, tout est possible. Ils ont rétabli la question du Moyen Âge, mademoiselle Wilson, voilà la vérité. C'est une des raisons pour lesquelles nous combattons. Ce sont des fascistes. Ils méprisent la vie humaine et toutes nos valeurs. Pour eux, les pires horreurs sont un devoir si elles sont utiles à leur cause. Ils n'ont aucun scrupule, aucune retenue, aucune hésitation. Pour le reste, je vous renverrai à la formule de notre manuel : « Les nazis combinent le sadisme et la science. » C'est clair, non ?

Dehors, la nuit est tombée. Personne n'avait songé à allumer la lumière. Dans un silence angoissé, chacun vit qu'il régnait dans la salle une pénombre lunaire.

4.

Sherlock Holmes, détective, habitait au 221B, Baker Street. Maurice Buckmaster, maître espion, au 64. Naguère, Arthur Conan Doyle avait donné à son héros de fiction cette adresse qui deviendrait légendaire. Par une facétie involontaire, Winston Churchill avait assigné au SOE un immeuble dans la même rue. L'armée secrète du Premier ministre travaillait à cent mètres du détective le plus célèbre du monde : ce voisinage avait dû réjouir le stratège romanesque qu'était Churchill.

Le 15 juin 1943, à neuf heures, je descendis d'une voiture noire qui s'était garée devant l'immeuble commercial aux grandes fenêtres à petits carreaux abritant le QG du SOE. Un chauffeur de l'armée pratiquement muet m'avait conduit directement de Beaulieu à Londres à travers la campagne anglaise resplendissante et la banlieue décrépite. « Buck » voulait me voir. Le chef de la section F (section France) du SOE n'attendait pas. J'avais interrompu mon stage d'agent secret pour rejoindre la capitale.

J'étais heureux de revoir la ville dont la guerre m'avait privé. Mon enfance à Cowes, sur l'île de Wight, au milieu des vaches et des voiliers du Solent, m'avait tenu loin d'elle. Étudiant à Cambridge, j'avais découvert pendant les week-ends l'air vicié, les trottoirs mouillés et les passions brûlantes de la ville où tout se passait, où tout brillait. Journaliste débutant, affecté aux faits divers, je plongeai avec rage dans les profondeurs urbaines où les vices se montrent à nu. J'étais le jour dans les bas-fonds de l'actualité et la nuit dans la chaleur des pubs et les soirées de la « gentry ». Dickens était mon guide et Londres la proie du reporter ambitieux que j'étais devenu, Rubempré britannique partagé entre les filles de Whitechapel et les intellectuelles de Bloomsbury. Je connaissais les universitaires idéalistes de la London School of Economics aussi bien que les flics désabusés du quartier des docks : que rêver de mieux quand on a la passion des passions humaines, celle qui fait les bons journalistes ?

La guerre avait redoublé mon amour pour Londres. Éventrée par le blitz, quadrillée par la Home Guard, éclairée la nuit par les projecteurs de la DCA, la cité noire avait trouvé au fond du désespoir sa vraie grandeur. Winston l'avait dit : pour elle, comme pour l'Empire, c'était « sa plus belle heure ». Impavide sous les bombes, décimée par la Luftwaffe, terrée dans les stations du métro, Londres était restée aussi raide que son souverain, qui avait refusé de quitter cette cible idéale qu'était Buckingham Palace. Aristocrates arrogants aussi bien qu'ouvriers résignés, joueurs de polo et parieurs aux courses de chiens, veuves à chignon et buveurs de bière, émaciés et unis dans l'épreuve, ils luttaient de la même façon, par l'humour et l'indifférence, au milieu des explosions et des hurlements des sirènes, sachant qu'ils devaient leur survie à une poignée de pilotes au physique d'étudiants et que la moindre faiblesse serait une bénédiction pour Goebbels. Après la guerre, nous aurions tous, voyous et gentlemen, la nostalgie de ces moments-là. Winston était à son meilleur. Son hommage aux héros de la RAF était sur toutes les lèvres – « jamais, dans l'histoire des conflits humains, autant d'hommes n'ont autant dû à si peu d'entre eux ». Il sortait de temps à autre pour contempler un cratère de bombe, traverser une ruine fumante ou plaisanter avec un blessé pantelant. Chaque fois, les applaudissements élargissaient son sourire, qu'un cigare énorme planté dans sa mâchoire rendait carnassier.

Puis le blitz s'était apaisé. L'aviation allemande avait mieux à faire en Russie. Avec le développement des opérations et l'entrée en guerre de l'Amérique, les uniformes disparates avaient envahi les rues en même temps que les échos des saxophones. Les Anglaises efflanquées mais sexy souriaient aux « boys » bien nourris qui débarquaient par centaines de milliers des « liberty-ships » venus du Nouveau Monde. La fumée du tabac blond emplissait les pubs et les riffs tonitruants de Glenn Miller les soirées alcoolisées où tournoyaient les jupes des auxiliaires féminines. À la BBC, les nouvelles du front se mêlaient aux accents du be-bop. Les Allemands reculaient sur un rythme de jazz.

Après chaque opération, après chaque entraînement, je revenais à Londres au plus vite, comme vers une tanière. Ces soirs-là, au milieu d'un peuple épuisé et confiant, dans cette atmosphère de drame sinistre et d'espoir fou, pour rien au monde je n'aurais voulu être ailleurs. C'est là qu'il fallait être, c'est là qu'il fallait se battre. En ces années décisives pour l'humanité, nous étions à l'épicentre de l'Histoire : Londres était la capitale de la liberté.

Je fus introduit dans un bureau sans âme par une « auxiliaire féminine » au calot épinglé sur ses cheveux blonds. Assis dans son fauteuil derrière une grande table recouverte de cuir vert, Buckmaster n'était pas seul. Son adjoint, Nick Bodington, se tenait à sa gauche sur une chaise austère. Était-ce la proximité de Baker Street dont on entendait la rumeur à travers la fenêtre? Le couple me faisait irrésistiblement penser à ses voisins mythiques, Sherlock Holmes et le docteur Watson. Buckmaster était grand, maigre; il avait l'œil vif et la lippe un peu dédaigneuse. Il parlait d'un ton égal, précis et attentionné. Bodington était rond et enthousiaste.

Buckmaster prit la parole le premier en me désignant la chaise qui lui faisait face.

– Sutherland, nous sommes contents de vous voir. Comment sont les recrues?

– La promotion est bonne, monsieur. Wesselow a éliminé les canards boiteux, Spooner terminera la sélection. Ceux qui sortiront de Beaulieu feront d'excellents agents.

– Oui. J'ai lu les dossiers. Ils seront bienvenus. L'organisation a besoin d'eux. Nos réseaux en France sont opérationnels. Nous arrivons à la phase de pleine activité. Il leur faut des liaisons sûres, des armes en quantité, des radios, des courriers. Nous pensons que l'instauration du travail obligatoire par Pétain nous offre une occasion unique. Les Français sont attentistes. Mais ils ne veulent pas partir en Allemagne. Ils préfèrent la clandestinité. Nous pouvons maintenant recruter massivement. Les gaullistes et les communistes ont déjà commencé. Mais il leur faut un soutien logistique et ce sera le rôle de vos élèves. Par ailleurs, je suis en mesure de vous dire que le débarquement se prépare. Vous vous en doutez, je ne révèle pas un secret d'État. Mais cela pourrait se produire plus vite que vous ne le pensez. Peut-être cet automne...

– Je comprends, monsieur. Nous passons à la vitesse supérieure.

– Exactement. La guéguerre avec l'Intelligence Service s'est calmée. Ils ont constaté que nous étions utiles. Ils ont renoncé à nous priver de moyens. Nous avons les avions, les armes, les postes de radio. À nous de jouer...

– Le MI5 nous prendrait-il au sérieux ?

Bodington prit la parole :

– Quand nous leur avons fourni les premiers plans des défenses de la Manche, ils ont été obligés de reconnaître que nous servions à quelque chose. « C » l'a même dit dans une réunion interarmes !

« C », je l'apprendrais après la guerre, désignait Stewart Menzies, le chef du MI5 et du MI6, les deux grandes sections de l'Intelligence Service, espionnage pour le premier, contre-espionnage pour le second. En 1940, Menzies avait pris la création du SOE comme un camouflet personnel et mis tout en œuvre pour empêcher la naissance de cette armée d'amateurs. Devant les résultats, il admettait lentement son erreur.

Buckmaster continua :

– Vous partez en France à la prochaine pleine lune. Nous avons besoin de professionnels sur le terrain. Bientôt, il faudra passer à l'action. Tout ce que nous avons fait depuis trois ans, nous l'avons fait dans ce but.

– Vous voulez dire que nous passerons à l'action militaire très vite, avant même le « D day » ?

– C'est possible. Rien n'est décidé. Une fois en France, vous aurez des instructions par radio. Mais ce n'est pas l'objet de cette réunion...

Buckmaster prit son temps, joignit les mains et me fixa plus intensément. Je compris que nous arrivions à l'essentiel.

– Nos réseaux couvrent maintenant le territoire français. Plutôt bien. Nous sommes particulièrement satisfaits du réseau d'Île-de-France. Il est dirigé par un type formidable, Francis Suttill, que nous appelons Prosper. En deux ans, Prosper a réuni plus d'un millier de patriotes dans la région parisienne. Il a plusieurs radios, beaucoup de courriers, des agents dans toutes les villes importantes autour de Paris. Il a ménagé des caches, des zones d'atterrissage, de parachutage, il a entraîné ses recrues locales. Il nous a fourni de nombreux renseignements et, surtout, il a commencé le travail de sabotage dans les usines autour de la capitale, dans les gares et sur les voies de chemin de fer. À Paris, il dirige la principale organisation de résistance. Les gaullistes ont moins de monde que lui et les communistes moins de combattants entraînés.

Je ne comprenais pas très bien pourquoi Buckmaster tenait tellement à me décrire par le menu les réussites du réseau Prosper. Une fois en France, si j'étais arrêté, j'en saurais trop... Mais Buckmaster m'avait devancé :

– Vous vous demandez pourquoi je vous raconte tout ça. Vous n'avez pas tort. Il y a une raison...

Il se tourna vers Bodington, qui s'agitait sur sa chaise.

– Nous sommes inquiets pour Prosper, commença Bodington. Il y a d'abord ce que nous ont raconté plusieurs agents qui sont revenus chercher des instructions. Pour être franc, Prosper n'est pas très prudent. Son courage est incroyable. Mais nous pensons qu'il prend trop de risques. Et surtout, nous avons des éléments qui nous ont alertés. Nous avons parachuté plusieurs fois des armes, des explosifs et des postes de radio autour de Vendôme. Nous avions un terrain sûr, le long du Loir, près d'un château dont le propriétaire était membre du réseau. Nous savons aujourd'hui que tous les containers ont été saisis par les Allemands. Le propriétaire du château a dû passer dans la clandestinité. La Gestapo a failli le capturer... À Paris, nous savons aussi que plusieurs boîtes aux lettres ont été repérées. Norman, le radio de Prosper, a failli être surpris deux fois. Pourtant, il n'émettait que depuis cinq minutes...

– Ce sont des choses qui arrivent, dis-je. Pas de chance. Ça ne veut pas dire que Prosper soit forcément brûlé ou que son réseau ne tienne plus la route...

– Bien sûr, reprit Bodington. Mais nous avons un grave sujet d'inquiétude. Le radio du réseau Tailor, une organisation que Prosper contrôlait, autour de Chartres, a interrompu ses transmissions sans prévenir. Cinq jours plus tard, il émettait de nouveau. Le problème, c'est que, cette fois-là, il a oublié le second signal de reconnaissance. Nous avons fait comme si de rien n'était et nous avons correspondu normalement, sans rien dire de précis. Au bout d'une semaine, il a demandé un parachutage d'armes à Vendôme. Pour ne pas l'alerter, nous avons organisé le parachutage, mais nous avons prévenu un autre agent sans passer par Prosper. L'agent s'est rendu sur place, discrètement. Il a vu les Allemands réceptionner nos containers.

– Cela signifie, dit Buckmaster, que le radio de « Tailor » a été pris, il a parlé et les Allemands utilisent son poste pour nous intoxiquer. Si les Allemands parviennent à retourner les postes en leur faveur, nous risquons les plus grandes catastrophes. Nous devons en avoir le cœur net. Notre thèse, c'est que le réseau Prosper est infiltré. Il y a un traître, ou plusieurs, auprès de Prosper. Si nous avertissons Prosper par radio, nous courons le risque de le faire tomber. Si le traître est proche de lui, il aura connaissance du message et il le fera arrêter. Il faut que quelqu'un de confiance enquête sur place.

J'avais compris avant qu'il ne formule sa conclusion. Décidément, Baker Street était une source d'inspiration : je devais me changer en détective pour débusquer le traître qui menaçait le principal réseau de la section F. Sherlock Holmes n'aurait pas été obligé d'accepter. Moi, si.

– Vous êtes sûr de Prosper ?

Ma question revenait à une acceptation. J'avais éludé la cérémonie de l'acquiescement. Je sautais à l'étape suivante. Ce fut Bodington qui répondit.

– Oui, à cent pour cent. C'est un mystique, un croisé. Il choisirait la mort avec joie pour la cause. Nous n'avons aucun doute.

– Alors, vous soupçonnez quelqu'un d'autre ?

– Non. Nous sommes dans le brouillard. Il a un courrier, Andrée Borrel, une très belle femme. C'est sa maîtresse. Nous n'avons aucune raison de la soupçonner. Vous pourrez vous appuyer sur elle. Norman, son radio, a l'air plus fragile. Il a peut-être craqué... Vous verrez sur place. C'est une piste. Il y a aussi Blainville, celui qui organise les transports. Il est fiable. Parfaitement fiable. Je l'ai connu avant la guerre. C'est un pilote accompli et il choisit nos terrains sans jamais se tromper. Il a rejoint Londres en prenant tous les risques et il nous rend des services considérables depuis que nous l'avons renvoyé en France. Vous pourrez vous confier à lui, il vous aidera. Mais Prosper et lui sont les seuls à qui vous pouvez parler. Pour le reste, nous n'avons pas de certitude.

– Vous avez une description complète du réseau ?

– Oui, répondit Bodington. Vous la trouverez à votre hôtel.

La réponse me fit rire. Holmes et Watson avaient tout prévu. Je ne pouvais pas dire non. En principe, le SOE reposait sur le volontariat. Mais Buckmaster et Bodington savaient à qui ils avaient affaire. Mes états de service parlaient pour moi. Un officier de commando ne refuse pas une mission. Je devais découvrir le traître qui menaçait le réseau Prosper, sans lequel le débarquement pouvait échouer. Au fond, c'était tout simple. Je pris un ton un peu pincé.

– Quand le départ est-il fixé ?

– Demain soir, de Tangmere.

5.

Pendant ce temps, dans la solitude et l'angoisse, Noor débutait dans le métier d'espionne. Le SOE avait instauré une tradition : celle de l'épreuve de Dieu. Chaque agent se voyait confier une mission en Angleterre. Il fallait s'installer dans une ville à l'autre bout du pays et transmettre par radio pendant trois jours. Ou bien rapporter le plan, aussi précis que possible, d'une usine d'armement ou d'une centrale électrique. Ou encore relever les horaires et les habitudes d'un politicien en vue à des fins d'assassinat. Bien entendu, les autorités britanniques ignoraient tout de ces jeux de piste plus ou moins farfelus. L'apprenti espion devait déjouer une surveillance redoutable, celle de la police et de l'armée, mais aussi celle de la Home Guard créée par Churchill, dont les millions de membres, vieillards, adolescents, invalides ou vétérans, patrouillaient en armes, vigilants et nerveux, dans les quartiers, les villes et les villages du pays. Il y avait aussi les services de contre-espionnage du MI5, concentrés autour des objectifs stratégiques. Ce dispositif de surveillance avait en quelques mois démantelé tous les réseaux mis en place en Grande-Bretagne par les Allemands. L'Abwehr et la Gestapo tentèrent d'infiltrer d'autres agents : ils furent tous démasqués et fusillés sans jugement au bout de quelques jours. Le MI5 réussit même à en retourner plusieurs, qui travaillèrent par la suite pour l'Intelligence Service. Autrement dit, les élèves de Spooner et Philby devaient réussir là où les espions professionnels allemands échouaient régulièrement.

En cas d'arrestation, l'agent du SOE avait ordre de s'en tenir à sa couverture. Il était autorisé à donner un numéro de téléphone du SOE si une menace directe pesait sur sa sécurité physique. Inutile de préciser que la carrière de l'agent désinvolte ou malchanceux s'arrêtait là.

Noor avait été envoyée à Portsmouth avec une mission simple : compter les bateaux de guerre mouillés dans la rade, décrire leur type, leur armement, et envoyer ces informations par radio au centre d'écoute 53A de Grendon. L'exercice était grandeur nature : Grendon était l'un des centres de communication avec les agents disséminés dans toute l'Europe. Les opératrices de l'organisation maintenaient une veille permanente sous une grande inscription menaçante : « *Remember, the ennemy is listening* » (Souvenez-vous que l'ennemi vous écoute). Affectées chacune à un certain nombre de postes clandestins, ces standardistes étaient les marraines invisibles de la Résistance européenne.

De Londres, Noor avait voyagé par le train de Portsmouth, au départ de Victoria Station. Pour les besoins du scénario, on avait dit à Noor de partir de Londres. Elle avait déjà sa couverture : en Angleterre, elle était Nora Wilson, nurse pour familles chics, qui descendait dans le Sud pour chercher du travail dans les stations balnéaires de la côte, comme elle serait en France

Jeanne-Marie Firmin, gouvernante, installée à Paris dans
l'attente d'un emploi. Seule sa valise pesante contenant
le poste Mark II pouvait la faire remarquer. Plusieurs
fois, des hommes prévenants l'avaient déchargée de son
fardeau. En lui rendant sa valise, ils demandaient inva-
riablement : « Mais qu'est-ce que vous transportez là-
dedans ? » Ce à quoi elle répondait, avec un sourire :
« Mes livres. Je fais des traductions. » La valise était fermée à clé. Seule la police pouvait en vérifier le contenu.
Mais ses papiers étaient en règle : elle passa les contrôles
sans difficulté.

Arrivée à Portsmouth, elle prit une chambre dans un
« bed and breakfast » près de la grande plage donnant sur
le Solent. Noor faisait ses premières armes d'espionne là
où j'avais grandi, dans ce port marchand et militaire aux
rues qui sentaient la marée, resserré autour des docks
aux grues noires et aux pontons rouillés. Signe du destin... Portsmouth était l'une des principales bases de la
Royal Navy. Déjà les embarcations de tous tonnages s'y
entassaient en prévision du D day. Les gros navires de
guerre restaient en rade à l'est de Cowes, entre Wight et
la côte, là où les vaisseaux de ligne de Nelson et Colling-
wood venaient jadis relâcher entre deux campagnes
contre la marine française. Le port militaire était zone
interdite. Mais aucun dispositif de sécurité ne pouvait
empêcher une jeune femme désœuvrée de se promener
sur la plage ensoleillée avec une chaise pliante et un petit
matériel d'aquarelle, au milieu des premiers baigneurs
de l'année.

Noor avait laissé sa valise dans sa chambre et enfilé
une robe légère. Sa chaise sous le bras, sa boîte de couleurs dans un panier d'osier, elle avait marché jusqu'à la
plage entre les magasins de vêtements encore fermés et

les hôtels aux façades à colonnes. Et là, assise devant la mer, elle rédigea son rapport au dos de son carnet d'esquisses. À Beaulieu, grâce à la documentation qu'on lui avait confiée, elle avait étudié la silhouette des principaux bâtiments. Selon le code qu'elle s'était confectionné, elle nota : « Deux babas au rhum avec cerises et tranches d'ananas, trois tartes aux pommes, cinq éclairs au chocolat et douze cheesecakes ». Le policier méfiant qui aurait l'idée de vérifier son carnet sur le chemin du retour pouvait difficilement imaginer que cette liste signifiait : « Deux cuirassés avec canons pivotant à trois cent soixante degrés et artillerie antiaérienne, trois croiseurs, cinq destroyers et douze vedettes lance-torpilles ».

Les choses se compliquèrent quand il fallut transmettre ces résultats à Grendon. Derrière son hôtel, Noor avait repéré un entrepôt désert où était stocké du matériel de plaisance ; comme la saison n'avait pas commencé, personne n'y venait jamais. Le soir même, après avoir dîné en parlant avec l'hôtesse des conséquences de la guerre sur le tourisme, Noor se retira dans sa chambre. Vers minuit, elle se glissa dehors par la porte de derrière, sa lourde valise à la main. Elle avait passé deux heures à coder son message qui n'était pourtant pas long. Mais le chiffrement exigeait une extrême minutie : une seule erreur plongerait les destinataires dans la confusion, et il faudrait recommencer l'émission un autre jour.

L'entrepôt jouxtait l'arrière-cour de l'hôtel. Gênée par sa valise, Noor franchit avec difficulté la grille de séparation et se dirigea vers le hangar. La porte était fermée. Mais elle avait appris à Beaulieu, en écoutant son pittoresque professeur de cambriolage, à crocheter les serrures simples avec un gros fil de fer. À l'intérieur, quelques rayons de lune pénétraient par des vasistas. Contournant les mâts et les voiles, elle monta quelques marches jusqu'à un atelier sentant le bois et la colle, où étaient rassemblés cordages et espars. Une fenêtre donnait sur la rue. Éclairée par la lune, Noor ouvrit sa valise, déploya l'antenne de trois mètres en fil métallique autour de la salle et alluma l'appareil. Les petites ampoules du Mark II projetèrent sur les murs une lumière rouge dont l'éclat lui parut effrayant. Elle sortit son mouchoir et en couvrit les ampoules. La lumière filtrait encore, mais son éclat était atténué. Déjà, Noor sentait de grosses gouttes de sueur qui tombaient de son front sur la bakélite noire du poste.

En 1941, les premières radios du SOE fonctionnaient sur secteur. Défaut crucial. Quand ils avaient repéré le quartier d'où venait l'émission, il suffisait aux Allemands de couper l'électricité quelques secondes à partir du central, immeuble après immeuble. Quand l'émission s'arrêtait soudain pour reprendre un peu plus tard, ils avaient localisé l'immeuble. D'où l'adjonction de batteries aux nouveaux postes comme le Mark II. Noor sortit de leur compartiment les deux quartz destinés à déterminer la fréquence d'émission. Elle mit son carnet dans le couvercle de la valise ouvert devant elle comme un lutrin de piano, elle plaça à côté du poste la tablette sur laquelle le manipulateur était encastré et envoya son indicatif. Les sons aigus du morse résonnaient dans le hangar et il lui sembla qu'une sirène d'alerte n'aurait pas fait moins de bruit. Elle passa sur écoute et jeta un coup d'œil à l'extérieur. La rue était déserte. Il n'y avait en face d'elle qu'un long mur aveugle interrompu par une porte en fer à deux battants.

Grendon répondit selon le code convenu : elle pouvait commencer la transmission. Noor posa les yeux sur son carnet où le message en code était inscrit et pour lire elle enleva le mouchoir des ampoules rouges et approcha le carnet. Les murs blancs renvoyaient une lumière rougeoyante. Le premier passant, en levant la tête, verrait une lueur à l'intérieur et donnerait l'alerte. Mais il n'y avait pas le choix. Le cerveau bloqué par la peur, transpercée jusqu'au fond d'elle-même par l'infernal vacarme du morse, Noor entama l'émission de son message secret. La bakélite était constellée de gouttes de sueur. Pour tout envoyer, la liste des navires, leur armement, l'encombrement du port et quelques considérations sur le système de garde, elle avait calculé qu'il lui fallait environ dix minutes : très au-dessous de la norme de sécurité de vingt-cinq minutes...

Cinq minutes plus tard, un long grincement mécanique retentit dans la rue déserte. Noor jeta un coup d'œil à travers le carreau. Un tremblement la saisit : la porte en fer s'était ouverte, une lumière crue éclairait l'entrée. En file indienne, trois camions sortirent à vive allure. Deux prirent à gauche et un à droite. Sur le toit de chacun d'entre eux, au-dessus du conducteur, un cercle de fer commençait à pivoter : l'antenne de détection dont on lui avait si souvent parlé.

Elle interrompit la transmission sur-le-champ et se mit à réfléchir en se mordant la lèvre. La vérité terrible et ridicule lui apparut. Elle avait loué sa chambre trop près du port. Le mur aveugle qu'elle voyait de l'autre côté de la rue était celui qui entourait les installations de la Navy. Comme dans toutes les bases militaires, il y avait un système d'écoute et des camions de détection. L'apparition d'un trafic inconnu émanant du territoire britannique avait déclenché l'alerte. En deux minutes, par triangulation, les centres d'écoutes avaient situé à

Portsmouth le lieu d'émission et prévenu l'unité mobile de détection qui était sortie immédiatement sous ses yeux agrandis par la peur. Maintenant, chacun des trois camions rejoignait la position qui lui permettrait de prendre un relèvement utile. Ils ignoraient où était le poste. Mais si l'émission continuait, dans dix minutes, la police militaire bouclerait le quartier.

Noor se leva d'un bond, le cœur battant à tout rompre. Elle décrocha l'antenne, la rangea, remit la tablette du manipulateur dans son compartiment et referma la valise. Mais l'antenne était mal enroulée, elle dépassait sur la droite, empêchant la fermeture. Noor jura et recommença à enrouler l'antenne. La valise refermée, elle se précipita dans l'escalier, ouvrit la porte et écouta. Le bruit des camions avait disparu. Il y avait toujours de la lumière de l'autre côté du mur. Noor referma la porte et se dirigea vers l'arrière du hangar et la grille mitoyenne. À une heure et demie, elle était au lit, les yeux tournés vers la fenêtre, l'oreille aux aguets, agitée d'un tremblement convulsif. À chaque seconde, elle s'attendait à entendre les voitures de la police militaire, les cris et les coups sur la porte... Puis elle entreprit de se raisonner. Elle n'avait émis que quelques minutes et interrompu la transmission dès qu'elle avait vu les camions. Ils devaient s'être arrêtés chacun à un bout de la ville, attendant que l'émission reprenne pour établir leurs relèvements. Il suffisait de ne rien faire, le danger passerait.

À quatre heures, toujours rien. Noor était trop éner-vée pour dormir. Il fallait qu'elle dorme et elle décida de recourir à l'une des pilules que lui avait données le médecin de Beaulieu. Elle sortit sa trousse de toilette. Mais dans le noir le contenu se répandit sur le sol. Il fallut allumer la lumière de la chambre et ramasser les pilules, qu'elle disposa sur la table de nuit. Elle eut un instant de panique : les somnifères étaient mélangés à des excitants puissants à base de benzédrine et à une pilule de cyanure. Mieux valait ne pas se tromper. Noor se remémora la phrase mnémotechnique destinée à éviter les confusions : pilules bleues pour dormir, rouges pour agir et grises pour mourir. Pas compliqué. Elle avala une demi-pilule bleue et éteignit la lumière. Le somnifère était trop puissant. Un bruit la réveilla le lendemain à quatre heures de l'après-midi : sa logeuse tambourinait à la porte de la chambre, craignant un malaise. Elle la rassura, se leva et sortit, affamée. Devant un grand café chaud, dans la salle d'un « fish and chips » où des pêcheurs à la retraite jouaient aux cartes en parlant fort, encore engourdie par le somnifère, elle réfléchit. Il fallait changer de ville pour dérouter les recherches.

Elle revint à l'hôtel, paya et prit le train pour Southampton, l'autre port de la région, à vingt minutes de là. Elle s'installa dans une petite auberge à la sortie de la ville, loin du port. Le lendemain, elle voulut louer un vélo : les entreprises de location étaient fermées hors saison. Elle finit par acheter une bicyclette dans un garage et écuma la ville aux murs de brique rouge et aux pauvres vitrines. La quête fut longue. Les entrepôts vides étaient rares. Deux fois, elle s'engagea dans l'enceinte d'un immeuble en construction et deux fois, un gardien sorti de nulle part la fit déguerpir. Les jardins publics n'étaient pas plus déserts. Elle se demanda si le plus simple ne serait pas d'émettre de l'auberge. Mais elle se souvint du bruit effrayant du morse en pleine nuit.

Le jour suivant, elle sortit de Southampton, sa valise arrimée à l'arrière de sa bicyclette. Le premier champ qu'elle aperçut abritait des vaches, qui vinrent la renifler cinq minutes après qu'elle eut sauté la clôture. Le deuxième était trop près d'une ferme. Le troisième était parfait, mais un paysan fit irruption au moment où elle s'apprêtait à déployer son antenne. Elle eut juste le temps de refermer sa valise et de sauter sur son vélo. Furieuse, elle pensa que l'Angleterre était un pays surpeuplé où il était impossible, de rester seul un quart d'heure. Vers cinq heures du soir, elle prit une décision. Un bois épais couronnait la colline qu'elle gravissait en pédalant. Elle trouva une allée qui s'enfonçait dans le sous-bois. Cent mètres plus loin, elle croisa deux forestiers, qui la dévisagèrent. Elle continua, prit deux virages et s'arrêta. La rumeur de la forêt l'entourait. Elle cacha son vélo derrière une haie et elle attendit, tout ouïe, immobile. Il était plus de six heures. Elle se dit qu'il valait mieux patienter jusqu'à la nuit. Le bois n'était pas grand et la malchance ne l'avait pas épargnée jusque-là. Un promeneur ou un bûcheron pouvait surgir, qui entendrait le bruit aigu du morse. À neuf heures du soir, l'obscurité faite, elle estima que personne ne viendrait plus dans le bois et prit le parti d'émettre. Cette fois, tout se passa bien : en moins de dix minutes, le message fut expédié.

Noor reprit son vélo et se dirigea vers Southampton, légère et soulagée. Soudain, comme elle voyait les lumières de la ville en contrebas, un passage à niveau s'abaissa devant elle. Elle s'arrêta. Au bout d'une minute, le train ne se montrant pas, elle se pencha sur la barrière, à droite et à gauche. Rien en vue. Elle porta son vélo de l'autre côté, sauta la barrière et franchit la voie. Un coup de sifflet strident l'immobilisa. Elle se retourna, le regard plein de frayeur. Invisible jusque-là, un policier la fixait de sa guérite.

– Alors, on traverse les passages à niveau baissés ? C'est très dangereux. Vous êtes en infraction.

Noor se sentit défaillir.

– Je... je ne vous avais pas vu... Excusez-moi, dit-elle en se maudissant aussitôt.

– Parce que vous devez voir un agent pour respecter la loi ?

– Non, non, mais je ne voyais pas de train...

– Ce n'est pas une raison. Il arrive, le train. Si vous faites ça souvent, vous vous ferez écraser. D'où venez-vous comme ça ?

– De... euh... Je cherche du travail.

Noor n'avait pas regardé la carte et se troublait de plus en plus. Le train apparut dans un vacarme de métal. Elle se remit à parler fort en pointant son bras derrière elle. Le policier crut à une réponse. Une fois le train passé, il reprit :

– Vous venez de Bingham ? Ça fait une trotte !

– Oui, je suis nurse et sans emploi. On m'avait dit qu'une famille de Bingham cherchait quelqu'un.

– Bon, bon... Vous avez vos papiers, je suppose.

Le policier la regardait de haut en bas, l'œil discrètement admiratif. Sa robe légère moulait sa silhouette et ses longues jambes nues avaient une couleur dorée qui luisait dans la lumière de la lampe torche. Elle prit son sac à main arrimé sur le porte-bagages au-dessus de la valise, l'ouvrit et tendit tous ses papiers. Le policier jeta un regard distrait et les lui rendit.

– Ça va... La prochaine fois, je vous mets une contravention. Faites attention, nom de Dieu !

Noor rentra à l'hôtel en comptant ses erreurs. Le bilan était calamiteux. Ce fut aussi l'avis de Joan Sanderson, qui lui fit tout raconter dès son retour à Beaulieu. Noor avait réussi : elle ne serait pas éliminée. Mais c'était un coup de chance. Sur les quarante agents envoyés « en mission », trois avaient échoué. Ils étaient revenus entre deux *bobbies*, l'œil abattu, à la fureur de Spooner, qui leur avait signifié leur renvoi. Noor avait échappé à ce sort humiliant. C'était un miracle. L'espionne novice alla se coucher penaude.

À trois heures du matin, la porte s'ouvrit, la lumière s'alluma et une voix cria à tue-tête : « Debout, Nora, vous êtes en état d'arrestation ! » Embrumée de sommeil, Noor vit autour de son lit deux hommes en imperméable gris et trois soldats en armes de la police militaire. Derrière eux, Spooner et Joan Sanderson atterrés assistaient à la scène. L'un des hommes rabattit la couverture, découvrant le corps de Noor à peine dissimulé par une courte chemise de nuit. L'autre la saisit par le bras et la fit lever, avancer, sortir de la chambre et marcher pieds nus dans les couloirs sombres du manoir. Noor protesta et se débattit. L'autre policier la prit violemment par les cheveux et la poussa en criant : « Silence ! » Elle interpella Spooner qui haussa les épaules en disant : « Je ne peux rien faire. Ils ont le droit... » Ils sortirent. Noor dut marcher dans la nuit sur les graviers qui lui meurtrissaient les pieds. On la fit monter dans une voiture de police, qui roula une demi-heure. Le véhicule s'arrêta dans une rue déserte et Noor frissonna : elle avait reconnu le mur aveugle de Portsmouth qu'elle apercevait de l'atelier où elle avait tenté d'émettre quatre jours plus tôt. La voiture franchit la lourde porte en fer à deux battants. L'instant d'après, le groupe entrait dans une casemate de béton et descendait dans la cave. Noor se trouva assise dans une pièce nue, sur une chaise de métal froid, une grosse lampe braquée sur elle, les mains réunies par des menottes coupantes. Le premier policier avait pris place derrière une table de cuisine, pendant que l'autre l'observait de côté, appuyé contre le mur.

– Nora Wilson, vous êtes accusée d'espionnage au profit de l'Allemagne. Vous avez profité de votre mission d'entraînement pour espionner la marine royale et transmettre vos informations par radio. Si vous collaborez avec nous, vous aurez la vie sauve. Sinon, vous serez fusillée demain à l'aube.

Noor était terrorisée. Elle tentait d'apercevoir le policier dans le faisceau de la lampe. Ses yeux noirs plissés par la douleur étaient emplis de larmes. Tout son corps tremblait tandis qu'elle se tordait les mains.

– ...

– Parlez distinctement, Nora Wilson.

– C'est une erreur, murmura-t-elle en regardant le sol, je ne suis pas une espionne, je suis citoyenne britannique...

– Vous êtes surtout membre d'une famille de rebelles indiens, dit le policier. Vous êtes infiltrée dans notre armée pour servir votre cause et celle de l'Allemagne. Avouez.

– Je n'ai rien à avouer. Je suis de la RAF... Je me suis engagée pour me battre pour vous.

À ces mots, le second policier s'approcha d'elle, lui fit face et la gifla à toute volée.

– Mensonges! hurla-t-il. Nous savons tout. Vous êtes allée à Portsmouth par le train de Victoria. Vous avez logé au bed and breakfast de Winifred Small. Vous avez tenté une première émission il y a trois jours à Portsmouth, que nous n'avons pas pu intercepter. Vous avez recommencé avant-hier soir à Southampton. L'émission venait d'une zone comprise entre Southampton et Bingham. Nous avons tout déchiffré. Ce sont des informations capitales pour la défense. Vous êtes une espionne, Nora Wilson.

– Mais non! J'étais en permission, continua-t-elle d'une voix blanche. Je cherchais du travail comme nurse, pour le jour où j'aurais un congé plus long. J'ai besoin d'argent pour aider ma famille. Elle est passée en Angleterre pour se battre. Mon frère est engagé, lui aussi.

Elle reprenait peu à peu ses esprits. Les leçons de Philby lui revenaient en mémoire. La couverture. S'en tenir à sa couverture.

– Cette comédie va vous coûter cher, Nora Wilson. Un policier vous a surprise au passage à niveau de Saltwood Junction. Vous avez fourni des explications incohérentes. Vous aviez une grosse valise pesant sur votre porte-bagages. Vous voyez que vous êtes piégée! Vous n'avez qu'une seule chance : vous avouez, vous serez réintégrée et tout cela sera tenu secret. Sinon, vous êtes fusillée demain matin. Nous préviendrons votre famille. Vous resterez dans leur mémoire comme une espionne. Allez, Nora! Vous n'avez pas le choix.

– Je suis nurse. J'allais chercher du travail à Bingham.

– À Bingham? Ah, ah! À Bingham!

Pendant qu'il parlait, Noor se tourna. À gauche, du côté mal éclairé, elle vit un grand miroir encastré dans le mur. Le policier reprit :

– Et chez qui? Dans quelle famille de Bingham, je vous prie?

– Chez les Starkey. Mais ils n'avaient rien pour moi. Je suis rentrée ensuite car ma permission était terminée. Je vous assure que c'est une erreur.

Le policier hésita.

– Les Starkey ? Je vous préviens, si c'est un mensonge, la preuve sera faite. Vous serez fusillée demain matin !

Puis il se tourna vers son acolyte.

– Vérifiez.

– À cette heure ?

– Vérifiez.

Ils restèrent seuls. Noor s'était redressée. Un long moment s'écoula. Puis l'homme la regarda.

– Pourquoi riez-vous ?

Noor reprit instantanément son sérieux. Puis elle fit face au miroir et tira la langue. L'autre policier revenait.

– C'est vrai. Ils ont reçu une fille correspondant à son signalement. Ils voulaient engager une nurse, mais pour l'été. Ils lui ont offert du thé, puis elle est partie en vélo.

L'autre eut l'air ébahi. Noor reprit la parole.

– C'est M. Philby qui a raison, dit-elle aux policiers, interdits. Il faut s'en tenir à sa couverture. En fait, vous n'avez aucune preuve. Je suis allée peindre sur la plage. J'ai cherché du travail. Je suis rentrée. Voilà. Vous n'avez rien. Tout ce que vous savez, c'est Joan Sanderson qui vous l'a dit. Elle doit être là, derrière le miroir...

Les deux policiers éclatèrent de rire. À ce moment-là, la porte s'ouvrit et Spooner et Joan Sanderson entrèrent. Spooner avait un demi-sourire. Sanderson rayonnait. Elle s'approcha de Noor, la prit par l'épaule et l'embrassa.

– C'est de la sorcellerie, dit-elle. Tu m'avais raconté que tu n'avais pas d'alibi, que tu ignorais même où était Bingham !

– Oui. Mais j'étais mortifiée. Et puis je me méfiais du policier du passage à niveau. Je suis retournée à Bingham avant de prendre le train. J'ai interrogé les gens dans les pubs et un type a fini par me parler des Starkey. J'y suis allée. Ils ont été très aimables. C'était le lendemain de l'incident avec le policier du passage à niveau. Mais je me suis dit que personne ne ferait attention au décalage de vingt-quatre heures. En tout cas, j'avais une chance.

– Bon, dit Spooner, il est tard. La séance est finie. On rentre à Beaulieu.

Noor se tourna vers les deux policiers. Elle serra la main du premier et dit : « Merci, messieurs ! » Puis elle s'approcha du second et, de toutes ses forces, elle le gifla.

Une commission se réunit à Baker Street pour statuer sur les recrues. Un rapport préalable était rédigé par les instructeurs et les dirigeants des centres d'entraînement. Après avis, Buckmaster prenait seul la décision. Étaient présents ceux qui avaient suivi les candidats pendant leur formation. Le rapport de Bodington fut élogieux pour Noor.

– J'ai pris en compte les objections formulées, dit-il en conclusion. Mais cette jeune femme a fait preuve de beaucoup de détermination. C'est un excellent radio. Elle a réussi le test final malgré quelques maladresses. Nous voulons l'intégrer au réseau Prosper, qui est très bien organisé. Je donne un avis favorable.

– Comme vous l'avez lu dans mon rapport, rétorqua Spooner, j'y suis totalement hostile. Mlle Khan a refusé d'apprendre à tirer, ce qui est tout de même fort de café. Elle a constamment posé des questions d'une naïveté confondante. Elle est terriblement émotive. C'est une mystique qui n'a qu'une vague idée de la réalité de la guerre. Je dirais même de la réalité tout court. En plus, elle a un physique de mannequin de chez Chanel. Ou de danseuse du ventre! Elle se fera prendre en une semaine, je vous en fiche mon billet! En plus, dit-il avec une moue de commisération, elle écrit des poèmes...

– Elle s'appelle Vijay Khan, corrigea Joan Sanderson d'un ton énervé. Khan, c'est un titre de noblesse en Inde. Je vous rappelle que César et Alexandre aussi écrivaient des poèmes, monsieur Spooner, ce n'est pas un critère... Et si c'est une belle femme, cela trouble les hommes chargés du contrôle. C'est un atout et non un handicap!

– Mais elle vient des milieux indépendantistes indiens. Comment peut-on lui faire confiance une seconde?

– Elle a risqué sa vie pour rejoindre l'Angleterre, poursuivit Sanderson. Son frère est engagé dans la Navy.

– Parlons-en! Lui aussi a refusé de porter des armes.

– Il a des convictions religieuses, comme elle. Cela arrive... Il a demandé en compensation à être versé dans une unité particulièrement dangereuse, mais où on ne se sert pas directement d'armes. Il est sur un dragueur de mines. C'est extrêmement dangereux. Ces gens-là ne sont pas des couards.

– Je ne dis pas cela, répondit Spooner. Je dis qu'elle se fera prendre. C'est une naïve.

– Mais, quand nous avons monté ce simulacre d'interrogatoire, elle nous a percés à jour en dix minutes. Ce n'est pas si mal.

– Je ne prétends pas qu'elle est idiote. Au contraire, c'est une intellectuelle. Elle s'en est tirée parce qu'elle a compris très vite que c'était un faux interrogatoire. Avec des Allemands, madame Sanderson, ce ne sera pas possible. Ils interrogent vraiment les gens, vous savez. Vous l'avez vue en début de séance? Je n'entendais pas ce qu'elle disait, tellement elle avait peur! Vous l'envoyez à la mort. Et vous mettez l'organisation en danger...

Buckmaster prit la parole :

– Voilà des arguments forts. Wesselow, vous n'avez pas ouvert la bouche...

– Elle est courageuse. Elle a suivi les stages correctement, à part cet incident avec l'instructeur de tir. Jepson nous assure que ses motivations sont fiables...

Selwyn Jepson l'interrompit avec un peu d'emphase :

– Ses motivations sont les plus hautes et les plus pures qu'il m'ait été donné de rencontrer. Elle se battra pour nous sans aucune hésitation.

– Et sans compétence, reprit Spooner. C'est une folie. Ou un assassinat, comme vous voulez !

C'est Bodington qui vint au secours de Noor.

– Philby n'avait pas l'air mécontent d'elle, me semble-t-il. Et puis nous savons tous que le courage se révèle sur le terrain.

– Dans ce cas, rétorqua Spooner, pourquoi réunir une commission ? Tirons au sort !

– Mais non, reprit Bodington patiemment. Il est clair que cette jeune femme veut se battre. Elle s'est portée trois fois volontaire. Nous avons beaucoup de citoyens de l'Empire dans notre armée. Ce n'est pas parce qu'ils nous aiment, c'est parce qu'ils haïssent encore plus les nazis. C'est un fait dont nous devons profiter.

Buckmaster lui coupa la parole.

– Je crois que ce n'était pas l'argument de Spooner. Il la juge incompétente. C'est plus grave...

– Nous avons envoyé en France d'autres agents qui n'étaient pas a priori plus compétents...

– Ça recommence, fit Spooner. Pourquoi se réunir ?

– Il se trouve, reprit Bodington en haussant le ton, que nous n'avons plus assez de radios sur le terrain. De grands événements se préparent. Nous aurons un besoin vital de communication. Voilà la réalité essentielle. Cette mademoiselle Vijay est...

– Vijay Khan, corrigea Joan Sanderson

– Vijay ce que vous voulez, Sanderson! Je dis que cette Khan est un très bon radio. Elle court des risques? Nous courons des risques? C'est la guerre! Prosper a besoin d'elle. Elle doit y aller. Un point, c'est tout.

Buckmaster avait levé la main. Il se pencha en avant, posa ses mains autour de son visage et fixa le vernis du lourd bureau derrière lequel il présidait. Trente secondes passèrent.

– Bodington a raison. Nous avons besoin de radios sur le terrain. Elle partira à la prochaine lune.

– Vous êtes le patron, dit Spooner.

Il se leva et sortit. Avant de fermer la porte, il se retourna pour lancer :

– Qu'elle repose en paix!

6.

Noor était arrivée affaiblie gare Montparnasse. La peur l'avait empêchée de manger et de dormir. Épuisée, elle s'arrêta au buffet avant de descendre dans le métro. Mais, quand elle s'assit dans la salle bruyante où les voyageurs entraient et sortaient, la panique la saisit. Elle ne se souvenait plus de l'usage des tickets de rationnement. Fallait-il les donner avant de commander ? Après ? Détacher les coupons ? Elle avait oublié. Philby l'avait répété : les mouchards étaient partout. Une erreur la trahirait. Le client assis sur la moleskine rouge derrière elle pouvait être un flic, le patron derrière son comptoir un indic et même la grosse dame qui appelait le garçon d'un air excédé. Noor avait regardé sa montre, fait mine de se raviser, et s'était prestement levée pour se diriger vers l'entrée du métro, de l'autre côté du boulevard Montparnasse, le ventre toujours vide et le cœur battant.

Une heure plus tard, elle montait les étages du 72, rue de la Pompe, la maison du couple Garry dont elle avait l'adresse, havre du réseau Cinéma, bizarrement située en face d'un commissariat où un agent montait la garde en transpirant sous le soleil. C'était là qu'était mort le grand philosophe français Henri Bergson. Au début de la guerre, les Juifs du quartier de la Muette faisaient la queue devant ce commissariat pour se faire répertorier. Les autorités avaient fait savoir à Bergson qu'il était dispensé de la formalité. Ulcéré par la mesure décrétée par Vichy, Bergson avait refusé le passe-droit et pris sa place dans la file d'attente le jour dit, ostensiblement solidaire de ses coreligionnaires, lui qui ne mettait jamais les pieds dans une synagogue. Il faisait froid ce jour-là, et Bergson était mal couvert. Au bout de deux heures, le vieux philosophe fut saisi d'un malaise. Il était mort quelques jours plus tard.

Noor ignorait tout de cette scène, comme les Parisiens qui ignoraient les souffrances qu'ils ne subissaient pas eux-mêmes. Un peu rassurée d'être parvenue à bon port, elle gravissait les marches de l'immeuble bourgeois, un bouquet d'œillets à la main. On lui avait décrit les Garry comme un couple respectable. Elle imaginait Mme Garry en maîtresse femme, patriote un peu guindée, animatrice avec son mari du réseau Cinéma. Elle avait pensé que des fleurs seraient une bonne entrée en matière. Les Garry logeaient au troisième étage. Il fallait monter à pied : par mesure d'économie, les ascenseurs parisiens ne desservaient que les étages les plus élevés, au-dessus du quatrième. Un peu essoufflée, Noor posa sa valise sur le tapis rouge sombre à motifs vert foncé. Elle sonna. La porte s'ouvrit et Noor resta interdite. Une toute jeune fille blonde en robe d'été lui souriait. Noor se troubla.

– B... bonjour. Je suis bien chez M. et Mme Garry ?

– Mais oui ! Entrez ! répondit la jeune fille.

Elle avait laissé passer quelques secondes avant de répondre et la considérait d'un œil étonné.

– Vous êtes Mme Garry ? dit Noor.

– Non, je suis sa belle-sœur, la sœur d'Émile, Renée !

– Ah, bon. Mme Garry n'est pas là ?

– Non, elle est sortie. Elle sera rentrée dans deux heures environ...

– Bon... Dans ce cas je reviendrai.

– Non, non, dit la jeune fille avec une expression de plus en plus dubitative. Entrez, installez-vous...

Noor pénétra dans un salon au parquet bien ciré recouvert d'un tapis d'Orient. Les meubles Empire et les marines encadrées de bois doré donnaient à la pièce un air de gravité. À droite, il y avait un bureau aux pieds sculptés où trônait une lampe supportée par un aigle argenté. À gauche, un piano droit laqué de noir était entouré par deux hautes fenêtres avec des rideaux de mousseline. Une partition était ouverte sur le lutrin. La jeune fille l'examinait, paraissant attendre quelque chose. Noor s'assit au bord du canapé, posa sa valise à ses pieds et croisa ses mains sur ses genoux.

– Vous avez un joli appartement...

– Oui. C'est un style conventionnel, mais c'est confortable !

– Non, non, c'est très joli...

Le silence s'installa. Noor regardait ses pieds, le plafond, les murs.

– Il fait chaud, dit-elle.

– Oui, le mois de juin est très chaud cette année. Mieux vaut cela que le froid de l'hiver...

– Oh oui !

Le silence régnait. Au bout d'une minute, la jeune fille se leva.

– Bon... bon... Voulez-vous du café ?

– Oui, répondit Noor dans un souffle, je veux bien...

La jeune fille sortit du salon. Noor entendit ses pas sur le plancher qui craquait. La cuisine était loin. Une porte se ferma. Pourquoi Mme Garry était-elle absente, alors que Londres avait annoncé la venue d'une jeune femme qui rejoindrait le réseau comme radio ? Avait-elle été arrêtée entre-temps ? Noor était-elle tombée dans un piège ? Noor se leva, jeta un coup d'œil dans la rue. Il y avait maintenant deux policiers devant le commissariat. Il lui sembla qu'ils fixaient l'immeuble du 72... Le silence était pesant. Noor se dirigea vers la porte. Mieux valait filer ! Elle reviendrait. Peut-être...

Elle traversa le vestibule à pas de loup, tourna la poignée et tira le battant de la double porte. Fermée. Noor se mit à trembler. Elle regarda à droite, à gauche, derrière, cherchant une issue, et elle sursauta. Bien campée dans l'entrée du couloir, les poings sur les hanches, avec une moue de reproche, la jeune fille l'observait.

– C'est fermé.

– Ah bon... Je voulais revenir...

– Sans me dire au revoir ? Non, non, c'est une mauvaise idée. Tout va s'éclaircir, vous allez voir. Du moins j'espère... Rentrez dans le salon, je vous en prie. Asseyez-vous.

Noor réfléchit. Deux policiers étaient en faction dans la rue. Rien à faire. D'un pas lent, elle retourna dans le salon, la tête baissée. Sa lèvre tremblait. Alors Renée Garry prit un ton goguenard et se mit à articuler une phrase en parlant fort et en détachant bien les mots :

– Le train du Mans a eu du retard ? Le charbon manquait ?

Noor changea de visage. Cette phrase, c'était justement celle qu'elle devait prononcer en premier. C'était le mot de passe ! Elle l'avait oublié. Elle avait pensé aux fleurs et elle avait oublié le mot de passe. Voilà pourquoi la jeune fille la regardait bizarrement. Elle guettait la phrase convenue! D'où cette scène ridicule! Noor la contempla d'un air navré. Puis elle trouva la solution et elle dit :

– C'est vrai qu'ils ont pris le charbon pour la Reichsbahn.

C'était l'autre partie du mot de passe, celle que Renée devait répondre. Les deux jeunes femmes éclatèrent de rire.

– C'est bien vous! Ouf! Mais comment avez-vous pu oublier le mot de passe? C'est incroyable!

– Je suis confuse. Mais je pensais voir une vieille dame. J'ai été surprise.

Une porte s'ouvrit et un jeune homme blond entra dans le salon. Il avait une mèche romantique qui lui battait les yeux et un costume blanc à larges revers. N'était une sorte d'autorité qui se dégageait de lui, on aurait dit un élève du lycée Janson-de-Sailly tout proche, un de ces jeunes bourgeois insouciants qui attendaient la fin de la guerre sans renoncer à leur joie de vivre. Il tendait la main à Noor et écartait l'autre bras en signe de bienvenue. Il riait autant que les deux jeunes femmes.

– Bonjour, je suis Émile Garry. Je vous ai épiée dans l'entrebâillement. Vous ne disiez pas le mot de passe. Je me suis demandé qui vous étiez.

– Vraiment, je suis consternée. Cela me servira de leçon.

– Ce n'est pas grave. Voulez-vous manger quelque chose? Vous devez avoir faim et Renée n'a pas fait de café.

La jeune fille blonde se leva d'un bond.

– Venez à la cuisine, nous pourrons parler.

Elle prit Noor par la taille en souriant et les trois jeunes gens sortirent de la pièce en parlant et en riant, comme trois collégiens.

– Le voyage n'a pas été trop dur?

– Non, pas du tout. Le ciel était clair et le terrain du Mans était bien plat.

Noor préférait ne pas révéler le lieu exact de l'atterrissage.

Renée ouvrit un pot et se mit à en extraire des grains noirs en plongeant sa main dans le récipient.

– Ils mélangent le vrai café avec du malt grillé. Il faut trier! Je crois que vous méritez tout de même du vrai café.

– Il n'y en a plus en Angleterre. Du moins pour les civils..., dit Noor.

– Votre radio sera parachutée?

– Oui. Pas très loin de Viroflay...

– Nous irons à Viroflay dimanche. Les Adamowski reçoivent. Nous serons parmi les invités. Vous resterez là-bas. Le mieux pour nous est que vous transmettiez de l'école d'horticulture. Les Adamowski ont l'habitude. Nous irons chercher votre poste, puis nous l'installerons dans la serre. Renée ou ma femme vous passera les messages. Moi, je fais la navette avec les responsables du réseau. Cinéma couvre une grande partie de la Normandie. Y compris le mur de l'Atlantique. Il y a du trafic! Le dernier radio était brûlé. Nous avons réussi à le rapatrier. Mais, depuis, nous n'avons personne. Heureusement, vous êtes là.

Renée avait fini sa pêche aux grains de café. Elle les jeta dans un moulin de bois, dont elle se mit à tourner vivement la poignée.

– Tu devrais lui donner à manger tout de suite, dit Émile. Le café peut attendre...

Renée sortit du pain noirâtre et une substance grise dont la consistance rappelait celle du beurre.

– Excusez-moi si je parais indélicat, dit Émile, mais je ne peux pas ne pas vous poser la question. Pourquoi les Anglais envoient-ils en France une jeune Israélite ? C'est vraiment tenter le diable !

– Oh, répondit Noor, surprise, mais je ne suis pas juive ! Je suis...

Puis elle se ravisa.

– ... Enfin, je ne suis pas anglaise de souche, c'est vrai... Mais je ne suis pas juive. Pas du tout ! Et j'ai des papiers en règle. Je les ai même testés sur la police britannique.

Renée confectionnait deux grosses tartines avec la margarine de rationnement. À ces mots, elle s'interrompit pour considérer Noor d'un air ahuri. Visiblement, ce test auprès de la police britannique lui semblait insuffisant, elle qui affrontait tous les jours des contrôles de la police allemande. Puis elle reprit sa tâche, ajoutant une couche de pâte de raisins sur les tartines, qu'elle tendit à l'invitée. Noor les prit et les dévora en trois minutes.

– Vous n'avez pas mangé depuis un certain temps.

– Non, c'est vrai... J'ai aussi oublié comment on se servait des tickets de rationnement. J'ai préféré attendre d'arriver ici...

Cette fois, Émile et Renée se regardèrent à la dérobée en levant les yeux au ciel. Émile reprit la parole, avec une pointe d'irritation dans la voix.

– Mais tout cela ne vous a pas été expliqué en Angleterre ? Je croyais que vous suiviez un entraînement très dur...

– Oh si ! Ils m'ont tout expliqué.

– Vous n'avez pas tout retenu..., dit Renée.

– Nous devons apprendre un nombre incroyable de choses. Le code secret, la radio, le tir à la mitraillette, les cambriolages, etc. Il faudrait des années pour tout retenir !

– Bien sûr, dit Garry, ouvertement ironique.

Voyant leurs regards incrédules, Noor ajouta :

– Mais ne vous inquiétez pas : j'ai eu mes examens. Simplement, vous savez ce que c'est, une fois qu'on a le diplôme, tout s'efface.

Noor, concentrée, entreprit de se lécher les doigts, sur lesquels un peu de pâte de raisins avait coulé. Au bout de deux minutes, sans doute surprise par un nouveau silence, elle leva les yeux. Oubliant leur tact, Renée et Émile Garry la fixaient, bouche bée, telles deux statues de la consternation.

7.

Le silence. Voilà ce qui reste de ma première impression de Paris : le silence. L'Occupation avait rendu la ville aux piétons. L'automobile était rare, anémiée par le manque de carburant. On roulait à vélo, parfois en voiture à cheval. Et on marchait. On marchait sans fin le long des rues sans la circulation d'avant-guerre, sans la foule bruyante ni le trafic des heures de presse. On marchait dans le bruit des oiseaux qui habitaient les arbres, dans la rumeur discrète des conversations entre passants, dans le bourdonnement ténu des bicyclettes et le tintement des sonnettes de guidon. Et surtout, dès qu'on quittait les avenues, on marchait dans le silence.

Blainville n'aimait pas le métro. « Les agents secrets peuvent se payer un taxi », avait-il dit comme nous sortions de Montparnasse. Nous avions essayé de prendre un de ces curieux véhicules à gazogène nés de la pénurie. Rien ne le distinguait des autres, sinon une caisse de métal noir fixée sur l'aile gauche et une cheminée qui pointait au-dessus du toit en dégageant de la fumée. Les voyageurs étaient trop nombreux. Il avait fallu se rabattre sur un « vélo-taxi », une carriole traînée par un

cycliste en pantalon blanc et pull marin, un foulard rouge
noué autour du cou.

Sous le soleil de juin, la ville était sereine. Les rues
s'offraient aux piétons, inondées d'une lumière calme.
Les façades découpées par une ombre nette étaient
comme un décor du Grand Siècle. Les feuillages bruissaient et les jeunes femmes à bicyclette laissaient flotter
leur robe au vent. Au bout de la rue de Rennes qui
s'ouvrait devant la gare, le clocher de Saint-Germain
était comme un phare sur le ciel bleu. Au feu rouge du
café Les Deux Magots, une cycliste s'arrêta à notre hauteur, légère et pimpante. Assis à l'arrière du taxi, nous ne
voyions que sa taille serrée dans une jupe à volants et
son mollet fin posé par terre.

Et, soudain, tout changea : ce n'était pas un bas qui
donnait à cette jolie jambe sa couleur brune et son aspect
soyeux. C'était une mince couche de peinture. La lanière
de la chaussure de bois avait frotté et une bande de peau
blanche apparaissait à la cheville. Je compris mon
malaise. La ville resplendissait. Mais tout était factice,
comme les bas de la jeune cycliste. Une chape était tombée sur la cité. Les gens vivaient dans un carcan, sous la
botte, dans la crainte et la veulerie. Le silence de Paris
était celui de la honte.

Sur le boulevard, les passants me semblèrent rabou-
gris. Ils marchaient renfrognés dans des vêtements usés,
un sac de provisions vide à la main. À la terrasse du
Flore s'étalaient les uniformes vert-de-gris. Sur la place
Saint-Germain-des-Prés, des officiers au col rouge et au
large képi relevé sur l'avant se photographiaient l'un
l'autre devant la vieille église. Au début de la rue Bonaparte, il y avait une librairie où je venais avant la guerre
chercher des vieux livres d'histoire. Je lus en passant une

inscription à la peinture blanche qui barrait la vitrine : « Judische Gesellschaft » (Entreprise juive). Rue de Rivoli, une fois la Seine franchie, en tournant à gauche au sortir des guichets du Louvre, d'immenses oriflammes rouge, blanc et noir, à croix gammée, ornaient l'hôtel Meurice et le ministère de la Marine réquisitionnés. Ils sautaient à la figure comme une insulte. La librairie W.H. Smith, où j'allais acheter des ouvrages en anglais, était devenue « La Librairie allemande du front ». Aux carrefours, les panneaux en lettres gothiques noyaient par leur nombre les inscriptions en français. Sur la place de l'Opéra, je lus en attendant un feu vert l'affiche d'une colonne Morris. C'était le programme du Lido, « Rêve d'Asie ». Il était traduit en allemand.

Il est vrai que le monde du spectacle n'avait pas trop mal supporté l'arrivée des nazis. Les théâtres étaient pleins, les music-halls jouaient plus encore qu'avant guerre et le cinéma tournait comme jamais. Paris avait déroulé un tapis rouge sous la botte nazie. Le rationnement suffisait à peine à assurer la survie de quarante millions de Français. Mais, à la faveur d'un taux de change confiscatoire, la France était un parc de loisirs pour l'armée allemande en permission. Comme le cycliste avançait, l'humiliation me gagnait. Mon humeur s'assombrissait à chaque découverte. Blainville m'observait.

– Drôle d'effet, hein ?

– Oui... J'avais bien imaginé ça, mais, sur place, c'est différent... La dernière fois que j'étais à Paris, c'était en 1939. Je me souviens de Reynaud qui avait dit à la Chambre : « Nous vaincrons parce que nous sommes les plus forts ! »

– Cela finira par être vrai. Les Allemands ne sont plus les plus forts. Les Russes et les Américains vont les écraser ! Question de temps...

– Qui peut être long...

– Pas sûr. Même les Français en ont assez. Depuis Stalingrad, ils ne croient plus aux Allemands. Ils se souviennent de Napoléon en Russie. Ils aiment bien le vieux Maréchal parce qu'ils croient qu'il les protège. Mais les écailles tombent. On commence à comprendre que ce vieux gâteux n'est qu'un traître. Sans lui, le gouvernement légal serait à Londres et la France serait du bon côté. De Gaulle se met à exister. Et puis ce qu'ils ont fait aux Juifs est très mal passé. Même les antisémites ne comprennent pas pourquoi on déporte des familles entières. Le travail obligatoire sert la Résistance. Les jeunes ne veulent pas aller en Allemagne. Ils préfèrent le maquis.

– Ils se soulèveront si les Alliés débarquent ?

– Oui. Pas de doute. Ils tomberont du côté du vainqueur...

– Encore faut-il gagner...

– C'est jouable. Ici, les Allemands ont des troupes de moins bonne qualité. Les meilleures sont en Russie. Mais il ne faut pas qu'ils puissent se regrouper au point de débarquement. Sinon, c'est foutu. Ce sera notre rôle. Harcèlement, sabotage, guérilla... Et celui de l'aviation.

Il resta sur le mot, le regard dans le vague.

– Vous regrettez la RAF ?

Il se tourna vers moi, avec un sourire. Je savais que Blainville était un grand pilote. Il me savait gré de faire allusion à son vrai métier.

– Parfois, oui. C'est tout de même une guerre plus propre. Avion contre avion et le ciel pour les deux. Au fond, la guerre devrait être un art. Les plus intelligents et les plus courageux gagneraient. Comme dans les romans d'Alexandre Dumas.

– Nous sommes des espions, c'est romanesque...

– Non. C'est une saloperie de vie. Vous verrez, Arthur. Nous ne sommes pas des soldats. Nous sommes des tueurs... Remarquez, nous employons la ruse, les feintes, les intrigues, tout cet attirail de tromperie. La tromperie peut être un art... Comme les échecs. Ou le poker. Mais, dans Dumas, les espions ne sont pas sympathiques. Milady ou Mordred! Aucun enfant ne veut être Milady ou Mordred. Tout le monde veut être d'Artagnan. J'aime mieux être aux commandes d'un Spitfire. Voilà le grand jeu!

– Quand vous rentrerez en Angleterre, vous pourrez voler de nouveau...

– Quand je rentrerai? Vos chefs me veulent ici. Ils préfèrent les espions aux pilotes. C'est peut-être pour cela que nous allons gagner la guerre!

Après avoir remonté la rue de Montpensier, le long du Palais-Royal, le vélo-taxi s'arrêta devant un porche de la rue Vivienne. En franchissant la voûte, ma valise à la main, je lus une plaque dorée : « Jazz Club de France ». Dans la cour, il y avait un bâtiment trapu d'où sortaient les notes chaudes d'un saxophone.

– Prosper donne souvent des rendez-vous ici, expliqua Blainville, c'est une bonne couverture. Il y a toutes sortes de jeunes gens qui viennent faire de la musique.

Comme je l'écoutais en passant la porte du club, je bousculai un jeune homme qui sortait.

– Excusez-moi, dis-je.

– Faites attention, tout de même. Vous n'êtes pas allemand, vous!

C'était un garçon à la coiffure bizarre, longue sur la nuque avec des crans sur les tempes. Il portait un col blanc très haut, un veston trop long, un pantalon trop court et un parapluie à la main qui rappelait celui du peu regretté Neville Chamberlain.

– Ne vous inquiétez pas, dit Blainville en m'entraînant à l'intérieur, dans un hall orné d'une grande affiche où l'on voyait la coiffure brillantinée et la fine moustache de Django Reinhardt. C'est un zazou !

– Un zazou ?

– Ce sont ces jeunes idiots qui affectent de se moquer de tout, notamment de la guerre. Ils écoutent du jazz, s'habillent avec des vêtements trop courts ou trop longs et passent leur vie dans les cafés.

– Ils ne sont pas contre les Allemands ?

– Non, ils se disent apolitiques. Ce qui signifie plutôt maréchalistes. J'en croise beaucoup ici, ils viennent pour le swing, comme on dit.

– Mais le swing est américain...

– Oui, c'est la seule chose sympathique chez eux !

Nous étions arrivés au bout d'un couloir, devant une porte surmontée d'une lampe rouge allumée. Le Jazz Club de France était la Mecque du jazz français. Son siège comprenait une salle de spectacle et des studios d'enregistrement. Blainville frappa plusieurs coups rythmés à la porte, sans prêter attention à la lampe, qui signifiait qu'un enregistrement était en cours. Une clé tourna et la porte s'ouvrit. Un visage espiègle apparut dans l'encadrement. C'était Derek Darbois, mon stagiaire d'Arisaig. Il était radieux. À l'anglaise, il me prit la main et la secoua longuement.

– John ! Je suis si content de vous voir !

– Derek, vous êtes là ! On m'a dit que vous étiez en mission. Je ne savais pas que c'était pour Prosper !

Derrière Darbois, une voix s'éleva.

– Bonjour, Arthur, vous tombez bien ! Nous parlions de vous !

Un jeune homme s'était levé, grand, maigre, pâle, les cheveux raides sur le crâne et rasés autour des oreilles, un visage en longueur où un regard bleu ciel lançait des éclairs fiévreux. Il souriait largement en tendant une main fine et tremblante. Prosper était conforme à sa réputation : on eût dit un chevalier des récits de Walter Scott, passionné et romantique. En m'appelant par mon pseudonyme, il nous ramenait aux consignes de sécurité. Darbois se tourna vers lui d'un air penaud. Il avait pris le sobriquet d'Oscar, en hommage à son maître Oscar Wilde. De ce jour, il ne fut plus pour moi qu'Oscar, mon parachutiste courageux.

Deux autres hommes se tenaient autour de la table du studio. Au fond de la pièce capitonnée, les micros d'enregistrement étaient perchés sur leur support de métal argenté, devant une vitre à travers laquelle on apercevait une console d'enregistrement. Mais ce n'étaient pas des saxophones ou des clarinettes qui étaient posés sur la table, entre les amis de Prosper. Il y avait là trois revolvers, deux mitraillettes Sten et un étrange pistolet composé d'un gros tube de métal où s'encastraient une petite crosse et une gâchette primitive faite d'un simple crochet. Prosper me désigna les deux hommes :

– Voici Vienet et Kerleven.

Vienet me tendit la main par-dessus la table. C'était un homme d'une quarantaine d'années dont les cheveux gominés étaient séparés par une raie, discrètement bronzé, qu'on aurait bien vu dans le film de Renoir *La Règle du jeu*. Un foulard de soie était noué autour de son cou, une pochette désassortie dépassait de son veston de lin. D'un geste affecté, il tirait sur de longues cigarettes à filtre jaune qu'il sortait d'un étui de métal gravé. Kerleven moustachu et sanguin, vêtu d'un complet bleu fripé et d'une chemise douteuse, me fit un signe de la tête.

– Pouvons-nous reprendre la discussion? dit-il impatiemment.

– Si vous voulez, dit Vienet. Je vous répète que je désapprouve la mission.

– Mais enfin, Iago est un traître! répliqua Kerleven. Son exécution n'est que justice, vous le savez tous! Ses interventions sur Radio-Paris sont du poison. Ses discours valent plusieurs divisions. C'est le collabo de France le plus connu après Laval! Si nous le tuons, la Résistance prouvera sa force et Vichy recevra un coup terrible!...

Je compris au bout d'un certain temps que celui qu'ils appelaient « Iago » portait un autre nom, qu'ils taisaient pour des raisons de sécurité.

– Son exécution provoquera la mort de dizaines d'otages, coupa Vienet. Vichy, la Milice et même les Allemands ne peuvent pas laisser passer ça. Ils vont fusiller au moins cinquante innocents.

Il se tourna vers Prosper et ajouta :

– Quand vos services ont assassiné Heydrich, ils ont massacré des villages entiers.

Un an plus tôt, à Prague, un commando du SOE avait jeté deux grenades dans la voiture décapotable du numéro deux de la SS, Reinhard Heydrich. L'adjoint de Himmler avait été tué, mais les nazis avaient procédé à des représailles massives. Un village qui avait été soupçonné d'avoir accueilli les parachutistes anglais avait été encerclé et entièrement brûlé, maisons et habitants. Au total, plusieurs milliers de civils avaient été éliminés. Prosper ne releva pas l'interpellation. Kerleven continua :

– Nous faisons la guerre, Vienet ! Les otages, ce n'est pas nous qui les abattons, ce sont les nazis. Ils veulent nous dissuader d'agir. Si nous nous arrêtons au sort des civils, nous serons paralysés. D'ailleurs, soyons francs entre nous. Les crimes des Allemands nous sont utiles. Ils les coupent de la population et nous recrutons.

– Voilà bien un raisonnement de communiste ! cria Vienet, hors de lui. Vous êtes vraiment prêts à tout. Moi, je m'en tiens aux instructions de la France libre. On me demande de préparer le débarquement. Je le prépare. Espionnage, sabotage, organisation ! Voilà notre travail. L'assassinat aveugle, ce n'est pas pour nous. La vérité, c'est que le Parti veut prendre le pouvoir dans la Résistance ! Alors, vous faites de la surenchère.

– Ce n'est pas un assassinat aveugle, c'est une exécution, rétorqua Kerleven. Quant au Parti, il lutte contre les Allemands de toutes les façons possibles. C'est cela qui gêne les gaullistes. Vous êtes attentistes, Vienet, voilà la vérité !

Le ton montait de plus en plus. Prosper leva la main.

– Messieurs ! Nous travaillons ensemble depuis assez longtemps pour ne pas en arriver là ! Ceux qui divisent la Résistance travaillent pour les nazis. Je me fous de vos idées politiques, je vous le répète. Celui qui tue des Allemands est mon homme. C'est l'homme de l'Angleterre. Un point, c'est tout. De toutes manières, c'est moi qui ai les armes. Et voilà mon opinion : pour une fois, je crois que Kerleven a raison. Nous devons passer à un stade supérieur, maintenant. Arthur vient de Londres. Il peut vous le confirmer : le débarquement approche. Nous ne pouvons pas employer nos journées à graisser des mitraillettes pour le jour J. Il faut agir. C'est l'opinion de Londres et l'opinion des Alliés.

Il se tourna vers moi. Je l'approuvai d'un signe de tête. J'avais en mémoire ce que Buckmaster et Bodington m'avaient dit. Manifestement, ils avaient fait passer les consignes. Prosper reprit :

– Je propose de monter l'opération Iago. C'est un symbole, c'est un salaud. Vienet, vous n'allez pas le pleurer, tout de même ?

Vienet faisait un effort pour se contrôler.

– Mais non ! Arrêtez, Prosper ! C'est un débat stratégique. Je vous ai donné mon avis. Mais, si vous avez des ordres, faites ce que vous voulez. Je suis convaincu que notre rôle est de préparer l'insurrection. C'est la ligne du gouvernement d'Alger. C'est celle du général de Gaulle. Donc, c'est la mienne.

– Vous ne pouvez pas rester en dehors, René, dit Prosper d'un ton soudain amical. Nous avons besoin de vous. De vos contacts, de vos équipes. Je vous fournis deux professionnels, ils sont ici. Je vous fournis les armes, elles sont ici. Mais il faut faire votre part du travail.

– Je n'irai pas, répondit sèchement Vienet.

– Nous nous en chargeons ! dit Kerleven. Ne vous inquiétez pas ! Nous n'avons que faire de vos truands de Pigalle ! Nous avons assez de militants.

– Pas question, répliqua Vienet. Le Parti n'aura pas cette gloire. Je vous prête mes équipes. Ce sont peut-être des truands, mais ils connaissent leur affaire. C'est l'avantage ! Je n'irai pas personnellement, je désapprouve. Mais je ne vous ferai pas le plaisir de vous laisser tout seuls...

– Très bien, coupa Prosper, alors nous sommes d'accord. Je résume. Vienet nous transmet les informations par son contact. Il nous prête six hommes, trois pour le commando qui entrera, trois pour la couverture, et deux chauffeurs. Nous y adjoignons les militants de Kerleven et nos deux amis, Arthur et Oscar. Simplement, il y a une différence. Nous n'allons pas tuer Iago. Nous allons l'enlever. Pour le juger.

– Vous êtes fou ! lâcha Kerleven après un instant de surprise. Vous compliquez l'opération. C'est beaucoup trop difficile de l'emmener. Il va se débattre. Vous mettez tout le monde en danger.

– Eh, eh ! jeta Vienet. Voilà la ligne du Parti qui revient. Un meurtre ou rien ! Assassinez ! Assassinez ! C'est la loi et les prophètes !

Prosper ne releva pas le sarcasme. Il continua :

– S'il résiste, vous le supprimez. La sécurité passera en premier. Mais, si nous pouvons le kidnapper, vous imaginez l'écho de l'opération ! Nous nous débrouillerons pour l'envoyer à Londres. Vous voyez d'ici la tête des gens de Vichy. Et nous éviterons le problème des otages. Il faut essayer...

Prosper m'impressionnait par son autorité. Son raisonnement était impeccable, même s'il accroissait les risques. Les deux autres argumentèrent un peu, puis se rallièrent. Prosper reprit la parole.

– Une dernière chose. Vous avez sur cette table les armes que nous utiliserons. Les Sten et les revolvers, vous connaissez. Nous les tenons à votre disposition à la cache habituelle. Mais ce pistolet est spécial. C'est un Welrod. Il n'y a aucune marque de fabrique. Il a été fabriqué spécialement pour nos services. Voilà à quoi il sert !

Il s'empara du gros tube à crosse rudimentaire, se leva et visa une pile de partitions qui se trouvait sur une petite armoire à gauche du studio. J'aperçus une petite crispation sur le visage de mes vis-à-vis, Oscar et Vienet, en attendant la détonation. Prosper appuya sur la gâchette. Le pistolet tressauta, mais on n'entendit qu'un bruit creux, comme celui que fait un marteau tapant sur un tuyau.

– C'est un silencieux! dit-il en riant. Pas mal, non?

Nous nous mîmes à sourire pendant que Prosper faisait trois pas, se penchait sur la pile de partitions et extrayait la balle du papier déchiré.

– Calibre 7,65, neuf coups possibles après avoir chaque fois manœuvré la culasse, comme ceci. Idéal pour les opérations discrètes!

Il tendit l'arme à Vienet.

– C'est un cadeau de l'armée britannique. Après cela, René, vous ne pouvez rien nous refuser!

8.

Je l'avais vu très vite. Sur la place de la Comédie-Française, il avait pris un vélo-taxi, juste derrière moi. J'avais noté la coïncidence, machinalement. Maintenant, il nous suivait à une centaine de mètres. Jusqu'à la rue de Rivoli, tout était normal. Deux vélos-taxis se dirigeant vers la Concorde l'un après l'autre : quoi de plus banal ? Mais quand je demandai au cycliste de tourner à gauche sur le pont Louis-Philippe, de prendre le quai Voltaire, puis de repasser rive droite par le pont de la Concorde, itinéraire aberrant, sauf pour un touriste, l'autre nous avait filés. En bas des Champs-Élysées, j'avais payé mon vélo-taxi et je marchais tranquillement sur la contre-allée plantée d'arbres, ma petite valise à la main. Il s'était arrêté à cent mètres devant moi, avait payé lui aussi et était allé s'asseoir sur un banc. Comment était-ce possible ? Une filature, le premier jour ?

J'avais enfreint la règle de Philby : garder un comportement normal. Mais je pensai que mon itinéraire pouvait, somme toute, correspondre à ma couverture. Le SOE m'avait nanti de papiers d'identité belges pour expliquer ma pointe d'accent. J'étais un représentant en machines à écrire venant d'Anvers. Le métier allait bien avec mon ancien état de journaliste. Je savais manier et réparer une machine, parler des différents modèles, commenter les nouveautés techniques. Et un représentant belge comme moi pouvait se promener au hasard dans Paris pour profiter d'une longue soirée de juin, pendant que le jour baissait lentement sur la ville.

Après la conférence du Jazz Club, nous étions allés dîner aux Jardins du Palais-Royal, en bas de la rue Vivienne. Par groupes de deux, Darbois et moi, Vienet et Blainville, Prosper qu'avait rejoint Andrée Borrel, une brune vive avec une queue de cheval et un visage candide, qui était à la fois son courrier et sa compagne, nous avions gagné le restaurant à l'angle de la colonnade qui entourait le jardin, bâtie jadis par le duc d'Orléans et devant laquelle Camille Desmoulins avait harangué la foule un certain 14 juillet. Nous avions longuement scruté, les uns après les autres, la rue Vivienne, déserte dans cette partie et facile à contrôler. J'étais certain que personne ne nous surveillait.

Au restaurant, un septième homme nous attendait. C'était Gilbert Norman, le radio, avec un regard encore plus fiévreux que celui de Prosper et les lèvres blanches sous une petite moustache noire. Celui-là a peur, m'étais-je dit, c'est l'évidence, il est miné par l'angoisse. Une légère inquiétude m'avait saisi, vite oubliée. Nous avions été accueillis par un patron jovial qui connaissait manifestement Prosper. « Voilà le club du Maréchal ! » avait-il dit tout fort avec un sourire jusqu'aux oreilles. Il nous avait installés en terrasse, sous les frondaisons, à l'opposé d'une table bruyante où six officiers allemands buvaient du champagne. Il avait apporté une bouteille d'un bourgogne qu'aimait Prosper en lançant : « Toujours une que les Anglais n'auront pas ! » J'étais consterné. Le professionnalisme de Prosper était éclatant. Comment pouvait-il commettre une imprudence aussi grave : devenir l'habitué d'un restaurant de marché noir nécessairement louche et laisser deviner ses activités au patron ? Au milieu du repas, celui-ci s'était surpassé. En servant un gros canard à l'orange, il avait dit d'une voix sonore : « Et maintenant, le plat de résistance ! » Comme je fus le seul à ne pas rire, Prosper se pencha vers moi.

– Vous savez, cela fait près de deux ans que nous sommes à Paris. Il faut bien se détendre parfois. Sinon, aucun de nous ne tiendrait. Nous dépensons beaucoup d'argent, mais c'est normal. Les agents ne peuvent pas vivre comme tout le monde. Avec les cartes de rationnement, ils ne mangeraient pas à leur faim. Ils prennent tous les risques. Il leur faut une compensation. Nous vivons dans le luxe, mais, demain, peut-être nous retrouverons-nous dans une salle de torture avenue Foch. C'est équitable. De plus, ces restaurants chers sont plus sûrs qu'on ne le croit. La Gestapo imagine difficilement que nous fréquentons des endroits remplis d'Allemands. Ils nous cherchent ailleurs.

– Mais, si l'un de nous est pris, nous le sommes tous !

– Il faut travailler dans la confiance. Sinon, nous ne ferons rien.

À ce moment-là, un officier SS bedonnant et grisonnant était entré au bras d'une jeune femme moulée dans un fourreau de soie bleue. Sous mon regard ahuri, Vienet s'était levé, avait traversé la terrasse et les avait salués cérémonieusement. Le SS avait répondu d'un sourire pincé. « C'est Kieffer, avait dit Vienet en revenant s'asseoir. Rarement vu un type aussi désagréable. » Le mot était approprié. Kieffer était l'un des dirigeants de la

Gestapo à Paris. Il surveillait les interrogatoires sanglants de l'avenue Foch et de la rue Lauriston. Voyant Kieffer, Blainville avait questionné Vienet. « On m'a dit que les Allemands avaient arrêté des chefs importants de la Résistance à Lyon... » Vienet avait promis de se renseigner. Il était le numéro deux de la Compagnie radioélectrique, l'une des grosses entreprises françaises de matériel électrique, qui fabriquait toutes sortes de produits sensibles, des machines-outils comme des postes de radiotélégraphie. Il voyait les Allemands tous les jours, et travaillait pour la résistance gaulliste. Pour des raisons que je ne comprenais pas, il avait monté son réseau avec deux grands macs de Pigalle de ses relations. Les voyous lui fournissaient des fantassins pittoresques, souvent corses ou italiens, d'une efficacité rare. Une partie du milieu, minoritaire, avait rallié la collaboration, autour de Bonny et Lafont, les deux chefs de la Gestapo française. Mais la majorité, par intérêt ou par patriotisme, faisait le coup de feu avec la Résistance. Les bas-fonds, somme toute, collaboraient moins que les hautes sphères...

À huit heures, nous avions fini de dîner et je les avais quittés pour descendre la rue de Valois à la recherche d'un vélo-taxi. J'avais deux heures avant le couvre-feu, mais je préférais rentrer à mon hôtel du XVIIᵉ arrondissement. Une nuit sans sommeil, un voyage tendu et, tout de suite, le briefing de la première opération. Il fallait que je dorme.

Jusqu'au moment où je m'étais aperçu qu'on me suivait. Et maintenant, je remontais vers l'Étoile, l'estomac noué. Encore un peu plus d'une heure avant le couvre-feu. Il fallait déjouer cette filature sans éveiller les soupçons et réfléchir aux implications de l'incident. Certes, le

QG du Jazz Club paraissait encore sûr : c'est après ma sortie du restaurant que j'avais été pris en charge. Mais on m'avait repéré le jour de mon arrivée. Bravo ! Décidément, il y avait quelque chose de pourri au royaume de Prosper.

Après le rond-point des Champs-Élysées, je fis une halte devant une boutique de confiserie, les dragées Martial, où trônait un marquis de carton vêtu d'un habit rouge et d'un gros chapeau à plumes et je pus observer mon guetteur dans une glace de la vitrine. Il se tenait à dix mètres de moi, indifférent. C'était un très jeune homme brun, coiffé « à l'embusqué », comme disaient les Français (les cheveux en arrière, loin du front...), dont le costume clair à larges revers et les chaussures vernies dénotaient l'aisance. Un gestapiste de luxe, sans doute... Il s'était arrêté devant un kiosque à journaux et achetait *Je suis partout*. Je continuai vers l'Arc de triomphe en me torturant l'esprit. Comment m'échapper, alors que je n'avais pu repérer à l'avance aucun itinéraire de fuite, aucun immeuble à double entrée, aucune ruelle secourable ? Le métro ? Je ne le connaissais pas assez. Un musée ? Un magasin ? Ils étaient fermés. Un cinéma ? Il aurait tôt fait de demander du renfort pour surveiller l'entrée et la sortie. Un jardin public ? Je pouvais me perdre dans un bosquet ou dans un dédale d'allées. Risqué : il verrait tout de suite la manœuvre.

À droite commençait la galerie du Lido et je m'y engageai, cherchant l'inspiration. De l'autre côté du passage bordé de boutiques de luxe fermées, il y avait une autre entrée. J'aurais pu courir jusque-là et disparaître dans la rue qu'on apercevait à l'autre bout. Mais le flic aurait compris qu'il avait été repéré. Je restai fidèle à l'enseignement de Philby. Je commençai à flâner devant les vitrines obscures, l'esprit concentré. Le gestapiste apparut à l'entrée de la galerie. Il s'adossa à une boutique et se plongea dans son journal. À droite du passage, une file d'attente s'allongeait, où l'on reconnaissait beaucoup d'Allemands. C'était l'entrée du Lido. Les officiers étaient en tenue de gala et leurs compagnes en robe du soir. Ils étaient mêlés à des bourgeois en costume sombre accompagnant leur femme au spectacle. Il y avait aussi plusieurs groupes d'hommes seuls, qui parlaient fort en ricanant.

Soudain, plus loin sur la droite, presque au bout du passage, une porte noire s'ouvrit vers l'extérieur. Deux jeunes femmes en sortirent et se dirigèrent vers moi. Elles étaient en robe légère et ondulaient sur des chaussures compensées à grosses semelles, pas très jolies mais grandes et bien faites. Elles marchèrent à ma hauteur. Elles me dépassaient d'une tête. Je compris que c'étaient des danseuses qui quittaient le music-hall. Je coupai la queue et demandai s'il restait des places. Un quart d'heure plus tard, un garçon en habit m'installait à une table de huit personnes, entre deux officiers allemands en compagnie de filles un peu vulgaires, dans une salle à colonnades de stuc, sous des lustres de cristal illuminés. J'avais réussi à garder ma valise en expliquant qu'elle « contenait tous mes échantillons ». Un bon pourboire avait fait le reste. Puis j'étais remonté dans l'entrée du music-hall, juste avant le lever de rideau. Mon ange gardien en chaussures vernies était debout dans le passage. Confiant, il attendait la fin du spectacle, sûr que les spectateurs sortiraient au même endroit. Il avait dû se renseigner. Je me dirigeai vers le maître d'hôtel.

– Peut-on voir les danseuses à la fin des numéros ? demandai-je d'un ton enjoué.

– Oh non, monsieur, c'est strictement interdit !

En clignant de l'œil, je désignai la porte de service que j'avais repérée en descendant.

– Elles sont là ?

Je lui tendis un autre billet qu'il empocha.

– Oui, elles sont là. Mais je ne peux pas vous laisser entrer. Ce sera gardé, après le spectacle.

Il hésita, puis il murmura :

– Si vous voulez, vous pouvez les attendre dehors, au fond du passage. Il y a une porte noire, sans aucune marque. Elles sortent par là. Bonne chance !

L'orchestre commençait à jouer. Je descendis et me glissai à ma table. La pénombre s'était installée. On avait servi du champagne. Sur la scène, accompagnées par une musique aux accords chinois, une douzaine de filles dansaient à la manière des ballets pékinois dans un décor de pagodes surmonté d'un curieux ciel rose. Elles étaient maquillées à l'orientale, avec de hauts chignons compliqués. Mais leurs tuniques de soie s'arrêtaient à mi-cuisse et s'ouvraient sur de longues jambes. Dès qu'elles se penchaient vers la salle, on voyait leurs seins dans leur décolleté.

Je patientai jusqu'au début du numéro suivant, des jongleurs qui entouraient une amazone en tunique de panthère et en collants noirs. Je me penchai vers mon voisin allemand en repoussant ma chaise :

– *Schuldigung !*

Il ne fit même pas attention à moi. Courbé dans le noir, ma valise à la main, je gagnai le fond de la salle. Une halte d'observation. Aucun des garçons qui commençaient à servir des plats de foie gras en tournoyant entre les tables ne m'avait vu. Je repris l'escalier. Il était désert. À mi-étage, la porte de service n'était pas encore gardée. Je la franchis, longeant les portes des loges entrouvertes sur une odeur de sueur et de parfum mélangés. Au fond du couloir, un escalier étroit était surmonté d'un panneau « sortie de secours ». Je le descendis quatre à quatre. Au rez-de-chaussée, je tombai sur une porte de métal barrée d'une de ces poignées à ressort faites d'une tige d'acier horizontale, recourbée aux deux extrémités, comme on en trouve à la sortie des cinémas, qu'on pousse pour ouvrir et qui se referme d'elle-même. J'appuyai sur la tige avec précaution. La porte s'entrebâilla ce qui ménagea une fente du côté des charnières à travers laquelle on pouvait voir sans être vu. Je jetai un coup d'œil. Le jeune homme était toujours là. Il s'était assis sans façons sur la petite marche qui marquait l'entrée du passage et lisait son journal à la lumière d'une enseigne. Il me tournait le dos. Tout doucement, je sortis de l'embrasure et je retins la porte pour éviter qu'elle ne claque. Trois pas, et j'étais à la sortie du passage opposée aux Champs-Élysées. Je disparus à l'angle et marchai vivement vers la rue perpendiculaire. Sauvé ! Mon suiveur me chercherait à la sortie de la revue. Mais il y aurait foule. Je pouvais escompter qu'il imputerait son échec à l'affluence.

Une demi-heure plus tard, quelques minutes avant le couvre-feu, je montais les marches de l'immeuble bourgeois que le SOE m'avait assigné comme résidence parisienne de secours. J'avais jugé préférable de ne pas aller à l'hôtel qu'on avait prévu pour moi près de la place Wagram. La filature n'augurait rien de bon, il fallait redoubler de précautions. Au fond, il y avait deux solutions. Ou bien le réseau Prosper était déjà entièrement grillé, victime des imprudences dont j'avais eu un aperçu aux Jardins du Palais-Royal. Peut-être le patron était-il un indic. Il avait alors prévenu la police. Dans ce cas, on m'avait suivi pour savoir qui était cette tête nouvelle. On comptait me surveiller, m'identifier et ensuite statuer sur mon sort : une liberté surveillée pour remonter la filière ou l'arrestation. Ou bien il y avait un traître parmi les convives du restaurant. L'un d'eux avait averti la Gestapo avant mon départ. Dans ce cas, la liste des suspects était courte : Prosper, sa compagne, Andrée Borrel, Norman, le radio, Vienet, Blainville, Darbois.

Prosper, Blainville et Darbois me semblaient des coupables très improbables. Buckmaster et Bodington avaient placé leur confiance en eux. Et si l'un d'eux trahissait, pourquoi le réseau était-il encore en activité ? Traître, l'un des trois avait tout loisir de le faire démanteler depuis des mois. Vienet, en revanche, avec ses accointances allemandes, me paraissait hautement louche.

Fallait-il maintenir l'attentat contre celui qu'ils appelaient Iago ? Je repassai dans ma mémoire la réunion du Jazz Club. Seul le principe de l'opération avait été abordé, mais aucune des modalités pratiques n'avait été précisée, sinon l'étrange alliance entre militants communistes et truands. Nous devions nous revoir avec Prosper, Kerleven et Vienet pour étudier le plan d'attaque. Je pris mon parti : la meilleure solution consistait à voir Blainville. Lui était sûr. Je lui raconterais ma filature. Et nous pourrions aviser.

Comme j'atteignais le troisième étage, perdu dans mes pensées, j'entendis la mélodie d'un piano. Je sonnai. Le piano s'arrêta. La porte s'ouvrit, et une jeune fille blonde apparut.

– Bonsoir, dit-elle en me lançant un regard méfiant. Vous désirez ?

– Bonsoir.

Je la regardais, stupide. Je devais prononcer la phrase convenue. Après les complications de la journée, elle m'avait échappé.

– Euh... oui, voilà! Le taxi est tombé en panne...

J'entendis une voix amusée et cristalline.

– Vous voyez! Lui aussi a oublié son mot de passe!

C'était Noor, qui m'observait de la porte du salon avec ironie. Elle portait une jupe étroite qui la serrait à la taille et un corsage blanc un peu bouffant qui faisait ressortir ses bras et son cou dorés.

– Non, je ne l'ai pas oublié. Le taxi est tombé en panne devant l'hôtel Lutétia. Voilà!

– Et les Allemands vous ont aidé, répondit la jeune fille blonde, donnant l'autre partie du mot de passe. Bonjour, je suis Renée Garry.

– Arthur.

– Entrez. Vous connaissez Aurore. Voici mon frère, Émile, et ma future belle-sœur, Claire Nadaud. Nous écoutions Aurore qui jouait du Ravel. Elle est formidable!

Noor sourit en baissant les yeux. Elle était plus belle que jamais, brune et mince dans son corsage blanc, ses cheveux noirs tombant droit sur ses épaules. Je la regardais fixement. Elle me rendit mon regard avec un léger sourire.

– Voulez-vous manger quelque chose? demanda Renée.

– Non, j'ai dîné, merci. Mais je suis désolé d'avoir interrompu votre concert. Reprenez, je vous en prie. Je serais ravi d'entendre Aurore.

– Non, dit-elle, vous devez avoir bien des choses à nous raconter...

– Vous n'avez pas rencontré de difficulté ? demanda Émile.

– Si, dis-je franchement. J'ai été suivi.

Il était stupéfait. D'un ton anxieux, il ajouta aussitôt :

– Jusqu'ici ?

– Non, non, rassurez-vous. Je l'ai semé sur les Champs-Élysées, en faisant semblant d'aller au Lido. Je ne serais pas venu ici autrement.

– Vous êtes sûr ? dit Renée.

– Oui, oui, n'ayez aucune crainte.

– J'aime autant, dit Émile. Cet appartement est parfaitement protégé. Nous sommes les trois seuls à le connaître. Il appartient à une cousine qui s'est repliée sur la Côte d'Azur. Je ne l'ai pas mis à la disposition du réseau. Londres le connaît, et maintenant vous deux. C'est tout. Mais comment peut-on vous avoir repéré, dès le premier jour ?

– Nous étions au restaurant, avec Prosper. Au Palais-Royal. Le type m'a pris en charge dès la sortie. C'était un jeune homme, avec des chaussures vernies...

– Vous êtes certain qu'il vous suivait ?

– Oui, j'ai fait des détours. Il est resté derrière moi... Pas de doute là-dessus.

– Prosper est un héros, dit Émile, mais il prend souvent des risques insensés. Je suis allé une fois dans ce restaurant. Je n'ai pas du tout aimé le patron. J'ai bien regardé à la sortie si je n'étais pas filé. Ils sont trop connus là-bas, c'est une folie. Je n'y suis jamais retourné.

– Vous n'avez pas peur que le réseau soit grillé ?

– Je ne pense pas. Ils nous auraient tous arrêtés depuis longtemps. Non, ils doivent savoir que Prosper fréquente le restaurant. Mais ils n'ont pas dû oser le suivre : ils se seraient fait remarquer. Ils vous ont pris en filature parce qu'ils pensaient que vous étiez un nouveau, que ce serait plus facile... Enfin, je suppose !

Les déductions de Garry me paraissaient fragiles. J'examinerais tout cela avec Blainville. Garry reprit :

– Prosper vous a affecté quelque part ? Vous avez une mission ?

– Oui, pour samedi. Je dois régler les détails demain.

– Très bien. Vous allez habiter ici. Dans la plus grande prudence, évidemment ! Dimanche, nous allons chez les Adamowski. Aurore doit récupérer sa radio. Nous n'avons que Norman pour l'instant, il ne suffit pas à la tâche.

– Oui. Et, pour être franc, il m'a paru fatigué...

Garry me jeta un regard entendu.

– Oui. Comme vous dites... Cowburn sera là, je crois que vous le connaissez...

Cowburn était une légende du SOE. Il avait bâti un réseau de sabotage redoutable en Normandie.

– J'en ai entendu parler. Nous devons agir avec lui.

– Oui. Son réseau et le nôtre travaillent souvent ensemble en Normandie. Nous avons une grosse opération sur le feu. Vous ne serez pas de trop !

Pendant qu'il parlait, mon regard se tournait vers Noor, qui nous observait, muette. Ses grands yeux noirs buvaient nos paroles. Elle s'était assise au bord du canapé, et sa jupe était remontée au-dessus des genoux. Soudain, elle surprit mon manège. Timidement, presque empruntée, elle me sourit à la dérobée, pendant que j'écoutais Garry, les yeux rivés sur elle.

– Mais vous devez être épuisé, ajouta Garry. Nous reparlerons de tout ça demain.

Il regarda sa montre.

– Onze heures ! Je suis sûr que vous n'avez pas fermé l'œil depuis hier.

Dix minutes plus tard, je sortais de la salle de bains pour aller vers ma chambre, quand Noor sortit de la sienne. Cette fois, elle était en chemise de nuit, les pieds nus, une trousse à la main.

– Bonsoir, me dit-elle quand elle arriva près de moi.

Je lui tendis la main. Elle la prit, eut un instant d'hésitation, puis se pencha en avant en me regardant par en dessous, d'un air effronté. Je l'embrassai sur la joue, une fraction de seconde trop longtemps. Puis je passai mon bras autour de son épaule. Alors, elle s'échappa en riant. Je restai immobile au milieu du couloir. Elle ouvrit la porte de la salle de bains et, avant d'entrer, se retourna. Elle me sourit largement, puis son visage radieux s'effaça lentement, les yeux fixés sur moi.

9.

Prosper avait raison : les silencieux Welrod marchaient bien. Culioli s'était approché sans hâte du premier flic posté devant le porche. Il avait sorti son arme et tiré à dix pas. Le flic s'était effondré en poussant un soupir. Posté à vingt mètres, au coin de la rue de l'Université, la main transpirant sur la crosse de ma Sten, j'avais à peine entendu le son creux du silencieux. L'autre policier faisait les cent pas un peu plus loin. Quand il avait vu son collègue recroquevillé sur le trottoir, il avait couru. Trop tard. Venant du boulevard, Beauchamp lui avait mis sans bruit une balle dans le dos. L'instant d'après, nous traînions les deux corps dans la cour de l'immeuble. Dans la rue obscure, personne n'avait rien vu. La Délégation à l'information était silencieuse dans la nuit chaude de juin. Tout était calme. En uniforme de la police de Vichy, deux autres hommes de Vienet avaient pris la place des morts. Emmenés par Darbois, trois militants FTP avaient fait irruption dans le poste de garde, immobilisé quatre autres policiers qui jouaient aux cartes et coupé les fils du standard téléphonique. Culioli était le chef de la première équipe.

— On monte ! jeta-t-il à voix basse.

Avant de confirmer l'opération, j'avais longuement parlé avec Blainville dans son bistrot de la rue Gît-le-Cœur. Il avait écouté mon histoire avec intensité. Sa mèche châtain tombait sur son front et son beau regard bleu me transperçait. Il avait réfléchi. La filature avait démarré au restaurant : c'était le fait dont il fallait partir. Le suiveur n'était pas très malin : deuxième indice.

– C'est un flic de routine, dit-il. Autrement, vous ne l'auriez pas vu si vite. Il faut arrêter d'aller dans cet endroit. Nous avons pris trop de risques. Le Jazz Club n'est pas en cause, sinon, ils auraient déjà perquisitionné. Je préviens Prosper. Ils n'ont pas le réseau, ou nous serions avenue Foch, dans une cellule. C'est le restaurant, aucun doute !

Le lendemain, nous avions vu Prosper. Sa réaction avait été énergique.

– Pas question de remettre les pieds au Jardin. Je change aussi mon lieu de résidence. Peut-être m'ont-ils suivi. Andrée et Gilbert feront de même. Quant à Vienet, il est suffisamment fort. Je le préviens, il se débrouillera. Votre ami Oscar est à l'abri ?

– Oui, répondis-je en pensant à Darbois, si enthousiaste et si zélé. Je ne sais même pas où il est. C'est Londres qui lui a trouvé sa tanière. Pas de problème... Mais, dans ces conditions, pouvons-nous maintenir l'opération Foligny ?

Prosper avait hésité. Au bout d'un long silence, il avait dit :

– Le réseau a été conçu pour agir. Il y a des risques, évidemment. Mais cela fait deux ans que nous vivons ainsi. Nous le savons. Non, il ne faut pas se laisser impressionner. On y va ! Tant pis...

Nous avions pris position le samedi suivant, à minuit dix, autour de la Délégation où travaillait Iago, dont le vrai nom était Philippe Foligny, rue de Solferino, à deux pas de la Seine. Les renseignements de Vienet étaient fiables. Foligny vivait là avec sa famille. Il ne sortait que le week-end, ou pour aller rue Cognacq-Jay enregistrer ses éditoriaux sur Radio-Paris. Il se rendait aussi à l'hôtel Matignon conférer avec Brinon, qui représentait Vichy à Paris, ou rencontrer Abetz, rue de Lille, qui contrôlait la vie journalistique et intellectuelle française pour le compte de l'Allemagne.

Il n'y avait personne dans l'escalier de pierre blanche que nous montions en courant, le bruit de nos pas étouffé par le tapis brun. À l'étage, un huissier dormait sur sa table. Je l'avais saisi par le collet et lui avais enfoncé mon revolver dans la bouche. « Silence ! » Convulsivement, le type avait fait signe qu'il ne bougerait pas. Les militants l'avaient ligoté pendant qu'il protestait de son patriotisme. La voie était libre.

Au bout du couloir, il y avait une porte à deux battants de bois sculpté. Culioli avait ouvert et je fus le premier à entrer dans le bureau. Au fond de la pièce, assis derrière une table recouverte de cuir, je reconnus Foligny dont j'avais étudié le visage sur des photos de presse. Il était penché sur un parapheur et signait des lettres. Quand il me vit, revolver pointé sur lui, son visage changea.

– Mais... Mais... Qu'est-ce que c'est ? Vous êtes fou !

Je courus vers lui et lui enfonçai l'arme dans le ventre.

– Pas un geste ! Vous êtes prisonnier de la Résistance. Vous allez nous suivre. Nous ne vous ferons rien. Vous serez jugé équitablement.

Foligny ne bougea pas, mais je vis dans son regard qu'il n'acceptait rien. C'était un homme d'une cinquantaine d'années en costume noir, le cheveu rare et luisant, les yeux cachés derrière de grosses lunettes d'écaille. Son grand nez recourbé lui donnait un air solennel, mais ses lèvres étaient plissées vers le bas, gâchant la noblesse des traits par un rictus. Les hommes de Vienet avaient envahi le bureau, mitraillettes pointées vers lui. Soudain, un cri retentit.

– Arrêtez, bande d'assassins! Arrêtez! Nous vous ferons fusiller! À l'aide! À l'aide!

C'était la femme de Foligny. Elle lisait quand nous avions fait irruption, allongée sur un canapé de velours vert, au fond de la pièce, cachée à nos regards. Elle s'était levée, frémissante et hurlante. Sa robe voletait pendant que sa main cherchait le cordon d'une sonnette que je voyais pendre du plafond. Culioli se jeta sur elle. Mais, Foligny, échappant à ma surveillance, avait fait le tour de son bureau et marché sur Beauchamp, qui reculait vers la porte d'entrée, le canon de sa Sten pointé devant lui.

– Allons, disait Foligny, c'est une folie! Vous ne savez pas ce que vous faites. Donnez-moi cette arme. Vous pourrez partir...

– Restez où vous êtes, répondait Beauchamp, je vais tirer. Attention.

Inconscient de la situation, Foligny avançait d'un pas décidé, tandis que sa femme poussait des hurlements.

– Arrêtez! Arrêtez! criait Beauchamp. Je vais tirer!

Foligny semblait ne pas entendre. Le regard franc, la main tendue, il souriait presque.

– Allons! C'est une folie. Le bâtiment est gardé. Donnez-moi votre arme. Vous pourrez quitter...

– Arrêtez! vociféra Beauchamp.

La rafale partit. La robe de chambre de Foligny s'étoila de rouge. Il s'écroula lentement, les bras en avant. Son crâne percuta le tapis. Ses lunettes sautèrent de côté et sa femme poussa un cri hystérique. Culioli s'approcha de Foligny et lui logea une balle dans la nuque. Le corps allongé tressauta.

– On dégage, maintenant. Vite !

– Salauds ! disait Mme Foligny. Salauds ! Assassins !

Culioli lui donna un coup de crosse, et elle se tut. J'attendis que tous les hommes soient sortis et je laissai le cadavre et la femme. Elle criait de nouveau. Au moment où j'allais partir, je vis qu'une porte était ouverte derrière le bureau de Foligny. Sur le seuil, immobiles, il y avait deux enfants, un petit garçon et une fille, plus grande, tous les deux en pyjama, les yeux écarquillés.

Le meurtre de Foligny fit un bruit d'enfer. Nous avions pu décrocher sans difficulté, les uns en voiture, les autres à pied le long de la Seine. J'avais couru avec Culioli sur le quai et nous avions attendu la fin du couvre-feu sous le pont Alexandre-III. Nous étions restés cachés jusqu'à l'aube parmi les poutres d'acier qui soutiennent le tablier. À cinq heures, nous étions partis l'un après l'autre, notre Sten démontée dissimulée sous nos manteaux, jusqu'au métro du pont de Grenelle. Décidément, l'équipe réunie par Prosper démontrait son efficacité. Les renseignements obtenus par Vienet étaient excellents et le sang-froid des exécutants parfait. Ou presque. Foligny avait été trop courageux. Les journaux de la collaboration mettaient en valeur la résistance (c'était le mot employé à dessein) de Foligny et la sauvagerie du commando qui l'avait abattu devant sa femme et ses enfants. On dénonçait partout les « terroristes » et la main de l'Angleterre. Au fond, les deux accusations étaient fondées. Vienet n'avait pas tort dans ses objections. L'assassinat de Foligny, un simple commentateur qui n'avait tué personne, démontrait la détermination de la Résistance, mais ne la grandissait guère moralement. Jusqu'à la fin de la guerre, le meurtre serait un des thèmes essentiels de la propagande vichyste. Les Allemands n'avaient pas répliqué – ils se vengeaient quand l'un des leurs tombait. Ils avaient laissé faire la Milice, cette troupe de police parallèle montée par Darnand, un fou furieux de la collaboration. Des brutes en uniforme et béret basque s'étaient déchaînées dans toute la France. À Paris, à Lyon, ils avaient fusillé des dizaines de prisonniers, communistes ou non, qu'ils avaient extraits de leur cellule avec la bénédiction des autorités d'occupation.

Mais Kerleven, qui avait plaidé pour l'exécution, triomphait. Politiquement parlant, la réaction sauvage de la Milice compensait, et au-delà, l'effet négatif de l'assassinat nocturne. Foligny fut enterré en grande pompe, en présence de Laval et de tout le gouvernement. On avait lu un message de Pétain. Habituellement, Vichy condamnait les prises d'otages, notamment quand elles étaient le fait des Allemands. Cette fois, le gouvernement avait laissé la Milice faire usage de moyens qu'il réprouvait quand les nazis les employaient. Vichy était soudain contraint de montrer un visage haineux. Pétain n'était plus le bouclier des Français. Il était le protagoniste vindicatif d'une guerre civile. « Mettre le feu à l'Europe », avait dit Churchill. L'assassinat de Foligny était conforme à cette instruction. Le SOE remplissait son office. Je n'avais aucun état d'âme.

Une seule chose me troublait. Apparemment, la sécurité du réseau Prosper était intacte. La filature dont j'avais fait les frais n'avait rien changé : nous avions pu liquider un collabo notoire en plein Paris sans subir la moindre perte. Mais, avant de choisir d'opérer rue de Solferino, nous avions envisagé de tuer Foligny chez lui, au Vésinet, dans la maison du bord de Seine où il se retirait le week-end. Un simple repérage nous en avait dissuadés. La maison était gardée par trois voitures de la police qui se relayaient. Nous avions vu des chevaux de frise devant l'entrée et les murs étaient surmontés d'épais barbelés. Il devait y avoir autant de gardes à l'intérieur. Culioli et moi avions fait le tour du voisinage. L'enlèvement prévu était impossible. Nous allions partir quand j'eus une intuition. J'entrai chez le boulanger, au bout de la rue où habitait Foligny. Je tendis mes tickets et j'achetai une livre de pain noir. Au moment de payer, je dis négligemment :

– Dites donc, il y a de la flicaille !

– Oui, c'est un type de Radio-Paris. Vous savez, « Radio-Paris ment... », ajouta-t-il en clignant de l'œil.

La BBC diffusait tous les jours un pastiche de « La Cucaracha » qui disait : « Radio-Paris ment, Radio-Paris ment, Radio-Paris est allemand ! »

– Il est gardé comme ça depuis longtemps ?

– Oh oui ! Depuis qu'on l'entend à la radio. Notez, les barbelés, c'est seulement depuis hier.

J'étais rentré à Paris plongé dans mes réflexions. Coïncidence ? Ou bien la police savait-elle que Foligny était une cible ? Dans ce cas, pourquoi n'avait-elle pas doublé aussi le dispositif rue de Solferino ? Peut-être n'avait-elle pas imaginé une attaque à la Délégation, à deux pas de l'ambassade d'Allemagne, dans un quartier truffé de policiers en faction et de soldats allemands. Elle avait renforcé la surveillance au Vésinet. Dans ce cas, pour moi, tout changeait...

10.

Noor tenait un recueil de poèmes à la main, un gros cahier d'écolier posé à côté d'elle. Sur la couverture ornée d'une gravure pastel, on lisait : « Arthur Rimbaud, œuvres complètes ».

– Vous voyez, dit-elle en suivant mon regard, je suis entourée d'hommes nommés Arthur...

Elle souriait à contre-jour pendant que je voyais le paysage défiler derrière elle, à travers la vitre du compartiment.

– Oui, mais moi je ne suis pas un poète. Je suis un tueur.

– Vous êtes un soldat, pas un tueur. Vous êtes trop gentil pour ça.

– Je ne suis pas gentil, Aurore.

– Mais si, mais si !

Pendant qu'elle riait, ses yeux noirs s'illuminaient. De temps en temps, le soleil, masqué par un immeuble ou par le talus de la voie de chemin de fer, l'éclairait dans une trouée. Son visage délicat sortait de la pénombre. À travers sa chemise légère, je voyais son soutien-gorge blanc et son ventre plat et brun.

Nous étions seuls dans le compartiment du train de

Versailles, assis côte à côte dans le sens de la marche. Comme deux jeunes mariés rendant visite à leur famille, nous allions chez les Adamowski pour le repas du dimanche. Le professeur Adamowski enseignait à l'école d'horticulture de Viroflay qui abritait certaines activités du réseau Prosper. Il avait l'habitude de recevoir des amis le dimanche, autour d'un bourgogne et d'un civet de lapin fourni par le clapier de l'école, qui avait pris une étonnante extension depuis le début de la guerre. Encore une fois, j'avais fait part de mes doutes aux Garry. En nous accompagnant gare Saint-Lazare – ils allaient à Viroflay en voiture, il valait mieux éviter les transports en groupe –, Émile m'avait rassuré, en usant des mêmes arguments que Prosper. « Il y a beaucoup de tension autour de nous. Nous avons besoin de nous retrouver de temps en temps en dehors des activités du réseau. Nous nous tenons chaud. Sans quoi, ce serait trop dur... » Je lui fis remarquer qu'un coup de filet à Viroflay décapiterait d'un coup le principal réseau du SOE en France. « Si nous y pensons, nous ne faisons rien... » Toujours le même raisonnement. Il devait y avoir du vrai là-dessous. Si je rentrais en Angleterre, je me promis d'en parler à Philby...

Nous passions la gare de Conflans. Je pointai du doigt le livre de Noor.

– Vous aimez Rimbaud ?

– Oui, beaucoup. Mais ce n'est pas pour ça que je l'emporte. Les clés de mon code sont tirées de ses poèmes. Surtout d'une *Saison en enfer*. Bien trouvé, pour cette mission, non ? Les Adamowski ont récupéré ma radio. Je dois transmettre de chez eux. J'ai pris mon cahier de transmission.

La double transposition, pour conserver un minimum de sécurité, supposait un renouvellement fréquent des clés de cryptage. Les vers de Rimbaud donnaient l'ordre dans lequel effectuer les opérations. Quelque part en Angleterre, une opératrice possédait le même volume que Noor et, selon un système convenu, utiliserait les mêmes vers pour décoder ses messages.

Noor souriait. Elle reprit, d'un ton délibérément provocant :

– Et, pour être franche, les poètes indiens sont meilleurs que Rimbaud...

– Quoi ? ! Mais Rimbaud, c'est ce qu'il y a de plus fort. On n'a jamais eu une telle invention, une telle grâce. Songez qu'il n'avait jamais vu la mer quand il a écrit « Le Bateau ivre ». Il ne connaissait que la bibliothèque de Charleville, où il y avait des gravures marines. Pourtant, il l'évoque mieux que Byron.

– Vous avez lu de la poésie indienne ?

– Non.

– Les vrais poètes ne s'expriment pas eux-mêmes. C'est Dieu qui parle à travers eux.

– Dieu ?

– Oui, Dieu. La poésie est l'un des exercices de la connaissance. Elle permet d'atteindre Dieu.

Elle avait un ton d'évidence tranquille. Mon sang d'incroyant ne fit qu'un tour.

– Mais Rimbaud ne croyait pas en Dieu. Il était sympathisant de la Commune et la Commune fusillait les évêques. Vous tombez mal, c'est une théorie de bénitier, mademoiselle. Rimbaud était un génie. C'est tout. Il tirait son art de lui-même. Pas du ciel [1]

– Ce n'est pas une théorie. Rimbaud était illuminé. Il ne le savait pas, mais il était illuminé. S'il l'avait su, il aurait été encore plus grand. Comme les auteurs indiens, que vous ne connaissez pas. Ils écrivent sous la dictée divine. À la lecture, cela saute aux yeux.

– Parce que vous écrivez, vous aussi...

Elle se tourna vers moi, les yeux écarquillés.

– Mais comment le savez-vous ?

Elle était furieuse.

– Je suis désolé, Aurore. Mais je dois vous avouer quelque chose. J'ai lu votre dossier. Ils me l'ont donné à Arisaig.

– C'est vrai que vous êtes instructeur...

Elle se mordait la lèvre inférieure.

– Ils avaient promis de protéger ma famille.

– Elle est en Angleterre...

– Oui, mais mon frère, ma sœur, mes oncles sont restés en France, avec tous leurs enfants. Si la Gestapo les découvre, je ne pourrai jamais me le pardonner...

J'étais mortifié. Je lui pris doucement le bras.

– Ne vous inquiétez pas, Noor, ils ne sauront rien. Si je suis arrêté, ils ne m'interrogeront pas là-dessus. De toute manière, je m'arrangerai pour ne pas parler...

– On ne le sait jamais à l'avance. C'est ce qu'a dit Philby, non ? Et vous connaissez mon nom.

– C'est un joli nom. Lumière...

Elle me regarda. Ses yeux s'adoucirent.

– N'essayez pas de vous rattraper.

Elle avait retrouvé un ton plus joyeux et commençait à sourire dans sa colère. Je fondais sur place. N'y tenant plus, je passai mon bras autour de ses épaules, le cœur battant. Elle se tourna vers moi avec une expression de bonté que je pris tout de suite en grippe. Elle m'embrassa sur la joue et parla plus doucement.

– Non, il ne faut pas. Je vous expliquerai...

L'école d'horticulture de Viroflay était un bâtiment en pierre meulière surmonté d'un toit rouge. Il était entouré d'un parc aux arbres disparates, lui-même cerné d'un mur irrégulier qui protégeait les cultures. Des motifs de brique rouge encadraient les fenêtres et une grande serre reflétait le soleil de midi au milieu d'une pelouse. On entrait par une grille de fer forgé restée ouverte, on marchait sur une allée sinueuse de gravier blanc qui laissait de la poussière sur les chaussures. Nous avions mis nos bicyclettes dans le train et roulé de Versailles à Viroflay parmi les pavillons cachés dans la verdure. Nous poussions maintenant nos deux vélos dans l'allée en faisant crisser le gravier. De chaque côté, toutes sortes d'arbres et d'arbustes étaient plantés, dont j'ignorais les noms.

– Vous avez vu les cyprès ? dit Noor.

– Oui, oui, dis-je d'un air à moitié convaincu.

– Là..., dit Noor en tendant le bras.

Quoique britannique, j'étais incapable de distinguer un cyprès d'un tilleul. Je mis cette infirmité sur le compte de mon goût pour la mer, qui m'éloignait des choses de la terre. Cela fit rire Noor.

– Vous êtes trop rationnel, John. C'est votre défaut. Une chose ou l'autre. Blanc ou noir. La mer ou la terre. La vie n'est pas comme ça. C'est plus compliqué !

Nous étions devant la porte de la maison. Avant même que nous ayons sonné, une grosse dame en tailleur fuschia était apparue sur le seuil. Elle parlait d'un ton décidé en articulant bien tous les mots.

– Bonjour ! Je suis Hélène Adamowski. Entrez ! Vous devez être Aurore et Arthur.

Elle nous précéda dans un couloir tapissé de papier peint qui se décollait à certains endroits. De part et d'autre, il y avait des rayons de livres reliés d'un cuir à la couleur passée. Au fond s'ouvrait le salon que prolongeait une vaste véranda. Sur trois côtés, de hautes bibliothèques masquaient les murs. Sur chaque rayon, une petite étiquette de papier jauni était collée. Dans un coin trônaient un globe terrestre, enchâssé dans une armature d'acajou et une lunette d'astronome montée sur un grand pied en cuivre. À l'autre bout de la pièce, derrière un paravent, on apercevait un piano demi-queue. Un violoncelle enfermé dans un étui de cuir râpé était posé près d'une harpe de bois peint. Le professeur Adamowski se leva à notre entrée, boudiné dans un costume trop étroit, des taches de sueur sur le col de sa chemise, affairé, maladroit, ses yeux espiègles cachés derrière de grosses lunettes de myope.

– Je suis ravi de vous voir. Vous arrivez de loin ! Venez vous asseoir avec nous. Vous connaissez presque tout le monde, je crois.

Autour de la véranda, assis sur une banquette, enfoncés dans des coussins, un verre à la main, je reconnus Prosper, Norman, Andrée Borrel, Blainville, Vienet, Émile Garry, sa femme, sa sœur. Les hommes se levèrent quand Noor s'approcha. Elle fit le tour en serrant les mains. Chaque fois, je surpris chez eux un regard discret et admiratif allant de bas en haut. Et une pointe de jalousie dans les yeux d'Andrée Borrel... Au bout de la banquette, un homme mince s'était levé que je ne connaissais pas. Il avait un nez aquilin, ses sourcils très bas lui donnaient un air mélancolique que son sourire chaleureux effaçait vite. Une crinière frisée encadrait ce visage en longueur. Il avait une voix pétulante et précieuse.

– Bonjour, mademoiselle. Cocteau.

Je sursautai et je dévisageai l'inconnu. C'était bien le poète. Je tombais des nues. Je n'eus pas le temps de surmonter ma surprise. Nous avions interrompu une conversation, qu'Adamowski relança aussitôt.

– Non, mon cher Prosper, la Résistance a eu tort de tuer Foligny. Vous avez vu le résultat ! Ils ont exécuté des dizaines de personnes. Et qui peut approuver qu'on tue un père devant ses enfants ? C'est pain bénit pour la propagande de Vichy...

Je me demandai un instant si les Adamowski savaient que les assassins de Foligny formaient leur tablée du dimanche. Je compris vite que non. Malgré la folie pure que constituait cette réunion amicale, Prosper avait gardé un sens minimal du cloisonnement. Il répondit :

– C'est la guerre, professeur. Si les collabos veulent que la Résistance les laisse tranquilles, il leur suffit de ne pas collaborer avec l'ennemi. Et si les Allemands ne veulent pas se faire tuer, il leur suffit de rentrer en Allemagne !

– Oui, je sais. Mais on peut choisir ses armes, tout de même. Ces FTP sont trop durs. Ils discréditent la Résistance.

Vienet prit la parole :

– Les communistes ne résistent pas. Ils préparent la prise de pouvoir. Notre ami Prosper ne veut pas le comprendre. C'est un idéaliste.

– Les communistes appartiennent à de nombreux réseaux, dit Blainville. Ils sont toujours héroïques.

– Ils sont héroïques depuis juin 1941, rétorqua Vienet. Voilà ce qui me gêne chez eux.

Toujours plongé dans la surprise de rencontrer Cocteau en personne, je l'observais. Il suivait l'échange avec attention. Voyant que la conversation tombait, il la relança sur un ton primesautier :

– Mais, au fond, qu'est-ce qu'un collabo ?

Il y eut un silence. La fausse naïveté de la question nous mettait dans l'embarras. Les uns tiraient sur leur cigarette, les autres sirotaient leur verre de porto. En bonne hôtesse, Hélène intervint :

– Qu'est-ce que vous voulez dire, Jean ? Vous le savez, ce sont des gens que nous n'estimons pas et qui travaillent pour les Allemands.

– Mais moi, j'en vois tout le temps, des Allemands. Abetz m'invite sans cesse à l'ambassade. Je suis un collabo ?

Vienet lui répondit, un peu vivement :

– Mon cher Jean, vous pourriez vous abstenir. Il ne vous en coûterait rien.

– Les deux premières fois, j'ai prétexté une grippe. Mais je ne peux pas être grippé toutes les semaines ! La vie ne peut pas s'arrêter d'un seul coup. Abetz est charmant, de toute manière Paris n'a aucun secret pour lui. Il récite du Mallarmé aussi bien que du Goethe. Je commence à les connaître, ces Allemands. Beaucoup réprouvent les excès de Hitler, vous savez. L'armée allemande n'est pas forcément nazie. L'autre jour, Choltitz m'a même laissé entendre que les généraux pourraient renverser Hitler et faire la paix avec les Américains. Il est gouverneur de Paris, ce Choltitz ! Ce n'est pas rien.

Vienet s'énervait :

– Excusez-moi, mon cher Jean, j'ai le plus grand respect pour la littérature, mais vous dites des conneries ! Les nazis sont des barbares. Ils bombardent les villes, ils tuent les civils, ils déportent les Juifs, ils...

– Vos amis américains bombardent aussi les villes. Plus que les Allemands, me semble-t-il...

– On ne peut pas comparer. Ils font la guerre. Il y a un moment où il faut savoir de quel côté l'on est.

– Il y a donc de bons bombardements de civils, dit Cocteau. Je le note ! En réalité je ne comprends rien à la politique. Il vaut mieux que je fasse ce que je sais faire, des pièces de théâtre et de la poésie.

Il s'arrêta une seconde, comme s'il cherchait un argument.

– Il faut vivre, reprit-il, c'est la seule règle. Le boulanger fait du pain, le vigneron du vin, le poète écrit des poèmes. Je n'aime pas les idées, mon cher Vienet, je préfère les hommes !

Voyant qu'il était trop sérieux et qu'il gênait nos hôtes par ses paradoxes, Cocteau changea de ton et ajouta :

– Surtout les hommes jeunes...

Tout le monde rit. Cocteau était connu pour son homosexualité flamboyante qui mettait les bourgeois en rage et faisait une bonne part de sa légende. Mais, malgré la drôlerie du poète, mon estime pour lui était tombée. Ses arguties attentistes me décevaient. De l'autre côté de la véranda, une petite voix se fit entendre :

– Si vous aimez la poésie, monsieur, vous ne pouvez pas parler comme ça.

C'était Noor. Elle n'avait pas compris l'allusion ni pourquoi nous avions éclaté de rire. Elle poursuivait la discussion. Elle dit doucement :

– Les nazis ne veulent pas seulement tuer les hommes. Ils brûlent les livres. Ils veulent tuer l'esprit.

Cocteau parut étonné. Il observa Noor en silence. Un instant, j'eus l'impression qu'il l'admirait. En une phrase, elle avait réduit sa péroraison à néant. Le poète voulait croire que la poésie était au-dessus de la mêlée. Mais nous savions tous que le nazisme asservissait la culture. Les poètes aussi étaient menacés par Hitler, comme les autres artistes. La neutralité d'un Cocteau apparaissait pour ce qu'elle était : une mauvaise excuse. Je contemplai Noor avec tendresse et fierté.

– Mademoiselle, dit Cocteau, je vous rends les armes. Vous avez raison... (Il regarda par la fenêtre, l'œil vague.) En fait, dit-il lentement, je suis un poète mondain. Wilde disait que le socialisme ne marcherait pas parce qu'il prenait trop de soirées. La Résistance aussi... Je ne saurais pas me battre. Et je ne vivrais pas sans le monde. Voilà la vérité !

Nous l'observions. Sa confession émouvait l'assistance. Il se tourna vers Hélène Adamowski, qui l'observait, la tête penchée, avec un bon sourire :

– Ma chère Hélène, quand vos amis américains seront là, j'espère que vous plaiderez pour moi !

– Je plaiderai pour vous si vous faites mon portrait, Jean !

Cocteau était également célèbre pour ses dessins, généralement signés d'une petite étoile. En trois coups de crayons, il mettait à nu l'âme des modèles.

– Ma chère Hélène, pour me faire pardonner, je m'y mets après le café !

Le repas fut plein d'esprit. Cocteau évoquait de manière étincelante la vie parisienne, les nouvelles pièces, les nouveaux films. Il fit un éloge du *Corbeau*, le film de Clouzot qui racontait comment un petit village français était bouleversé par une série de lettres anonymes. Le film reflétait l'atmosphère de dénonciation qui empoisonnait la vie quotidienne des Français. « Voilà un véritable acte de résistance ! » disait Cocteau. « C'est vrai, avait répondu Vienet, faire sauter les trains, c'est bien peu de chose. » Blainville avait contredit l'écrivain : « Ce sont des gens qui passent leur temps à se dénoncer les uns les autres. Les héros sont à moitié dégénérés. Voilà exactement l'image que les Allemands veulent que les Français aient d'eux-mêmes. » Cocteau avait rétorqué que montrer la réalité ne signifiait pas qu'on l'approuvât. Le film était choquant, sulfureux. C'est cela qui était un acte de résistance : le refus de l'académisme, le rejet des sentiments convenus.

— Je sais, dit Blainville. Certains trouvent original et anticonformiste de collaborer. Je ne parle pas pour vous, mon cher Cocteau. Je parle pour Drieu, ou Brasillach. Ils croient conserver leur liberté. Ils croient qu'ils échappent aux conventions. Ce ne sont que des traîtres, assez vulgaires, au fond. Nous les fusillerons à la Libération.

— Vous n'allez tout de même pas fusiller des écrivains ! s'exclama Cocteau.

— Pourquoi pas ? dit Blainville. La guerre est pour tout le monde. Pour les écrivains aussi. Ils devraient même montrer l'exemple. Il y a une beauté dans le combat. Regardez Malraux. C'est un écrivain. Il s'est engagé en Espagne. Il sait piloter, évidemment...

— Vous êtes trop sérieux, aujourd'hui, dit Hélène Adamowski. Vous parlez encore politique !

La conversation prit un autre tour. Au civet de lapin, servi au milieu des exclamations de contentement, je commençai à m'impatienter. Noor était assise entre Vienet et Blainville. Le chef gaulliste et l'aviateur rivalisaient de brio. Ils avaient tous les deux cette facilité des hommes habitués à plaire. Noor riait aux éclats et les gratifiait tour à tour de profonds regards. Quand il se penchait vers elle, Vienet lui prenait négligemment le poignet. Blainville lui parlait à l'oreille en posant son bras sur le dossier de sa chaise. Tout cela m'irritait au plus haut point. Heureusement, nous repassâmes dans la véranda pour le café. Je m'assis à côté de Noor.

— Vous vous amusez bien, dis-je avec un peu d'humeur.

– Oui, énormément ! dit-elle en riant.

Elle se leva d'un bond en voyant que Renée Garry servait le café. Elle prit les tasses sur le plateau et les répartit devant les convives en faisant virevolter sa robe. Renée retourna chercher des tasses. Noor s'adressa à Cocteau :

– Voulez-vous du sucre ?

– Oui, deux, s'il vous plaît, dit le poète avec un large sourire.

Noor prit les deux sucres, les jeta dans la tasse, puis versa le café en tenant le couvercle de la cafetière. Hélène Adamowski l'observait. Elle prit soudain Noor par le bras et je l'entendis chuchoter sur un ton de reproche :

– Aurore, faites attention ! Vous servez le café à l'anglaise. En France, on met le sucre après le café. On ne vous a pas appris ça ?

– Si, si, vous avez raison, je ferai attention.

Cinq minutes plus tard, Cocteau s'était levé. Il prit Hélène Adamowski à part et lui demanda de poser, assise sur un fauteuil Louis XIII devant une porte-fenêtre. Adamowski, pendant ce temps, parlait à Noor.

– Aurore, venez donc avec moi, je dois vous montrer la serre.

Elle sortit avec lui, et Norman les suivit. Ils allaient mettre en place le poste de radio parachuté la veille non loin de là, sur un terrain repéré par Blainville. Le « poste Aurore » entrait en service. Comme le groupe se dispersait, Prosper et Blainville s'approchèrent de moi.

– Arthur, dit Prosper, allons faire un tour dans le parc !

Émile Garry nous rejoignit. Nous marchions dans le soleil sur une allée de cailloux blancs.

– Voilà, dit Prosper, j'ai vu Cowburn. C'est une opération importante. L'aviation a beaucoup de mal à toucher la gare de Dreux. Elle est très bien défendue. Ils ont beaucoup renforcé la DCA ; les bombes tombent sur le quartier ouvrier ou sur la ville. Jamais sur les voies. C'est moins compliqué de l'attaquer au sol. Cowburn a tout le matériel et l'équipe de sabotage. Il a besoin d'hommes sûrs pour former l'équipe de couverture. Le sabotage au plastic prend une vingtaine de minutes. Il faut les protéger pendant ce temps-là. Vous avez rendez-vous après-demain soir à Dreux dans la maison de Cowburn. Sur sa base d'opérations, plus exactement. Il est très organisé, vous verrez.

Blainville intervint :

– J'ai réfléchi à ce que vous m'avez dit sur les barbelés du Vésinet. Ils ont renforcé la protection de Foligny, c'est évident. Ils n'ont pas cru que nous oserions entrer dans la Délégation, en plein quartier des ambassades et des ministères. Mais ils savaient quelque chose... Pourtant, nous n'étions pas nombreux dans le secret pour Foligny. Cela dit, il y a peut-être eu des fuites du côté de Kerleven ou de Vienet. Nous l'ignorons... Cette fois, il faut renforcer l'équipe de couverture.

– Nous n'allons pas interrompre les opérations parce qu'il y a eu quelques fuites, dit Prosper. Au contraire, nous avons ordre d'intensifier l'activité. Simplement, nous devons être plus prudents. Vous verrez les plans avec Cowburn. Tenez le plus grand compte de ce que dit Blainville.

Noor et moi rentrâmes à bicyclette jusqu'à Versailles. Elle pédalait doucement dans le soleil couchant, je la suivais paresseusement, la tête dans les nuages. Elle avait sanglé sa radio sur son porte-bagages. Le SOE lui avait parachuté deux radios. L'autre était restée dans la serre des Adamowski. Ce luxe n'était pas superflu. Avec un seul poste, les opérateurs devaient se déplacer sans cesse en portant leur radio avec eux. Ils réduisaient les risques en changeant de lieu d'émission, mais ils les accroissaient d'autant en bougeant avec leur appareil. Avec deux radios, les allées et venues étaient moins dangereuses... Dans un virage, au flanc d'un coteau, nous dominions la forêt de Versailles. La lumière chaude caressait les feuillages, à l'horizon, se dessinait Paris dans une légère brume. Noor s'arrêta, coucha son vélo et marcha vers le point de vue, jusqu'au bord du coteau. Je voyais sa silhouette se détacher sur le ciel flamboyant. Je m'approchai d'elle. Elle frissonna. Je la pris par la taille en regardant l'horizon moi aussi. Elle posa sa tête sur mon épaule.

– Vous partez en opération..., dit-elle.

– Oui, je serai deux ou trois jours en province...

Quelques secondes se passèrent dans le silence.

– Je sais que vous êtes un tueur, reprit-elle. Mais faites attention tout de même.

– Nous sommes des professionnels, dis-je d'un ton volontairement solennel.

– Oui. Mais revenez. Nous pourrons parler poésie...

Je la serrai un peu plus fort. Je me penchai sur elle. Je vis qu'une larme coulait sur sa joue.

– Noor..., commençai-je.

Mais elle s'échappa, marcha à grands pas vers sa bicyclette et partit sans se retourner. Je la suivis, dans une grande confusion. Le soir, en m'endormant dans la petite chambre des Garry, je me dis que je venais de vivre, devant cette forêt, une minute de vrai bonheur.

11.

Coupée par une pince à hauban, la chaîne du portail était tombée sur le sol avec un tintement. De mon poste d'observation, au premier étage de l'hôtel du Bocage, je l'avais à peine entendue. Devant moi, la gare de Dreux était noire et silencieuse. On voyait seulement les rails luire sous la lune; à gauche, dans la campagne baignée d'une lumière blanche, on entendait le chant d'un grillon. Loin sur ma droite, je distinguais la masse sombre du dépôt. De temps en temps apparaissait, ténu et éphémère dans l'obscurité, le pinceau des lampes torches dont se servait le commando. Sur ma gauche, menant à l'entrée des voyageurs protégée par une grande verrière, l'avenue Mangin, qui reliait la gare et le centre-ville, s'enfonçait dans le noir. Je fis le geste de viser avec ma winchester, puis je la reposai sur le rebord de la fenêtre, à côté de la longue lampe cylindrique gainée de caoutchouc vert. Mon cœur ne battait pas trop vite. J'avais seulement les paumes moites, comme avant chaque opération. J'avais choisi la chambre qui faisait l'angle entre la place et l'avenue. Je l'avais louée deux jours avant avec Darbois. Celui-ci était sur le palier, sa Sten à la main, son sac de grenades passé en bandoulière. Par la porte entrouverte, il surveillait l'escalier. Pas un bruit. Les trois autres voyageurs dormaient. À une heure, les propriétaires avaient fermé la grille d'entrée et étaient partis se coucher. Dans vingt minutes, ils seraient réveillés en sursaut.

Trois jours plus tôt, avec Émile Garry, nous avions pris le train Paris-Dreux et nous avions marché jusque chez Cowburn, le chef du réseau Tinker, qui collaborait souvent avec Émile et le réseau Cinéma. Avec l'argent du SOE, il avait acheté une petite maison dans le faubourg nord de Dreux, entourée d'un jardin de pommiers et d'un haut mur blanc, à l'écart des pavillons voisins. Le rez-de-chaussée et l'étage étaient meublés comme s'ils étaient habités. Le sous-sol, qui occupait toute la surface de la maison, était un arsenal. Cowburn, un petit homme trapu à l'humeur teigneuse, avec une chevelure couleur de paille, et des sourcils éternellement froncés, nous avait réuni autour d'une table à tréteaux sur laquelle il avait disposé le matériel : des rangées de grenades à main avec leur cuiller de métal, les inévitables Sten, les brownings et deux carabines winchester, avec leur chargeur court qui dépassait devant la gâchette. Sur l'une d'elles était montée une lunette de visée à longue distance. Derrière Cowburn, sur des étagères de bois faites pour ranger des pommes, on voyait des briques jaunes alignées côte à côte : les pains de plastic, qui dégageaient une forte odeur d'amande. Dans les coins du sous-sol, les containers cylindriques récupérés lors des parachutages étaient posés debout contre le mur.

Cowburn se baissa et sortit d'un baril métallique un tube d'acier dont la partie la plus grosse était traversée d'une goupille assortie d'une étiquette de métal.

— Ils sont réglés sur quarante minutes. Vous les enfoncez dans le plastic, comme ceci, et vous ôtez la goupille en tirant sur l'étiquette. Quarante minutes après, exactement, boom !

Il avait enfoncé le détonateur dans le plastic jaune mais laissé la goupille en place.

– Je rappelle qu'il faut mouler le plastic autour des essieux et sous le cylindre. Toujours le cylindre droit. Comme ça, les Boches ne pourront pas se servir d'une locomotive pour réparer l'autre. D'après mes calculs, vous en avez pour dix minutes par locomotive, en comptant large. Comme vous êtes six dans le commando de sabotage et qu'il y a douze locomotives, cela fait vingt minutes en tout. L'équipe de couverture devra vous protéger pendant ces vingt minutes. Si vous entendez tirer, vous continuez. On ne dégage que sur ordre. Sur mon ordre ! Je serai à l'entrée, au portail. Arthur veillera à l'hôtel du Bocage. S'il y a danger, il fait le signal avec sa lampe torche et on décroche.

Un plan des lieux était étalé sur la table. Cowburn désignait les endroits au fur et à mesure qu'il parlait. Nous étions quinze autour de lui, les uns assis autour des tréteaux, les autres debout derrière eux.

– L'équipe de couverture est divisée en deux. Les uns seront devant le poste de garde, là, à droite du dépôt. Les autres seront sur la place de la Gare, face à l'avenue Mangin. Marguerite...

Il releva la tête, regarda autour de lui.

– Où est-elle ?

– Elle doit venir, en principe, pas de problème, dit un grand type maigre en gilet de laine. Elle a dû être retardée.

Cowburn se renfrogna un peu plus.

– Bon. Une dernière chose.

Il se pencha sous la table à tréteaux. Quand il se redressa, le groupe eut un mouvement de recul. Dans chaque main, il tenait un rat mort. Il sourit.

– Vous emporterez nos amis. Vous les connaissez, je crois... Surtout, ne leur tirez pas la queue !

À cet instant, on entendit du bruit au-dessus de nos têtes, puis des pas dans l'escalier. La porte du sous-sol s'ouvrit, une jeune femme entra. Elle portait un manteau beige et un foulard cachait en partie son visage.

– Excusez-moi, dit-elle en s'approchant du groupe, le bras levé et la main derrière sa tête baissée pour défaire le nœud, je... je... j'étais avec un ami...

Elle secoua ses cheveux noirs dans un joli mouvement. Son visage apparut sous la lampe. Je subis le choc de sa beauté : c'était Violette Laszlo. Je savais qu'elle avait atterri en France à la lune précédant mon arrivée, mais j'ignorais où. Du regard, elle fit le tour de l'assistance en saluant du menton. Quand elle me vit, un large sourire illumina son visage. Elle allait me parler quand Cowburn la coupa :

– Marguerite, votre vie privée ne concerne que vous, mais surveillez les horaires, nom de Dieu ! Vous avez une montre, non ? Maintenant, il va falloir que je vous explique tout en particulier. Nous perdons du temps. Vous savez que ces réunions générales sont dangereuses.

Elle prit un air penaud en baissant la tête. Puis, comme Cowburn continuait, elle me jeta un coup d'œil complice.

– Marguerite se postera là, dit-il en pointant sur le plan.

Il prit la winchester à lunette de visée et la tendit à Violette.

– C'est pour vous...

Pendant que je tenais ma faction à l'hôtel du Bocage, les hommes de Cowburn étaient entrés dans le dépôt. Abritées sous un hangar circulaire, massives et inquiétantes dans l'obscurité, les locomotives étaient disposées en étoile, chacune sur un rail qui convergeait vers la plaque tournante au centre du dépôt. Un gros sac à la main, les six saboteurs se dispersèrent et commencèrent à ramper sous les énormes machines pour placer le plastic autour des essieux et des cylindres. Il y avait un poste de garde à côté de l'entrée. On voyait les rais de lumière d'une fenêtre aveuglée qui donnait sur le dépôt. Apparemment, tout était calme. Le commando portait des vêtements sombres et des chaussures à semelles de caoutchouc. Il était entré à l'opposé du poste, par le portail qu'on ouvrait pour laisser passer les locomotives. Les Allemands ne donnaient pas signe de vie. Un train passa, tous feux éteints, emplissant la gare de vacarme. Il s'éloigna et, de nouveau, on n'entendit plus que la rumeur de la campagne. Je regardai ma montre. Trois heures dix-huit. Cela faisait dix minutes que la chaîne du portail avait été sectionnée. Encore une dizaine de minutes, et le commando partirait sans difficulté par l'arrière du dépôt, du côté des voies, où l'un des hommes devait déjà avoir découpé un trou dans le grillage avec la pince coupante.

À cet instant même, j'entendis les moteurs. Un bruit sourd au début, puis de plus en plus fort, qui venait du fond de l'avenue Mangin. J'écarquillai les yeux, tâchant d'apercevoir quelque chose. Dans un rayon de lune qui passait entre deux maisons, le convoi apparut. Il roulait vite, sans phares. J'aperçus la voiture de commandement, décapotée, avec deux hommes à l'intérieur. Le chauffeur portait un casque, l'autre était nu-tête. Juste derrière, semblant dominer la première voiture, roulait la masse aveugle d'une automitrailleuse blindée, le canon pointé droit devant. Derrière, les camions bâchés suivaient. J'en comptai cinq avant de me retourner vers Darbois. D'autres suivaient.

– Une colonne !

Darbois se précipita à la fenêtre, se pencha, puis se rejeta vivement en arrière, de peur de se trahir.

– Il faut annuler ! dit-il. Ils sont au moins cent ! Il y a un blindé !

Je pris la lampe torche de la main droite en gardant l'autre sur la winchester. Puis j'eus une hésitation. Cowburn ne voulait pas qu'on décroche si une patrouille survenait. Il fallait la retarder et déclencher le signal de fuite uniquement si la manœuvre échouait. L'avenue Mangin était la seule voie de communication directe entre la gare et la ville, où se trouvait la caserne allemande. Nos repérages nous avaient montré que tout renfort devrait l'emprunter. Nous avions l'avenue sous notre feu. Le calcul de Cowburn était serré mais juste. Le problème, c'est que les Allemands n'avaient pas envoyé une patrouille, mais un régiment entier. Tous feux éteints, espérant surprendre le commando, ils avaient dû être avertis par le poste de garde, qui avait laissé les hommes de Cowburn pénétrer dans le dépôt avant d'appeler du renfort.

Ces pensées affluaient dans mon cerveau et paralysaient toute décision. Encore quelques secondes, et il serait trop tard : la colonne allait déboucher sur la place. Elle pourrait se déployer et nous prendre au piège. Je braquai ma lampe sur le portail du dépôt, où je savais que Cowburn, entendant les moteurs, m'observait avec anxiété. Je n'eus pas le temps d'appuyer sur la touche de signaux brefs. Une détonation retentit sur la place. Je vis en même temps une petite flamme bleue qui sortait de la porte principale de la gare, en face de moi. Je me retournai vers l'avenue. À dix mètres de moi, le chauffeur de la première voiture était affalé sur son volant, une grosse tache brune au milieu du visage, à la place du nez. À la deuxième détonation, un morceau de crâne sauta en l'air et l'officier s'écrasa en arrière sur la banquette avant de s'effondrer à son tour. La voiture ralentit, puis s'immobilisa en travers de la chaussée, bloquée par le trottoir.

Violette Laszlo n'avait pas eu d'hésitation. Cachée dans le hall de la gare depuis deux heures, elle s'était aménagé un poste de tir en face de l'avenue. Voyant les Allemands, elle avait ouvert le feu sans se poser de questions. Il est vrai que, de la gare, elle ne pouvait apprécier l'étendue de la colonne, que nous avions mesurée de notre balcon. Elle était à plus de cent mètres des soldats, qui n'avaient pas dû entendre le bruit des coups de feu, couvert pour eux par les moteurs. Une fois dans son viseur, les deux hommes n'avaient aucune chance.

Par le toit de l'automitrailleuse, une silhouette sortit et un cri angoissé me parvint :

– *Was? Was ist den los? Obersturmführer!*

Retrouvant mes réflexes, je l'ajustai et tirai trois fois. La silhouette tomba sur le côté. Le corps, à moitié sorti de la trappe, resta affalé sur le blindage.

Tout en gardant la winchester braquée, je hurlai à Darbois :

– L'automitrailleuse ! Vite !

Il se précipita dans l'escalier. Bloqué par le véhicule de tête, le convoi ne bougeait plus. On entendait des cris venant de l'arrière. Les hommes voulurent sortir des camions. Courbés en deux, mitraillette braquée, deux soldats remontaient vers la première voiture. Cette fois, je n'eus même pas le temps d'ajuster ma carabine. Deux détonations vinrent de la gare. Le premier soldat tomba face contre terre. Voyant cela, l'autre chercha à se mettre à l'abri dans la colonne. Il ne fut pas assez rapide. La deuxième balle lui traversa la cuisse comme il se jetait par terre entre deux camions. Il se mit à hurler, couché sur le sol, le corps pris de tremblements. Violette tirait avec du gros calibre. À l'arrière du convoi, j'entendis des rafales de mitraillette. La deuxième équipe de couverture attaquait elle aussi la colonne. D'autres cris vinrent des camions, puis des ordres, criés à l'intention de la tête de colonne. L'automitrailleuse commença à manœuvrer pour se dégager et avancer sur la place.

Elle ne fut pas assez rapide. Darbois et moi avions longuement reconnu les lieux. Après l'hôtel qui faisait le coin, l'avenue Mangin était bordée de pavillons ouvriers de brique rouge, serrés les uns contre les autres, bordés à l'arrière par de petits jardins. Ils ne laissaient entre eux qu'un étroit passage qui reliait la rue et les jardins, eux-mêmes séparés par des haies à mi-hauteur. Se ruant derrière l'hôtel après avoir croisé le propriétaire qui sortait de sa chambre en pyjama, ébouriffé, Darbois avait sauté trois de ces haies et pris un passage vers la rue, pour se retrouver derrière l'automitrailleuse. Il surgit, Sten braquée à l'horizontale, à la hauteur des épaules. Il courut vers le camion qui suivait le véhicule blindé et tira deux rafales, l'une pour le chauffeur, qui s'effondra, l'autre sur la bâche arrière. Des cris s'échappèrent du camion.

J'imaginais les soldats, jusque-là assis sur les deux bancs, les uns en face des autres, maintenant couchés sur le sol du camion, au milieu des blessés. Darbois lâcha la Sten, qui tomba le long de son corps, retenue par sa sangle. Il plongea la main dans son sac. Un casque apparut derrière le camion. Je tirai trois fois. Le soldat recula. Couvert par mon tir, Darbois saisit une grenade, marcha jusqu'au pied de l'automitrailleuse, compta posément jusqu'à quatre et, comme on jette une pomme dans un panier, lança le projectile à travers la trappe à moitié obstruée par le corps du soldat que j'avais tué, avant de se plaquer au sol. L'explosion fut instantanée. Des flammes jaillirent des meurtrières du blindé et le canon de la mitrailleuse fut projeté en avant. Un panache de fumée s'envola par la trappe, pendant que Darbois, plié en deux, rentrait dans le passage d'où il était sorti.

Deux détonations vinrent encore de la gare, toujours plongée dans l'obscurité. Un camion s'affaissa tout d'un coup. Faute de cibles humaines, Violette visait les pneus. Des soldats allongés sous les véhicules répliquaient au hasard, visés aussi par la deuxième équipe, commandée par Garry. J'entendis des coups de feu plus loin sur ma droite. Je compris que Cowburn avait fait tirer sur le poste de garde du dépôt pour empêcher les soldats d'en sortir. Les Allemands avaient bien combiné leur affaire. Ils avaient laissé le commando entrer dans le dépôt et escompté qu'ils pourraient le prendre en tenaille, entre la colonne et les soldats du poste. Ce qui signifiait qu'ils nous attendaient. Mais j'avais suivi l'avertissement de Blainville. Le dispositif de couverture avait été renforcé.

L'automitrailleuse en flammes bloquait l'avant du convoi. J'entendais le ronflement du feu, les cris des blessés, les ordres qui continuaient de fuser. Je regardai ma montre. Trois heures vingt-quatre. Encore cinq minutes, selon le scénario de Cowburn, et le travail serait fini dans le dépôt. Je hurlai de ma fenêtre.

– Violette, vous continuez à les bloquer! Nous allons à l'arrière de la colonne!

Je me précipitai dans l'escalier, croisai à mon tour le patron de l'hôtel, que sa femme en robe de chambre étreignait au bas des marches.

– Mettez-vous à l'abri, dans la cave ! lançai-je.

J'allai dans la cour et rejoignis Darbois en sautant les haies.

– À l'arrière de la colonne ! Ils vont essayer de faire le tour ! lui criai-je.

De jardin en jardin, protégés par les pavillons qui nous séparaient de la rue, nous avançâmes vers la queue de la colonne. J'entendis Violette tirer trois fois. Les soldats tentaient de quitter les camions. Exercice périlleux. Les hommes de Garry les tenaient sous leur feu. Quand ils entraient dans le champ de la lunette de Violette, ils étaient touchés. Deux fois, nous nous arrêtâmes pour lancer chacun une grenade par-dessus le toit d'un pavillon. À chaque explosion, les soldats ripostaient en tirant sur les façades. Je supposai que les habitants se terraient dans les caves. La colonne payait un lourd tribut à l'opération. Cinquante mètres plus loin, rejoignant la rue par un passage entre deux maisons, je vis que le camion de queue avait décroché. Il avait fait demi-tour pour trouver une autre voie d'accès à la gare. La manœuvre était mortelle pour nous. Nous pouvions contenir des soldats coincés dans des véhicules immobilisés. S'ils se déployaient, nous serions tout de suite débordés. De l'autre côté de l'avenue, Garry et son groupe étaient déployés.

– Le camion ! criai-je en pointant mon doigt.

Trois hommes s'alignèrent en travers de la chaussée et tirèrent en même temps avec leur Sten. Les deux pneus arrière éclatèrent. Le camion continua sur les jantes, puis il dut stopper dans un grincement terrible.

Le succès des trois tireurs fut fatal. Debout, le dos tourné à la colonne, ils offraient une cible parfaite. Une rafale partit derrière eux. L'un d'eux s'écroula en poussant un cri et resta inanimé. Je répliquai immédiatement. Les deux autres se jetèrent à couvert. Darbois lança une grenade. Elle explosa sous le camion, qui prit feu. Les soldats sautèrent un à un sur la chaussée, tombant sous notre feu. Le long de la colonne, les soldats sautaient des camions, se jetaient à terre et tiraient dans notre direction. La situation devenait intenable. Protégé par le mur du jardin, je regardai ma montre. Trois heures trente-deux. Je tirai de ma poche intérieure un tube de plastique rouge. Je cassai le bouchon. Une fusée jaillit à vingt mètres et une lumière rouge descendit dans le ciel, ralentie par un petit parachute. C'était le signal d'urgence qui ordonnait le décrochage général. Après quelques rafales sur les soldats couchés entre les camions, chacun partit à travers les rues sombres, en suivant son itinéraire de repli. Après une course de cinq minutes, je montai à l'arrière d'une Citroën bleue garée à deux cents mètres de l'avenue Mangin, en criant : « *Go ! Go !* » Le chauffeur me sourit et démarra. À côté de moi, sur la banquette, une silhouette sombre et frémissante était assise. Nous quittions la ville quand la lune nous éclaira. Je vis soudain le visage parfait de Violette Laszlo qui me regardait. Je lui pris le bras et le serrai en signe de connivence. Elle riait nerveusement. Ses lèvres tremblaient. Dans ses yeux, brillait une lueur sauvage.

L'opération de Dreux fit presque autant de bruit que l'assassinat de Philippe Foligny. Depuis le début de 1943, les attaques contre les chemins de fer s'étaient multipliées. Mais celle-ci avait pris un tour désastreux pour l'occupant. Une trentaine de soldats avaient été tués par un commando de dix-sept résistants au total, dont trois étaient tombés : chiffre humiliant. Et, surtout, la suite du sabotage avait tourné à la farce tragique. Après notre fuite, plus de cent soldats avaient pris position autour du dépôt. L'officier en second avait fait donner l'assaut. Pour rien, puisque Cowburn avait décroché depuis de longues minutes. Alors, à la lumière des phares des camions braqués sur les locomotives garées autour de la plaque tournante, les *Feldgrau* s'étaient lancés à la recherche des explosifs, au milieu des ordres hurlés dans la nuit. L'un d'eux avait découvert dans le pinceau de sa torche un détonateur fiché dans une masse sombre sous l'essieu de la première machine. Les hommes de Cowburn avaient enduit le plastic de graisse noire pour camoufler le dispositif ; ils ne pouvaient pas dissimuler totalement les détonateurs. Un lieutenant versé dans les explosifs s'était approché pour désamorcer la bombe. Au moment où il se couchait sous la locomotive, comme l'avaient fait avant lui les membres du commando, il avait aperçu un rat noir gisant derrière la roue, entre lui et l'essieu saboté et il avait pris l'animal par la queue pour l'écarter. L'instant d'après, aveuglé, défiguré, il brandissait en criant le moignon de son poignet, d'où sortait un flot de sang. Voyant leur lieutenant dont la main était arrachée par le piège de Cowburn, les soldats avaient reculé. « Ils ont mis des pièges partout ! » disaient-ils. Un soldat avait vu un autre rat sous la deuxième locomotive. Traumatisés par le sort de la colonne de secours, ils n'étaient guère pressés de ramper sous les machines.

Du poste de garde, l'officier en second avait appelé le quartier général. On avait tergiversé, discuté, tempêté. Finalement, l'officier était revenu du poste, furieux, accusé de lâcheté par le commandant de la place. Il s'était couché lui-même sous la première locomotive pour retirer le détonateur du plastic, sous l'œil angoissé des soldats, certains que la tentative allait faire tout sauter. Il allait réussir quand, à vingt mètres de lui, la sixième locomotive explosa avec un bruit qu'on entendit à dix kilomètres à la ronde, faisant un bond prodigieux, à deux mètres de hauteur. Un soldat qui s'était appuyé sur elle fut pulvérisé. Les autres, restés à distance, furent jetés à terre. L'officier se releva et donna l'ordre d'évacuer immédiatement le dépôt.

Cinq minutes plus tard, le commandant de la place, von Litroff, arrivait dans une voiture blindée, vêtu d'un long manteau de cuir noir, le col de sa chemise mal boutonné ressortant du haut de son uniforme rouge et vert. Il se lança dans une diatribe furieuse et donna l'ordre aux soldats de pénétrer à nouveau dans le dépôt. À la tête des hommes il s'arrêta devant la première locomotive, les jambes écartées, la cravache battant sur sa botte. « Allons-y, hurla-t-il, au travail ! » À ce moment précis, la troisième locomotive explosa, à quinze mètres de lui. Il ressortit du dépôt, porté par deux soldats, égratigné par les éclats, l'uniforme brûlé et déchiré, les tympans crevés par l'explosion. La rage au ventre, impuissants dans la lumière des phares et la fumée, les Allemands assistèrent à l'explosion successive des dix locomotives restantes. Malgré les barrages, la population s'était rassemblée autour de la gare. La foule en pyjama et en robe de chambre assistait au spectacle. À chaque explosion, les ouvriers réunis sur la place de la Gare, derrière les soldats allemands qui formaient la chaîne pour contenir la foule, criaient : « Olé ! » On menaça de tirer pour les faire taire. Le lendemain, les Allemands fusillèrent cinquante otages.

12.

J'observais Darbois. Son visage fin, son corps mince, son allure précieuse, son regard languide, rien ne laissait présager l'agressivité dont il avait fait preuve à Dreux. Je revoyais sa silhouette ramassée en avant, mitraillette braquée, quand il avait couru vers le camion. Il fallait, pour sortir des pavillons au nez d'une centaine de soldats allemands, une rare dose de courage. Et plus encore pour compter avant de lancer une grenade. Je songeai aux préjugés qui entouraient tous les Darbois de la terre. On prêtait aux homosexuels un tempérament timoré, une peur panique du danger, une couardise congénitale. Un sentiment de fierté naquit en moi. J'avais été l'instructeur de ce garçon que n'importe quel adjudant de l'armée régulière aurait éliminé de toute action difficile. Je me dis en souriant que les officiers de commando, avec les prêtres, les médecins et les flics, comptaient probablement parmi les meilleurs connaisseurs de la nature humaine. Ils voyaient les hommes sous leur vrai jour. Ils jugeaient sans œillères.

Nous étions dans le train Rouen-Paris, la pluie s'était mise à tomber et la vallée de la Seine défilait par la fenêtre, noyée sous un voile mouillé. Il valait mieux,

156

après avoir hanté les abords de la gare pendant deux jours, ne pas repartir de Dreux... Nous avions laissé nos armes dans l'arsenal de Cowburn et, après six heures de sommeil dans la petite maison aux pommiers, la Citroën bleue nous avait conduits à Rouen. J'avais échangé quelques mots avec le chef du réseau Tinker, qui m'avait donné son sentiment sur Prosper : héroïque et peu sérieux. L'arrivée des Allemands en plein sabotage montrait bien où en était le réseau, disait-il. Il fallait renvoyer du monde en Angleterre, Prosper lui-même, sans doute, qui était usé, en tout cas se débarrasser des éléments peu sûrs, débusquer le ou les traîtres, etc.

En regardant sans le voir le paysage brouillé par l'eau, je mêlais ces réflexions amères aux avertissements de Blainville. Deux événements, deux trahisons. Je me dis soudain que les deux actions étaient différentes, et même séparées. L'opération Foligny avait été menée par des réseaux de la capitale, l'attentat de Dreux par une autre organisation, dirigée par Cowburn, sans rapport avec Vienet ou Kerleven. Cette constatation toute bête me stimula. Je pris mon carnet pendant que Darbois s'endormait, bercé par le mouvement du train. J'inscrivis sur une colonne les noms de ceux qui connaissaient à l'avance le projet d'assassiner Foligny et, en face, ceux qui savaient pour Dreux. Bien sûr, une indiscrétion ou une dénonciation pouvait avoir eu lieu chaque fois, de manière indépendante. D'autres, que je ne connaissais pas, pouvaient avoir entendu évoquer ces projets. En bas de chaque colonne, j'ajoutai un X et un Y, pour symboliser ces incertitudes. Puis je comparai les deux listes, en rayant les noms n'apparaissant qu'une fois. Le résultat me sauta à la figure, effrayant.

Je ne voulus pas y croire. Ma méthode était fruste. Elle comptait pour nulles les incertitudes de la vie clandestine, les zones d'ombre que recelaient les réseaux, surtout pour moi, qui arrivais à peine d'Angleterre. Pourtant, il existait une logique imparable dans le raisonnement. S'il y avait un seul informateur, il était présent de chaque côté, par définition. Et il était bien placé : Prosper avait gardé la nature des objectifs aussi secrète que possible. Un exécutant, retourné par les Allemands ? Peut-être... Mais il en fallait deux, bien distincts, l'un à Paris, l'autre à Dreux, qui auraient trahi au même moment... Coïncidence.

Je regardai une nouvelle fois Darbois. Son nom figurait dans les deux colonnes : il m'avait accompagné deux fois. Je pensai que je pouvais l'éliminer d'emblée. Ma confiance en lui était totale. Puis mon rationalisme revint au premier plan. J'avais pour mission de trouver le traître, comme un policier traque l'assassin. Je ne pouvais pas me contenter de déductions logiques. Il fallait les vérifier. Buckmaster ne se satisferait pas de soupçons, d'intuitions, de suppositions. Il avait besoin de certitude. La sécurité du principal réseau du SOE en France dépendait de mes capacités de limier. Je déchiffrai encore ma liste. Au fond, elle me désignait une poignée de pistes à suivre. Je me souvins des faits divers que je couvrais avant guerre. C'est ainsi que procède la police. Elle délimite un champ des possibles. Puis elle referme les portes, une à une. La dernière qui reste ouverte est la bonne.

Darbois. À l'idée qu'il pût passer à l'ennemi, mille objections se présentaient. Pourquoi aurait-il trahi dès son arrivée ? Impensable. Il ne pouvait pas non plus s'être lié aux Allemands en Angleterre. Pour devenir un agent ennemi, il aurait fallu qu'il soit arrêté, retourné, réintégré au réseau, tout cela en quelques jours. Et comment expliquer son engagement total dans les deux opérations ? Impossible. Puis l'image de Buckmaster me revint. Quoi qu'il arrive, il faudrait rendre compte de cette mission. Il demanderait des preuves. Il me ferait tout raconter, dans le moindre détail. Si je négligeais une piste, même invraisemblable, il pourrait me le reprocher. Il dirait que mon rapport était fragile, ma méthode aléatoire. Et, après tout, les autres noms de ma liste n'étaient guère plus plausibles que celui de Darbois. Pourquoi négliger celui-là ? Autant commencer par lui. Par acquit de conscience.

Il marchait dans la rue d'Amsterdam, sans méfiance. À Saint-Lazare, sur mon instigation, nous avions vérifié que personne n'était dans notre sillage. Trois allers et retours dans la salle des pas perdus. Aucun voyageur n'avait changé de direction. Aucun n'était revenu en arrière. J'avais pris ma place dans une file d'attente pour vélos-taxis. Darbois était parti à pied pour remonter vers la place Clichy. Au bout d'une minute, j'avais couru au coin de la place du Havre. Il marchait d'un bon pas.

J'avais laissé cent mètres entre nous, puis je l'avais suivi, les yeux fixés sur son dos, prêt à m'enfoncer sous un porche s'il esquissait un geste vers moi. Il ne le fit pas jusqu'à la rue Joseph-de-Maistre, qui partait à gauche derrière le pont de Clichy, après le Gaumont Palace. Là, il entra dans un immeuble miteux qui faisait face à l'hôpital Bretonneau. J'avais son adresse, c'était un début.

N'ayant rien à faire de précis, je restai au bas de la rue Joseph-de-Maistre, au croisement avec la rue Lamarck, dans le square Carpeaux, qui occupait un côté du carrefour. J'étais caché par un buisson, mais, en me penchant, je voyais l'immeuble de Darbois. La pluie avait cessé. Les nuages se retiraient et le soleil de juin faisait luire les feuilles mouillées des arbres du square. Une jeune femme affublée d'un chapeau à plume comme en portait Robin des bois surveillait deux enfants qui jouaient dans le sable. Elle avait des souliers à lacets à grosses semelles. Je me demandai si ses jambes étaient peintes.

À sept heures, Darbois sortit. Il remonta la rue Joseph-de-Maistre, tourna dans la rue Tholozé, puis commença à gravir la colline de Montmartre, vers la place du Tertre. Il s'était changé et ses cheveux châtains brillaient de loin, comme s'il venait de les laver. Je le voyais de dos, mais quelque chose me disait qu'il avait mis une cravate. Arrivé sur la place, il n'eut pas un regard pour les peintres qui barbouillaient leurs toiles dans la lumière du soir, sous l'œil d'une petite foule de touristes où l'on distinguait des uniformes vert-de-gris. Il alla vers un restaurant aux vitres de verre légèrement dépoli, d'où jaillissait une lumière chaude. Sa façade était surmontée d'une enseigne de toile rouge où on lisait : « Les Canons de la Butte ». Je me tins au milieu de la place, dissimulé dans la foule, devant un chevalet portant une grande toile où se dressait une tour Eiffel aux tons criards.

Le restaurant était en contrebas, sur la première pente de la Butte. Darbois avait descendu deux marches avant de pousser la porte. J'avais vu sa silhouette à l'intérieur. Il s'était assis à droite de l'entrée et son profil se découpait à travers le verre dépoli. Il y avait un homme assis en face de lui, qui s'était levé pour le saluer. Je fis le tour de la place et j'arrivai par la gauche sur le trottoir qui surplombait l'entrée du restaurant. Darbois ne pourrait pas me voir, sinon de dos quand j'aurais dépassé la façade. J'étais au-dessus de lui. Il n'aurait sans doute pas l'idée de lever la tête. J'avançai donc vers Les Canons de la Butte pour jeter un coup d'œil à travers la fenêtre. Ce que je vis me glaça. En face de Darbois, un verre de vin rouge à la main, sa casquette posée à côté de lui, il y avait un officier allemand.

La place du Tertre se vidait. Les peintres rangeaient leur matériel, les commerçants fermaient. Seuls restaient ouverts les trois restaurants qui dominaient Paris. Il était neuf heures. Dans une heure, le couvre-feu entrerait en vigueur. Attendre là, c'était courir le risque de se faire ramasser par une patrouille. Je pouvais entrer dans un restaurant. Mais aucun ne me donnait l'angle de vue nécessaire sur Les Canons de la Butte. Je revins rue Joseph-de-Maistre. Darbois ne manquerait pas de rentrer, tôt ou tard. Dans le hall de l'immeuble, un tapis râpé menait à un escalier aux marches creusées par l'usure. Le plafonnier projetait une lumière sale. J'ignorais l'étage où Darbois habitait. Mais sous l'escalier, dans l'ombre, il y avait une petite remise où étaient entreposés une poussette d'enfant, un balai et des serpillières. Caché là, en me penchant, j'apercevais la porte de métal et de verre, commandée par une sonnette qui bourdonnait. Je m'assis par terre, les jambes repliées, appuyé contre le mur, invisible de la porte d'entrée. L'immeuble était silencieux. On entendait seulement le bruit assourdi d'une radio, au loin, qui jouait « Je suis seule ce soir ». Au bout d'une demi-heure, je m'assoupis.

Le bruit nasillard du mécanisme d'ouverture me réveilla. Je regardai ma montre. Il était minuit dix. Je me penchai avec précaution. Darbois avait ouvert la porte à demi et la retenait avec son dos. Il faisait face à la rue.

Devant lui se découpait la silhouette sombre de l'officier allemand, qui lui parlait à voix basse. Je n'arrivais pas à saisir leurs paroles. La conversation dura deux minutes. Puis Darbois ouvrit la porte en reculant. Et soudain, à ma stupéfaction, l'Allemand avança, prit Darbois par la taille et l'embrassa sur la bouche.

Le jeune homme se dégagea en disant vivement : « Non, plus tard ! » Puis il referma la porte en la poussant à deux mains. À travers la vitre, je distinguai la silhouette de l'Allemand qui hésita, puis il tourna les talons et disparut. J'étais effaré. Darbois traversa le hall et monta les premières marches. Je me levai d'un coup, me plaçai en bas de l'escalier et criai :

– Darbois !

Il se retourna. Les yeux exorbités, il me regardait, paralysé.

– Je crois que vous me devez une explication, dis-je, montons !

Il avait le visage de quelqu'un dont le monde s'écroule.

– Allons ! Montez, je vous suis !

J'étais aux aguets. Nous avions évidemment voyagé sans armes de Rouen à Paris. Mais, instinctivement, j'avais adopté la pose des adeptes du close-combat, jambes écartées, poings fermés et bras légèrement écartés du corps. Il me fixait.

– Ce n'est pas ce que vous croyez ! dit-il. Je ne lui ai rien dit ! C'est... c'est... un ami !

Je fis un pas dans l'escalier.

– Ne restons pas là. C'est un ordre.

Lentement, il se tourna vers le haut des marches et commença à monter, les épaules lourdes, écrasé par le sort. Au troisième étage, il plongea sa main dans sa poche en expliquant :

– Je prends mes clés.

Il ouvrit une porte marron à la peinture écaillée. Il habitait un petit trois-pièces qui donnait sur une cour obscure. Les murs étaient sales, la moquette tachée et les meubles disparates. Il se retourna, me désigna un fauteuil aux accoudoirs de bois verni, recouvert de skaï rouge.

– Je sais ce que vous devez penser, dit-il, accablé, je vais vous expliquer.

Le visage fermé, je m'assis. Je lui fis signe de m'imiter en disant d'une voix coupante :

– Allez-y!

Au fur et à mesure qu'il parlait, hésitant, butant sur les mots, son histoire prit de la vraisemblance. Seul à Paris, n'ayant pour contact que quelques boîtes aux lettres clandestines et des conversations épisodiques avec Andrée Borrel, qu'il fallait joindre en prenant toutes sortes de précautions, il passait des journées vides et des soirées sinistres. Le troisième soir, il avait marché vers Pigalle, non loin de chez lui. Il avait rapidement découvert un bar aux fenêtres aveuglées et à l'enseigne de métal pastel où se rejoignaient ceux qui partageaient ses goûts.

– Comment avez-vous fait pour trouver si vite? demandai-je un peu naïvement.

– Question d'habitude, j'avais une certaine expérience, vous comprenez?

Je comprenais plus ou moins. Dans tous les lieux de la nuit, les Allemands composaient une bonne partie de la clientèle. Il avait fait la connaissance d'un jeune officier, qui lui avait offert plusieurs verres avant de lui demander s'il pouvait le revoir.

– Mais cela ne vous gênait pas qu'il soit allemand?

– Si. Mais il m'a paru sympathique. Il travaille à la section de propagande. Il contrôle les journaux. Imaginez-vous qu'il n'aime pas les nazis !

– Un vrai conte de fées, dis-je.

Il ne releva pas le sarcasme.

– Je vous assure qu'il ignore tout de moi. Il pense que je suis étudiant en histoire de l'art à la Sorbonne. C'est ma couverture. D'ailleurs, je suis étudiant en histoire de l'art. À Oxford.

Puis il me regarda droit dans les yeux.

– Il me plaît. Voilà.

– Et si je vous donne l'ordre de l'abattre ?

– Vous ne le ferez pas. À quoi cela servirait-il ?

Il reprenait peu à peu confiance. Ma voix s'adoucissait. Je commençais à croire à son histoire. Je cherchais une faille.

– Qu'est-ce qui me prouve que vous ne lui avez pas parlé ?

Il réfléchit :

– Rien. Sinon que vous êtes encore en liberté. Mais la Gestapo pourrait avoir décidé d'attendre, de ne pas vous arrêter tout de suite.

Il changea de ton.

– John, si vous considérez que c'est dangereux pour nous, je ne le verrai plus. Je vous le jure !

– Mais de quoi parlez-vous avec lui ?

– De tout, de rien, de la guerre, de la vie, de l'avenir et... de l'amour.

Il me fixa de nouveau avec un air de défi. Je pensai que je n'avais aucun moyen de vérifier ce qu'il racontait. Mais ce que je connaissais de lui me rendait son histoire plausible. Sympathique, presque. Et si cet officier était aussi un correspondant qui le manipulait, la coïncidence était extraordinaire. En principe, celui qui « traite » un espion ne l'embrasse pas sur la bouche... Le côté baroque de l'affaire plaidait pour Darbois. Le silence s'installa.

– John, dit-il soudain, voulez-vous du cognac? Mon appartement est minable, mais j'ai acheté de l'alcool... (Il laissa passer un temps et ajouta :) Puis-je vous demander quelque chose?

– Oui. Je vais vous répondre. Mais donnez-moi du cognac.

Il parla en se levant et en ouvrant une armoire à la porte bancale. Il sortit deux verres et une bouteille de Martell.

– Pourquoi m'avez-vous suivi? Vous vous méfiez des pédérastes?

– Non. Je veux savoir pourquoi les deux opérations auxquelles nous avons participé étaient connues des Allemands.

– Je me suis posé la question hier. C'est un miracle que nous ayons réussi. Cowburn avait bien monté son affaire. Quel bonhomme! Mais, pour la rue de Solferino, ils ne savaient rien...

– Si. Ils avaient renforcé la protection de Foligny chez lui, au Vésinet. Je suppose qu'ils ne nous croyaient pas capables d'attaquer en plein Paris, près de l'ambassade d'Allemagne. C'est pourquoi ils n'avaient pas renforcé la protection de la Délégation. Mais ils savaient.

Il me regarda en réfléchissant.

– Alors il y a un traître. Et vous m'avez soupçonné. Je comprends...

– Oui, il y a un traître. C'est évident.

– Vous n'avez aucune idée?

– Non. Des hypothèses. Mais elles sont invérifiables. Prosper est hors de soupçon, de même que Blainville.

Vienet ne savait rien de l'opération de Dreux, pas plus que Kerleven. Cowburn ignorait tout de Foligny. Rien ne colle. Ils organisent des actions depuis des mois. Si l'un d'eux avait trahi, tout le monde serait arrêté depuis longtemps...

— L'hypothèse que ce soit moi était donc la seule vraisemblable...

— Non. C'est la même chose. Je pouvais la vérifier. J'ai décidé de croire à votre histoire. C'est tout. En réalité, je me pose la question depuis notre dîner avec Prosper, aux Jardins du Palais-Royal. Vous vous le rappelez ?

— Oui, nous étions très imprudents. Le patron m'a horrifié.

— Non, ce n'est pas ça. Pas seulement. J'ai été filé dès mon départ.

— Ah ? Et qu'avez-vous fait ?

— Je l'ai semé. Mais ils ne pouvaient pas me connaître avant. Je venais d'arriver. Donc, ils avaient été renseignés. Ou bien ils surveillaient le restaurant. Ou bien quelqu'un les a prévenus. Probablement du restaurant, par téléphone.

Darbois avait sursauté. Son expression avait changé.

— Un détail me revient. Vous vous souvenez que Vienet est allé parler à un Allemand ?

— Oui. Il nous a dit que c'était Kieffer.

— À ce moment-là, je me suis levé pour aller aux toilettes. Quelqu'un m'a suivi. Quand je suis ressorti, il était dans la cabine téléphonique. Elle était ouverte, dans une encoignure, derrière des portes battantes, vous savez, comme dans les saloons de l'Ouest. Il s'est interrompu, il a mis sa main sur le combiné et a chuchoté : « C'est ma mère, je l'appelle régulièrement. » En revenant m'asseoir, je me suis demandé pourquoi il m'avait dit ça.

Comme s'il avait besoin de donner une explication. Puis je n'y ai plus pensé. C'est vous qui me l'avez rappelé quand vous avez supposé que l'indic avait téléphoné du restaurant.

– Mais qui était-ce ?

– Prosper.

13.

Noor me prit la main.

– Attendez! Il y a quelque chose de bizarre.

– Quoi? Je ne vois rien...

Elle m'avait forcé à m'arrêter. Elle m'entraîna hors de l'allée, au milieu des arbres et des buissons qui entouraient la maison. Elle avait le cou tendu et scrutait le feuillage, comme si elle essayait de distinguer quelque chose. Puis elle ferma les yeux et renversa la tête en arrière, les narines palpitantes.

– J'en suis sûre, quelque chose qui ne va pas...

– Mais quoi, Noor?

Instinctivement, nous nous étions mis à parler à voix basse. Nous avions nos bicyclettes à la main. Nous les posâmes sur l'herbe et nous avançâmes sans bruit, d'arbre en arbre, vers la maison.

Nous devions envoyer à Londres le résultat de l'opération de Dreux. Noor avait déjà transmis une fois, non pas de la rue de la Pompe, mais d'un petit appartement tout proche, rue de la Tour, que possédaient les Garry et qu'ils avaient mis à la disposition du réseau. Les règles de sécurité voulaient qu'on change de lieu d'émission aussi souvent que possible. Nous allions chez les Adamowski, profiter de leur hospitalité et de la serre où l'antenne de fil vert de la radio de Noor était déployée en permanence, cachée parmi les plantes. Nous approchions des cyprès que Noor m'avait indiqués le dimanche précédent. J'écartai les branches vert foncé pour risquer un œil. J'eus un mouvement de recul. Autour de la maison, à vingt mètres de moi, et le long des murs de l'école, se dressait une ligne serrée de soldats allemands. Ils scrutaient l'intérieur des bâtiments pendant que deux officiers sonnaient à la porte. Devant la maison, une voiture grise et deux camions bâchés étaient garés. Les soldats tenaient leur fusil braqué sur les fenêtres. Les officiers paraissaient s'impatienter, tapant du pied sur le seuil.

À mon tour, je pris Noor par le bras en reculant. Je mis un doigt sur mes lèvres et désignai la direction de la grille d'entrée. Nous revînmes, courbés en deux, jusqu'à nos bicyclettes. Nous les relevâmes le plus doucement possible pour les pousser sur l'herbe, le long de l'allée de gravier blanc. La grille une fois passée, nous sautâmes en selle. Nous nous mîmes à appuyer furieusement sur les pédales quand tout se gâta. Le mur était inégal et mal entretenu. Nous devions le longer pour nous échapper par la petite route qui conduisait à la nationale. Nous avions pédalé moins d'une minute quand, à une abaisse du mur, une trentaine de mètres en avant, un képi allemand apparut. Un officier marchait de l'autre côté. Il devait explorer le parc pour trouver d'autres bâtiments. Il nous vit et hurla :

– *Halt! Halt!*

J'accélérai en criant à Noor :

– Plus vite, plus vite !

Il posa ses mains sur le haut du mur et sauta pour passer de l'autre côté. J'accélérai encore, mais Noor ne suivait pas. Il tomba dans le fossé, se releva et se mit devant nous pour nous barrer la route en hurlant de plus belle. Sa main levée était tendue vers nous. Il ouvrit l'étui qui pendait à sa ceinture. Si nous passions, il nous tirerait dans le dos à dix mètres. Alors, instinctivement, je braquai vers lui et je le percutai. Il fut projeté en arrière et lâcha son pistolet, qui tomba sur la chaussée.

J'avais sauté par-dessus le guidon. Nous étions tous les deux par terre à cinq mètres l'un de l'autre, la bicyclette couchée d'un côté, le pistolet de l'autre. Il allait se relever pour prendre son arme. Noor arriva. Elle freina en dérapant, lâcha son vélo et ramassa le pistolet. Elle le braqua sur lui. L'autre s'arrêta. Hésitant, se balançant d'une jambe sur l'autre pendant que Noor, le bras tendu à hauteur du visage, le mettait en joue, il se mit à crier, toujours plus fort :

– *Hier! Hier! Sie fliegen! Zu mir! Zu mir!*

J'étais encore au sol. Je suppliai Noor :

– Tirez, tirez !

Elle pointait son pistolet en tremblant. Elle gardait l'Allemand dans sa mire. Mais elle ne tirait pas. Elle se mordait la lèvre en fixant l'officier, le regard éperdu. Elle dit :

– Ne... Ne... Ne bougez pas !

Je m'étais relevé.

– Tirez, nom de Dieu, tirez ! Les autres arrivent ! Tirez, merde !

Voyant qu'elle hésitait, l'Allemand avança vers elle.

– Tirez, Noor, je vous en supplie. Vous allez nous faire prendre. Tirez, nom de Dieu !

Tout d'un coup, elle se décida. Son doigt se crispa sur la détente. L'arme resta muette : le cran de sûreté était enclenché. Alors l'Allemand lui sauta dessus, le bras en avant pour saisir le pistolet. À cinquante mètres derrière nous, à la hauteur de la grille, je vis plusieurs soldats qui sortaient du parc. Nous étions perdus. Mais soudain Noor, au lieu de reculer, se déroba sur la gauche et lança son pied droit en avant. La semelle de bois frappa violemment l'officier entre les deux jambes. La douleur le plia en deux. Elle réunit ses bras au-dessus de sa tête, tenant le pistolet à deux mains, et l'abattit de toutes ses forces sur la nuque offerte. L'Allemand s'écroula et ne bougea plus. Son képi avait roulé à un mètre de là. Je vis du sang derrière sa tête.

Noor me jeta le pistolet. Je défis le cran de sûreté. À bout de bras, je tirai trois fois vers les soldats. L'un d'eux fut touché à l'épaule. Les deux autres rentrèrent à l'abri du parc en appelant à l'aide. Nous relevâmes nos bicyclettes. Quand un soldat nous tira dessus, nous tournions dans un virage.

Au bout de deux minutes, j'entendis un moteur qui démarrait. Nous pédalions comme des coureurs, mais, dans un instant, ils allaient nous rattraper. À deux cents mètres à gauche, je vis la lisière de la forêt, au-delà d'une haie.

– Là ! criai-je.

Je bifurquai vers l'ombre du sous-bois, suivi par Noor à vingt mètres de moi. Je franchis la haie dans une trouée. Nous couchâmes les vélos de l'autre côté de la haie. Quelques enjambées, et nous étions sous les arbres. Je me retournai, je pris Noor par la main. Nous étions agenouillés derrière un buisson de fougère, l'œil sur la route. La voiture grise arriva, suivie d'un camion. Nous pouvions apercevoir le chauffeur concentré sur sa conduite et l'officier aux tempes rasées penché en avant, espérant nous découvrir à la sortie du virage. Ils n'avaient pas remarqué la manœuvre. Ils accéléraient en direction de la nationale et nous distinguions leurs profils, le regard braqué vers l'avant.

— Ils reviendront dans trois minutes, dis-je.

J'entraînai Noor et nous nous enfonçâmes dans le sous-bois. J'étais furieux.

— Quand je dis de tirer, il faut tirer, Noor. C'était un ordre ! Vous avez failli nous faire tuer.

— J'ai fait vœu de ne tuer personne, dit-elle, je croyais que vous le saviez.

Nous marchions vite, les hautes herbes nous battaient les jambes et les ronces s'accrochaient à nos vêtements. Je tendais l'oreille pour guetter le retour des Allemands. Rien pour l'instant. Plus loin nous irions dans le bois, plus nous aurions de chances.

— Écoutez, vos machins philosophiques, c'est très bien, mais ça ne tient pas en temps de guerre.

— Ce ne sont pas des machins. Ce sont des règles.

— Quelles règles !? Des conneries ! D'ailleurs, vous avez tiré. Vous n'aviez pas pensé au cran de sûreté, mais vous avez tiré !

— C'était pour vous protéger..., dit-elle d'un ton plaintif.

— Si vous aviez appris à tirer, nous n'aurions pas manqué être pris...

Elle saisit ma main et la serra.

— Je n'aime pas quand vous êtes en colère. Essayez de me comprendre. Je ne suis pas comme vous, rationnelle, simple...

Elle sourit.

— En tout cas, ajouta-t-elle, le sergent Keegan ne m'a pas appris à tirer. Mais il m'a appris le close-combat.

Émile Garry et sa sœur entraient dans l'immeuble de la rue de la Tour quand la concierge sortit de sa loge et leva les yeux au ciel en pointant son doigt vers les étages. Ils firent demi-tour, trompant l'attente des deux policiers en faction devant leur appartement. Ils marchèrent vivement vers la rue de la Pompe, cent mètres plus loin. À six heures vingt, ils pénétraient dans l'appartement où Noor et moi étions arrivés depuis une heure.

– Ah! Vous êtes là! dit Émile Garry. Ils ne vous ont pas attrapés. La Gestapo est chez nous, rue de la Tour.

– Ils étaient à Viroflay aussi. Ils ont failli nous avoir.

– À Viroflay? Alors ils ont sans doute cueilli une bonne partie du réseau. Tout était simultané. Maintenant, ils vont remonter les filières. Quel désastre!

– Qui connaît cet appartement? demandai-je.

– Personne. À part vous deux, ma femme, ma sœur et moi. C'est tout. La propriétaire est dans le Midi. Elle est d'une branche éloignée de la famille. Ils ne remonteront pas jusqu'à elle. Même s'ils le faisaient, ils ne la trouveraient pas. Elle est cachée chez des paysans. Et l'appartement n'est pas à son nom.

– Donc, nous pouvons rester ici pour l'instant...

– Oui, vous restez. Pas nous. Je dois être libre de mes mouvements pour faire fonctionner Cinéma. Si je reste, je ne peux plus sortir. Ils vont donner notre signalement partout. Il faut que nous partions tout de suite, avant qu'ils aient eu le temps de le faire. Sinon, nous serons arrêtés à la gare...

– Vous avez une bonne cache en Normandie?

– Oui. Je ne l'ai jamais utilisée. Et personne dans le réseau ne la connaît. Pas de problème. Et puis... nous devons nous marier, Claire et moi.

– Ah bon? Je croyais que...

Il sourit.

– Non, nous sommes fiancés. Le mariage est prévu de longue date. Je ne peux pas vous inviter, c'est dommage... Maintenant, la cérémonie sera plus discrète. Voire intime !

Il disparut au fond de l'appartement pour faire sa valise.

– Nous ne devons plus sortir ? demanda Noor.

– Non, répondis-je, sauf pour acheter de la nourriture. Ils nous ont vus à Viroflay. Ils ont dû prendre plusieurs personnes de chez Prosper. Certains nous connaissent. Il faut attendre. Une semaine ou deux. Après, nous ferons une sortie.

– Il y a des provisions pour au moins trois semaines, expliqua Renée.

– Mais comment allons-nous transmettre ? dit Noor.

Je réfléchis. Il fallait absolument prévenir Londres. Pas tant de l'opération de Dreux que du démantèlement en cours du réseau Prosper. Sinon, les futurs parachutages et les prochaines arrivées d'agents tourneraient au désastre.

– Vous n'avez jamais transmis d'ici ?

– Non. De la rue de la Tour, une fois. Nous allions à Viroflay. Vous le savez...

– Tant pis. C'est un cas de force majeure. Nous transmettrons ce soir, à la vacation. Dix minutes, pas une seconde de plus. Je vais écrire le message tout de suite.

– Je vais chercher mon carnet, dit Noor. Nous avons deux heures. Je coderai au fur et à mesure.

Garry et sa sœur entrèrent dans le salon, portant de grosses valises.

– Aurore, Arthur, dit Garry. J'ai été ravi de vous connaître.

Il souriait, mais son regard démentait sa sérénité. Je levai la main.

– Avant que vous partiez, dites-moi. Qui nous a donnés, à votre avis ?

– Je ne sais pas. Depuis deux ou trois semaines, des choses étranges se passent. À Dreux, les Allemands étaient prévenus. Des arrestations ont eu lieu en Sologne, il y a dix jours. Le réseau Prosper prenait l'eau. C'est évident.

– J'ai une idée là-dessus, dis-je.

Il posa sa valise et s'assit sur le canapé. Je déroulai ma théorie. Il m'écoutait intensément. J'omis le détail sur Prosper que m'avait donné Darbois.

– Vous avez trois noms dans votre liste de suspects. S'ils ont tous été capturés cette fois-ci, la question sera réglée. Nous perdons le réseau Prosper. Catastrophe limitée. Mais si le coupable est encore en liberté, sans qu'on sache qui il est, ou s'il l'est, la situation est dramatique. Plusieurs réseaux sont en danger... Aucune opération avec Londres ne sera sûre. Il faudrait trouver un moyen de l'identifier sans contestation possible.

– J'y songe. Mais je ne peux pas sortir...

– Non. Pour l'instant, vous ne pouvez pas bouger. Trop dangereux. Ils vont remonter les filières de Prosper. Dans dix ou quinze jours, ils auront terminé. Ils relâcheront la pression et nous pourrons agir de nouveau.

Il sortit son carnet, inscrivit quelques mots et détacha la feuille de papier.

– Voilà l'adresse d'une poste restante à Dreux. Quand vous serez prêt, envoyez-moi une carte postale avec des banalités. J'ai un agent dans le bureau. Quand je l'aurai reçue, je viendrai à Paris. Je serai à midi le surlendemain et les deux jours qui suivront devant le bassin du Luxembourg. Vous vous souviendrez ? Apprenez l'adresse par cœur et brûlez le papier... J'ai aussi une boîte aux lettres qui me permet de communiquer avec Blainville sans lui téléphoner ni aller chez lui. S'il n'a pas été arrêté, lui aussi... C'est un bouquiniste, le dernier du quai Monte-bello en allant vers le pont Sainte-Geneviève. Vous regardez dans la dernière boîte, celle qui est la plus proche du pont, et vous cherchez un exemplaire de *Madame Bovary*. S'il y a un message pour vous, il est entre les feuilles. Si vous voulez lui envoyer un message, vous le laissez dans le livre. Il le découvrira. Pour ne pas prendre de risques, vous arrivez par le boulevard Saint-Germain et vous entrez dans le café du côté de la rue des Bernardins. Ainsi, on ne vous verra pas du quai. Le bou-quiniste est avec nous. Si la boîte aux lettres n'est pas fiable, il pose une affiche d'Aristide Bruant sur un côté de sa caisse, celui qu'on voit du café. S'il n'y a pas d'affiche, c'est bon...

J'avais pris en note ce qu'il m'expliquait. Il continua :

– Enfin, vous pouvez appeler Vienet. Voilà son vrai nom et son numéro de téléphone professionnel. Méfiez-vous, il était lié au réseau Prosper. Plusieurs personnes qui seront sans doute arrêtées le connaissent...

Il me tendit un second papier.

– Vous appelez de la part de M. Joumard. Ne parlez qu'à lui, évidemment. S'il est aux mains des Allemands, quelqu'un essaiera de se faire passer pour lui au télé-phone. Faites attention ! Notez tout ceci, apprenez-le par cœur et détruisez les papiers.

Son ton sans réplique contrastait avec son allure de collégien. Pendant qu'il parlait, sa sœur avait rassemblé leurs bagages. Il se leva et je le suivis dans l'entrée, Noor sur mes talons. Il se tourna vers moi et, au lieu de me serrer la main, il me donna une accolade. Il embrassa aussi Noor.

– Bonne chance, dit-il, je vous dis merde. À mon avis, dès qu'ils seront informés, les gens de Londres vont vous ordonner de rentrer. Si les Allemands ont découvert le réseau entier, ce qui est bien possible, il va falloir repartir de zéro. Londres voudra avoir tout en main.

– Je ne peux pas rentrer tout de suite, dis-je. Je dois d'abord pouvoir répondre à la question qu'ils me poseront...

14.

La radio faisait un bruit effrayant. Le son aigu du morse résonnait dans tout l'appartement et, nous semblait-il, jusque dans la cage d'escalier. Les voisins ne pouvaient pas l'ignorer. Nous avions même l'impression que le policier qui montait la garde devant le commissariat de l'autre côté de la rue allait arriver dès les premiers mots transmis. Tourments du radio clandestin...

Nous avions déployé l'antenne dans la cour arrière, qu'on atteignait par la chambre de Noor. C'était un puits intérieur fermé sur trois côtés, avec des échelons scellés dans l'un des murs pour les couvreurs et les ramoneurs. Sur le quatrième côté, on voyait un jardin en contrebas et un grand morceau de ciel devant nous. Les ondes radio passeraient plus facilement par là. En me penchant, j'avais réussi à nouer le fil d'acier à un piton qui servait à bloquer un volet. Puis, changeant de fenêtre, j'avais attrapé le reste du fil encore libre et achevé l'accrochage en réitérant la manœuvre sur le volet de la deuxième fenêtre, non loin des échelons qui descendaient jusqu'au fond de la cour. Noor était assise devant une coiffeuse qui lui servait de bureau, sans doute celle de Renée. Au-dessus du miroir ovale et pivotant qui surmontait le meuble, il y avait les photos d'acteurs américains, Clark Gable, Spencer Tracy, Alan Ladd, à côté d'une carte postale de Pie XI et d'une image pieuse représentant le Père de Foucauld, vêtu de sa tunique blanche frappée d'un cœur rouge et d'une croix. J'avais remarqué dans la bibliothèque du salon une *Histoire de l'Église* par Daniel-Rops reliée en cuir pourpre, de vieux exemplaires de *La Croix* et surtout les éditions complètes des œuvres du père Lacordaire, de Montalembert et d'Albert de Mun, découpées avec soin au coupe-papier. Pour entrer dans la Résistance, chacun avait ses raisons. Chez les Garry, l'engagement venait de leur foi catholique.

Noor avait mis les écouteurs et commençait la transmission des indicatifs, la main gauche sur le petit marteau d'acier dont le contact avec la base en métal commandait l'émission des signaux, la main droite tenant ouvert le carnet où elle avait noté ses mots de passe et ses clés de codage. Le chant saccadé du morse était obsédant. Noor avait suggéré que je plaque des accords de piano pendant qu'elle égrenait le message. Mais je ne savais pas jouer trois notes. Le bruit du piano martyrisé pourrait aussi éveiller la méfiance. Bref, il fallut subir cette épreuve nerveuse : emplir l'appartement du bruit du morse en priant pour que personne ne l'entende.

J'avais rédigé un message aussi succinct que possible : « Réseau Prosper en partie détruit par ennemi. Suspendre envois armes et agents. Cinéma toujours actif. Poste Aurore également. Arthur et Aurore sans nouvelles Prosper et Blainville. Interrompons activités une semaine ou deux. Recherche mouchard toujours en cours et encore plus nécessaire. Attendons instructions. » Noor était rapide. Sa transmission dura moins de dix minutes. Caché derrière un rideau du salon, l'œil rivé sur la rue, surveillant le policier qui faisait les cent pas sur le trottoir d'en face, ce courrier me semblait interminable. Le bruit cessa. Je criai à Noor :

— Vous avez fini ?

— Oui, dit-elle, j'attends l'accusé de réception.

Puis j'entendis le bruit de la valise qu'elle refermait après avoir rangé les écouteurs et le transmetteur et récupéré ses quartz, qu'elle plaça dans un compartiment spécial.

— Dans deux heures j'aurai une réponse. Je pense qu'ils voudront répondre...

Comme elle disait ces mots, je vis dans la rue un camion roulant à faible allure et surmonté d'une antenne circulaire qui pivotait doucement.

— Noor, dis-je, ils ont capté l'appel.

— Les Anglais ?

— Non, les Allemands !

Le camion s'éloigna. L'émission était terminée : ils ne pouvaient plus nous trouver. Mais Dieu qu'ils étaient allés vite !

— Je crois que nous devrons nous abstenir à l'avenir. Les Allemands ont certainement un centre de détection tout près d'ici. Ils savent maintenant qu'il y a un radio anglais dans le quartier de Passy et cela va les énerver...

— Nous irons ailleurs pour la prochaine transmission, dit Noor.

Elle était revenue dans le salon. Je la regardai. La jupe-culotte qu'elle avait mise pour aller à Viroflay en vélo moulait sa taille. Ses chaussures à semelles de bois rehaussaient ses jambes. Ses mollets étaient griffés par les ronces et les herbes du sous-bois qui nous avait permis d'échapper à nos poursuivants.

– Il faudra vous soigner, remarquai-je.

– Oui. Rien ne presse. J'ai surtout faim. Allons à la cuisine.

En la suivant à travers le long couloir au parquet sonore, je sentis son parfum, comme au Vieux-Briollay, la nuit de l'atterrissage. Tout à coup, je pris conscience de la situation créée par les malheurs du réseau Prosper : j'étais enfermé pour longtemps, jour et nuit, avec la femme que j'aimais...

Le dîner fut amical mais tendu. Nous attendions la vacation nocturne avec Londres. Sans le dire, nous songions à la précarité de notre situation. Deux agents isolés de tout contact avec la Résistance, confinés dans un appartement cerné de forces hostiles, n'ayant plus, pour tout moyen de communication, qu'un lien fragile et immatériel fait de traits et de points. Noor allait et venait dans la cuisine, repérant l'emplacement des provisions, l'ordonnancement des placards, le fonctionnement de la cuisinière. Elle fit cuire du riz, qu'elle accompagna d'une sauce en bouteille appelée Viandox, qui donnait au plat un goût salé et fort. Elle sortit un fromage indéterminé d'un torchon et trouva en bas du vaisselier un cageot de pommes ridées mais excellentes. Il y avait une réserve de cidre dans le garde-manger. Nous n'avions pas l'humeur gastronomique et le repas fut expédié. Je me levai pour faire la vaisselle. Elle me regarda d'un œil amusé.

– C'est gentil de m'aider, dit-elle Vous qui êtes un homme si martial...

– Nous sommes deux agents sur le terrain. Vous n'êtes pas à mon service.

Elle me sourit, prit un pot de café dans le garde-manger et entreprit de trier les grains comme elle l'avait vu faire à Renée Garry.

– Il n'y a pas beaucoup de vrai café ! Je ne sais pas s'il faut continuer le tri. Dans deux jours, nous n'aurons plus que de l'ersatz.

– Tant pis, dis-je. Ce soir, nous allons veiller. Du vrai café sera utile...

Elle servit le café dans le salon, en commençant par le sucre, comme en Angleterre...

– Noor, faites un effort. Servez à la française !

Elle rectifia en se mordant la lèvre.

Il nous restait plus d'une heure avant le début de la vacation. Le silence de la nuit enveloppait l'appartement. De temps en temps, nous percevions au loin le bruit d'une automobile, allemande selon toutes probabilités. Une lampe était allumée dans le salon qui baignait dans la pénombre. Seul le rideau, soulevé de temps en temps par la brise du soir, faisait entendre un léger froissement. J'eus envie de revenir sur les événements de la journée. Je l'avais appris en participant à des opérations spéciales : toute action exige un « debriefing » pour relâcher la tension et donner aux hommes une appréciation sur leur courage et leur compétence. Ils en avaient besoin.

– Vous l'avez raté au tir, mais pas au close-combat, dis-je à Noor. Je ne serais pas étonné qu'il soit mort...

– J'espère que non. J'ai peut-être frappé un peu fort, mais vous me tarabustiez, dit-elle en souriant.

– Sans cela, nous serions enfermés avenue Foch. Les Adamowski y sont certainement. À cette heure, on les interroge...

Je laissai ma phrase en suspens. Un silence sinistre s'installa. Noor comprit qu'il valait mieux éviter le sujet.

– Keegan était un très bon instructeur, je dois le reconnaître, même s'il ne m'a pas épargnée. Il était un peu traditionnel, voilà tout... Pour nous expliquer comment frapper dans l'entrejambe, il a utilisé tellement de périphrases que nous ne comprenions rien. Jusqu'au moment où Violette Laszlo a dit : « Ah, vous voulez dire dans les couilles, sergent ! » Il est devenu rouge comme une tomate ! Mais ses cours ont été diablement efficaces. Maintenant, je n'aurai jamais peur de sortir seule la nuit.

– Noor, expliquez-moi pourquoi vous avez fait vœu de ne tuer personne alors que nous nous battons contre les nazis...

– Non, pas maintenant, dit-elle après un temps de réflexion. Ce serait trop long. Ils vont appeler dans trois quarts d'heure. Mais je vous promets que je le ferai. Si cela vous intéresse...

– Tout ce qui vous concerne m'intéresse.

J'avais parlé sur un ton à la fois tendre et solennel. Elle réfléchissait, un demi-sourire aux lèvres. Elle semblait prendre une décision. Elle contempla ses chaussures et dit :

– John, il faut que je vous avoue quelque chose. Je vous aime beaucoup, vous le savez. Je vous dois d'être franche.

Elle détachait ses mots, d'une voix un peu sourde.

– Voilà... J'ai un fiancé. Il est dans la même organisation que nous. Vous le connaissez peut-être. Il s'appelle Donaldson. Je l'ai rencontré à Arisaig. Il est fort. Comme vous. Il est beau aussi. Comme vous. Je l'ai revu pendant nos permissions, à Londres. Il a été parachuté en France il y a deux mois. Il organise le réseau Scientist, avec deux autres agents, un radio et un courrier. Comme Prosper. Les deux réseaux devaient travailler ensemble, d'après ce qu'il m'a dit. Le jour de son départ, nous nous sommes promis de nous marier, si nous en sortions, après la guerre. Voilà...

Chaque mot qu'elle avait prononcé était un coup de poignard. Voyant ma mine effondrée, elle était venue s'asseoir près de moi. Elle me prit le bras en me dévisageant d'un air implorant.

– Ne m'en voulez pas. Si nous nous étions rencontrés plus tôt...

En entendant cela, une vague d'espoir naquit en moi. Elle continua :

– Mais nous nous sommes rencontrés dans l'avion. Le destin l'a voulu. Je l'aime et je tâche de respecter mes serments. Cela me paraît plus juste...

Je ne voyais pas très bien ce que la justice venait faire là-dedans. Mais je sentis la résignation se répandre dans mon âme. C'était une question de loyauté. Je n'avais aucune chance.

À onze heures, Noor avait remis son casque. Cette fois, nous étions tranquilles : la réception d'un message radio est indétectable. Je voyais la main de Noor s'agiter sur la feuille blanche de son carnet de transmission. Elle notait à la volée des suites de cinq caractères sans signification aucune. L'opération dura vingt minutes. Puis elle referma son poste. Maintenant, il fallait transcrire.

– Arrêtez de me regarder comme ça, dit-elle, vous allez me troubler.

– C'est moi qui suis troublé.

Elle sourit et se concentra sur sa tâche. Elle plaça les mots les uns sous les autres, de manière à faire chaque fois un carré de cinq lettres de côté. Elle écrivit la clé au-dessus. C'était le début du vers de Rimbaud « je ne me sentis plus guidé par les haleurs ». Elle effectua la transposition en suivant l'ordre imposé par la clé. Puis elle recommença l'opération. Cette fois, le message en clair apparut, lettre à lettre. J'imaginais Buckmaster ou

Bodington prévenus chez eux, sautant dans un cab pour se rejoindre dans le bureau de Baker Street, conférant brièvement pour élaborer une réponse, puis appelant une auxiliaire pour la transmission. «Heureux vous savoir sains et saufs, disaient-ils. Archambault nous a avertis.»

Archambault était le pseudonyme de Gilbert Norman, le radio de Prosper que j'avais vu plusieurs fois. Je trouvai tout de suite étrange qu'il fût encore en liberté quand Viroflay et l'appartement des Garry avaient été découverts. Celui qui les avait donnés aurait dû donner aussi le radio, pièce décisive dans l'organisation Prosper. Le message se poursuivait. «Apparemment, Prosper en liberté. Mais réseau sévèrement touché. Autres réseaux liés à Prosper menacés également. Restez cachés. Enquête mouchard utile. Traître en liberté. Persévérez. Bon courage.» En dépit de la sécheresse du langage télégraphique, je reconnus la manière de Buckmaster, qui mettait dans ses relations avec ses agents toute l'humanité et la compassion dont il était capable, lesquelles étaient grandes.

– C'est fort bien, mais ça ne nous aide pas beaucoup, dis-je.

– Il est urgent de ne rien faire, dit Noor. Allons dormir.

Une heure plus tard, dans le noir, comme je regardais les faibles rais lumineux qui passaient à travers les interstices des volets, filtrant la lumière de la lune, je pensai aux deux messages du jour : Londres m'encourageait à continuer ma mission et Noor à cesser de lui faire la cour. Deux injonctions aussi difficiles l'une que l'autre.

15.

Au cœur de Paris, nous étions comme sur une île déserte : coupés du monde, rendus à nous-mêmes. Le premier jour, nous tournions dans l'appartement sans savoir quoi faire, lisant, écrivant ou cuisinant. Le soir, à dix heures, Noor mit son casque et déchiffra les messages de Londres. Rien de saillant n'en sortit : conseils de prudence et encouragements. Pas un mot sur le sort du réseau Prosper. Le travail de déchiffrement achevé, nous étions revenus au salon.

– Ça ne peut pas durer, dis-je. Il faut que je contacte Blainville et Vienet pour savoir où nous en sommes.

– Attendez au moins quelques jours. Les agents pris doivent tenir quarante-huit heures et ensuite ils peuvent parler. Ce n'est pas le moment de sortir. Ils ont dû diffuser notre signalement dans tous les commissariats. Il y en a un en face. Vous risquez d'être arrêté en mettant le pied sur le trottoir !

– C'est vrai. Mais, si nous restons enfermés, nous ne servons à rien. C'est ridicule et insupportable.

– Il faut apprendre à accepter son sort, dit Noor sentencieusement, les yeux pleins de malice. Calmez-vous.

J'ai trouvé du porto dans la bibliothèque. Les Anglais aiment le porto, non ?

– Surtout le xérès.

– Il n'y en a pas, répliqua-t-elle. Nous sommes en France, mon cher, vous devriez vous en souvenir !

Je commençais à me détendre un peu. Noor ouvrit un abattant horizontal encastré dans la bibliothèque. Elle découvrit un bar bien fourni, où trônait un jéroboam de whisky à la tourbe, du Gwalynlivet.

– Je prendrai plutôt un whisky.

– Un whisky pour monsieur ! Excusez-nous, la maison n'a pas de glace.

– Il se boit sans glace, dis-je sur un ton de reproche.

Noor versa mon whisky dans un verre droit et se servit un porto dans une coupe de verre fumé. Elle leva son verre et dit :

– À l'Angleterre ! À Prosper, malgré tout !

Elle trempa ses lèvres, posa son verre, et se dirigea vers le piano.

– Comme on dit en France, la musique adoucit les mœurs...

Elle s'assit sur le tabouret recouvert de velours, cambrée, la tête haute. Elle ouvrit le piano et commença à jouer. C'était une sonate de Beethoven, nostalgique.

– La seule chose que j'aime, chez les Allemands, c'est la musique, dit-elle en couvrant la mélodie.

Elle jouait, concentrée, accompagnant le tempo de mouvements de la tête et du buste, changeant d'expression quand la musique accélérait ou ralentissait. Je n'étais guère mélomane, mais il me sembla que sa technique était supérieure, qu'elle maîtrisait la partition si bien qu'elle atteignait à l'intention première du musicien.

Quand elle s'arrêta, j'applaudis, puis je lui apportai son verre. Elle remercia d'un battement des paupières.

– C'est très beau, Noor. Bien sûr, c'est un peu triste...

Piquée, elle se retourna, posa son verre sur le piano et dit :

– Trop triste ? Qu'à cela ne tienne !

Elle entama un morceau où les notes se bousculaient, où les tonalités variaient déroutantes et drôles.

– De qui est-ce ?

– Erik Satie. Vous ne le connaissez pas en Angleterre. Vous êtes trop conformistes ! J'ai travaillé avec lui.

– Vous avez travaillé avec ce compositeur ? Mais... êtes-vous une musicienne professionnelle ?

– Non. J'ai pensé le devenir, comme toute ma famille. Finalement, je préfère l'écriture... Mais j'ai beaucoup aimé étudier avec lui. Plus qu'avec Debussy et Ravel.

– Avec Debussy et Ravel ? Comment les avez-vous rencontrés ?

– Ils étaient des amis de mon père.

– Noor, il est temps que vous me parliez de vous. Souvenez-vous, vous me l'avez promis hier. Nous avons tout le temps devant nous, vous-même l'avez dit. Je veux savoir qui vous êtes, à la fin. Je découvre sans cesse des choses inouïes. Vous en avez trop dit, ou pas assez. Maintenant, c'est le moment de vous mettre à table, agent Nora Wilson. J'ai le moyen de vous faire parler...

Je me levai, et lui servis une grande rasade de porto. Je lui tendis la coupe.

– Allez-y, racontez.

Elle riait. Elle se leva, m'embrassa sur la joue et alla s'asseoir au plus profond d'un fauteuil club en cuir marron, les jambes allongées devant elle, la tête légèrement renversée. À peine interrompue par mes questions, elle parla plus de deux heures, sans s'arrêter. Je l'écoutais bien calé dans le canapé, buvant doucement mon whisky. Quand nous allâmes nous coucher, tard après minuit, je la regardais différemment.

— Mon histoire, dit-elle, commence dans un palais aux cent minarets et aux mille fenêtres. Il était construit sur une île, au sud-est de l'Inde, au milieu d'un fleuve. C'est un beau fleuve argenté. Il serpente dans la forêt tropicale et se jette dans l'océan.

— C'est le palais de vos ancêtres ?

— C'était leur palais. Il a été détruit.

— Par qui ?

— Par vous, les Anglais.

— Ah bon ? Mais à qui appartenait-il ?

— À un tigre.

— À un tigre ? (Je souris.) Votre ancêtre était un tigre ?

— Oui. On l'appelait le Tigre de Mysore.

— Connais pas !

— Évidemment, vous les Anglais, vous l'avez oublié. Pourtant, il vous a empoisonné la vie. Mon ancêtre s'appelait Tipou Sahib. Son nom ne vous dit rien ?

— Non...

— Ignorantus !

— Mais personne ne sait qui il est ?

— Comment ça, personne ? Ignorantin ! Il a joué un rôle important dans l'Histoire. Il était l'allié de la République française contre vous, les horribles colonialistes anglais. Mysore était un vaste royaume musulman au sud de l'Inde. Pour vous combattre, mon ancêtre a cherché des alliés. Il les a trouvés en France. D'abord Louis XVI, puis la République, puis Napoléon. C'était le sultan de

Mysore. Il avait un tigre sur son drapeau. Les Occidentaux le connaissaient sous le nom de Tipou Sahib. C'était un très grand sultan, mon cher, très fort et très cultivé. Il avait des milliers de livres dans sa bibliothèque et des dizaines de milliers de soldats dans son armée. Il était un chef religieux, aussi, soufi. Il avait une connaissance directe de Dieu. À tous les moments de sa vie, il faisait des exercices spirituels, comme saint Ignace de Loyola. Tout vous semble incompréhensible, non?

– Non, non. Nous avons aussi des mystiques en Occident.

– Hum... Je n'en suis pas sûre. Vous autres rationalistes, vous pensez que les mystiques sont des gens qui flottent à vingt centimètres du sol toute la journée et qui dorment la nuit sur des planches à clous.

– J'imagine que le Tigre de Mysore ne dormait pas sur une planche à clous.

– Mon ancêtre dormait dans un lit de plumes avec deux ou trois femmes parmi les trente qu'il avait. Il était éventé par des esclaves. Mais il avait une conception élevée de la religion. De son temps, le respect existait. On coupait la main des voleurs et on lapidait les femmes adultères. Ceux qui avaient des divergences théologiques avec le sultan étaient empalés.

Noor souriait en me lançant des regards ironiques. Elle continua en riant :

– C'était une époque où l'on observait les principes...

– Vous avez les mêmes principes?

– Non. Nous avons mis de l'eau dans notre vin. Le contact de l'Occident nous a amollis.

– Pourquoi nous faisait-il la guerre?

– Mais *vous* lui faisiez la guerre. C'est vous qui avez conquis l'Inde. Le sultan est un héros de l'indépendance nationale. Pendant des années, il a battu tous les corps expéditionnaires que les Anglais envoyaient dans la jungle. Les soldats mouraient percés de coups de lance, piqués par des serpents à sonnette ou dévorés par des tigres. C'était un stratège qui s'était allié à la France. Il savait qu'elle cherchait une revanche contre l'Angleterre depuis la guerre de Sept Ans. Il a soutenu un moment un marin que vous ne connaissez pas et que les Français appellent le bailli de Suffren. Ce Suffren était un grand capitaine qui n'a jamais perdu une bataille contre la Royal Navy ! Pas mal, non ? Ensuite, le sultan a proposé aux Français de venir jusqu'à lui, par la terre. C'est pourquoi Bonaparte est allé en Égypte. Mais il a raté son coup.

— Il y a bien un moment où notre gouvernement en a eu assez, non ?

— Oui. Les impérialistes ont triomphé. Les habits rouges sont arrivés avec un corps expéditionnaire plus fort que les autres et avec un matériel de siège. Ils étaient commandés par un dénommé Richard Wellesley. C'était le frère du futur duc de Wellington, celui de Waterloo. Ils ont encerclé le palais de Mysore, au milieu du fleuve. Ils ont battu en brèche la muraille, à un point où ils pouvaient débarquer en force. Le sultan a résisté quatre mois. Il faisait reconstruire la nuit le mur qui vous démolissiez le jour. Mais les vivres ont manqué et, vers la fin, on servait à la cour du rat grillé dans des assiettes en or.

— Voilà ce qu'il en coûte de défier l'Angleterre.

— Riez, monsieur l'impérialiste. Après la guerre, l'Inde deviendra indépendante. Vous rirez moins.

— Mais je ne suis pas pour l'Empire, moi. Je suis anti-colonialiste.

– Alors, écoutez la fin héroïque de mon ancêtre. Avec respect! Les Anglais ont donné l'assaut. Les ministres avaient fait partir la famille du sultan par des souterrains. Tipou Sahib était dans sa bibliothèque. Il lisait son exemplaire en vélin de *L'Enfer* de Dante. Ils sont venus le conjurer de s'enfuir. Il a répondu : « Non, ma place est avec les soldats qui m'ont défendu si vaillamment. » Une heure plus tard, il sortait de ses appartements en tenue d'apparat. Il avait un grand sabre recourbé à la main. Il était suivi de ses ministres. Ils avaient dû renoncer aux souterrains pour eux-mêmes et ils faisaient triste figure. Ils auraient sans doute préféré un peu moins d'héroïsme... Il est monté sur la muraille et il s'est placé à la tête de ses troupes. Mais les Anglais étaient trop forts. Une fois le mur percé, ils ont pénétré dans la cour du palais en ligne de bataille, sur trois rangs. Ils tiraient des feux de salve à intervalles réguliers. Chaque fois, ils couchaient des dizaines de soldats. Ils ont ensuite mis la baïonnette au canon et ils ont enfoncé les rangs des derniers défenseurs. Les soldats de mon ancêtre se sont battus jusqu'au bout. Ils ont tous été massacrés par les Anglais, qui représentaient la civilisation, comme chacun sait. Le lendemain, on a retrouvé le corps de Tipou Sahib, mutilé et couvert de sang, au milieu d'un monceau de cadavres. On l'a reconnu aux diamants qu'il portait à l'oreille, au cou, aux poignets et aux chevilles. C'était mon aïeul le plus célèbre.

– Vous êtes donc une vraie princesse?

– Comment ça, une vraie princesse? Ma dynastie, mon cher, est aussi ancienne que celle des Windsor. Quel insolent! Je devrais vous faire empaler.

Noor avait enlevé ses chaussures et replié ses jambes sous elle. Elle parlait en s'animant, ses yeux se voilaient ou ressemblaient à des pointes d'épingle selon les détours du récit. Je me levai et lui servis du porto, qu'elle accepta.

– Cette histoire vous intéresse-t-elle vraiment, vous, le journaliste de gauche rationnel?

– Noor, votre histoire m'intéresse par définition. Vous le savez.

– Ne recommencez pas à me faire la cour. Je suis là pour vous instruire...

– Votre famille est donc partie par les souterrains...

– Oui. Elle a été chassée de Mysore et s'est retrouvée proscrite dans ce continent dominé par ses ennemis anglais et par leurs alliés maharadjahs. La famille de Tipou Sahib a mené une existence errante, misérable. Elle était hébergée par des familles alliées, mais elle était contrainte de repartir sur les routes, fuyant les Anglais. Au bout de longues années, elle est arrivée à Baroda, au nord de l'Inde, où elle a pu s'établir. Ma famille a maintenu les traditions. À chaque génération, l'aîné des garçons était initié aux mystères de la politique et de la religion, en vue d'être un chef et un sage. À Baroda, mon grand-père, qui était l'arrière-petit-fils du sultan, est devenu un maître soufi. Il était reconnu dans sa communauté, comme un grand musicien – il jouait à la perfection du sitar, vous savez, cette grosse mandoline indienne – et un sage, un « wali ». Des disciples venaient de tout le pays pour suivre son enseignement. Il vivait la plupart du temps sur le toit.

– Sur le toit?

– Oui. Sur le toit. Il habitait une grande maison de pierre rouge. Il s'asseyait en tailleur au-dessus de la ville et il méditait. Il réfléchissait sur la métaphysique soufie, sur les textes sacrés de l'islam. Vous devriez vous y employer plus souvent, vous, les Occidentaux. Il y aurait moins de malheur sur terre.

— Mais nous réfléchissons!

— La plupart du temps, sur la manière de trucider votre voisin.

— Ce n'est pas faux...

— Vous voyez! Mon grand-père étudiait les textes. Ils ont plusieurs significations. Les plus importantes sont cachées sous l'apparence du sens premier. Vous n'allez plus comprendre...

Je ris et lui fis signe de continuer.

— Mon grand-père ne mangeait presque pas. Il méprisait les plaisirs terrestres. Il préférait la pratique des exercices spirituels. Il disait que c'était le bon moyen pour laisser toute sa place à Dieu dans notre âme. La grande idée soufie est la suivante : on arrive à la connaissance de Dieu par une discipline personnelle, à force de méditation et de renoncement aux tentations terrestres. Il faut tendre à un rejet total du « nafs ».

— Le nafs?

— Le nafs, c'est notre instinct égoïste, ce qu'il y a de bas, de médiocre et de méchant en nous. La seule passion terrestre de mon grand-père était la musique. Il jouait du sitar depuis l'âge de deux ans. Il était doué pour la composition et il était devenu un des grands maîtres de la musique traditionnelle. Il disait que la musique est une voie vers Dieu. Les mélodies du chant soufi expriment l'essence divine. Celui qui les compose note en fait sous la dictée d'Allah. Vous connaissez ces mélodies?

— Non...

— Évidemment. De toute l'Inde, on venait pour l'entendre. Pendant la saison sèche, les musiciens se succédaient dans la maison. Ils apportaient des offrandes et ils avaient le droit de vivre là une semaine, d'un bol de riz par jour. Ils assistaient aux leçons du maître. Et lui se perfectionnait dans l'étude des musiques du sous-continent.

– Vous avez vécu à côté de lui ?

– Non. Je ne suis pas née en Inde...

– Ah bon ? Pourquoi ?

– Vous êtes toujours pressé. Le wali avait un fils, qui s'appelait Ajit. Il avait été élevé comme toute la lignée, dans l'apprentissage de la philosophie et de la musique.

– C'était votre père ?

– Attendez ! Un jour, à l'âge de dix ans, Ajit est descendu en courant de la terrasse. Il avait contemplé le crépuscule et l'apparition des étoiles. Il a dit : « Père, comment pouvons-nous parler à un Dieu si lointain, qui est par-delà les étoiles ? » Son père méditait dans sa chambre, à même le sol. Il l'a fait asseoir devant lui. « Dieu, mon fils, n'est pas au ciel. Voilà la vérité essentielle. Dieu est partout, en chacun de nous, dans les objets, dans la nature, dans les beautés de la nature et dans la souffrance des hommes. » Ajit a découvert que ce précepte avait une grande conséquence : il ne faut pas seulement voir Dieu dans ce qui est supérieur à l'homme, comme vous le faites en Occident...

– Je ne crois pas en Dieu...

– Comment ?

– Je n'y crois pas.

– Je vais vous faire empaler.

– Ce n'est pas ma faute ! Cela ne se commande pas.

– Si ! Mais passons. Ce n'est pas la question. Essayez d'y croire un instant. Cela vous élèvera un peu. Je continue. Les religions occidentales placent Dieu dans le ciel.

– Jusque-là, ça va...

– Ou alors dans le tonnerre ou les éclairs. Ou encore sur un mont fabuleux dérobé à la vue de tous, comme l'Olympe ou le Sinaï. Or nous devons aussi voir Dieu dans ce qui est inférieur. Dieu est chez les enfants, les animaux, les esclaves ou les mendiants. Il est chez les pauvres intouchables autant que dans le palais des maharadjahs. Voilà ce que pensait mon grand-père. Par conséquent, tous ont droit à un égal respect. Un jour, parmi d'autres écoliers, Ajit se moquait d'un simple d'esprit qui prononçait des mots sans suite. Ils lui jetaient des cailloux. Le wali est entré dans une colère terrible. Il l'a grondé : « Ajit, cet homme est un *mahdjub*. La Loi du Prophète nous prescrit de le protéger. Parce que par sa bouche, un jour, Dieu peut s'exprimer. Nous ne comprenons pas ce qu'il dit. Mais sa folie peut nous conduire à la vérité. Dieu ne choisit pas toujours les savants et les puissants pour disciples. Il préfère souvent les fous. Ils ont pour eux l'innocence. »

– Votre grand-père était un sage...

– Bien sûr. Un jour, il a appelé Ajit dans sa chambre et il lui a dit : « Je suis vieux. Bientôt, je serai rappelé à Dieu. Ajit, tu devras continuer mon enseignement. J'ai pour toi une mission nouvelle, différente. Tes frères pourront prendre en charge la communauté de Baroda. Je médite depuis plus d'un an. Je suis sûr maintenant d'avoir trouvé la voie. Notre sagesse soufie est répandue partout en Orient, en terre d'islam et dans les pays hindouistes et bouddhistes. Mais elle est inconnue en Occident. Tu devras partir, loin d'ici, et former de nouveaux disciples dans ces pays de l'Ouest. Ce sont de puissantes nations. Grâce à leurs livres et à leurs canons, elles dominent le monde. Si nous voulons que notre message soit entendu, c'est là-bas qu'il faut le propager.

Ensuite, il se diffusera dans le monde entier. Quand saint Paul a voulu étendre au monde le message du Christ, il est allé à Rome. Aujourd'hui, Rome, c'est Paris, Londres et New York. »

– Quel projet !

– Mon cher, j'ai une famille exigeante. Nous sommes ambitieux. Sinon, à quoi bon être sur terre ?

– Et votre père lui a obéi ?

– Oui. Quand le wali est mort, sa famille a respecté sa volonté. Elle a pris Baroda en charge. Ajit, lui, a voyagé. D'abord en Inde, pour parfaire sa connaissance. Il a frotté son savoir à celui d'autres maîtres, en religion comme en musique. Puis, un jour, une petite valise à la main, il a pris la direction de la gare. Il avait le cœur serré, mais il était plein d'espoir. Sa mère, ses oncles, ses frères et ses sœurs le regardaient en pleurant, assemblés sous le porche de la grande maison rouge. Et il est parti.

Calé au fond du canapé, j'étais installé dans une douce torpeur. Le regard perdu dans le lointain, Noor revivait l'histoire de ce qu'elle avait abandonné pour s'engager dans l'armée qui avait vaincu Tipou Sahib... Elle reprit la parole :

– Il est déjà deux heures. Dormons. Si ce que je raconte a un intérêt quelconque, nous aurons tout le temps demain...

– Mais comment votre père, dis-je, a-t-il pu penser qu'il répandrait la foi soufie en Occident alors qu'il était seul, sans argent et sans aucune relation ? Ce n'est tout de même pas saint Patrick... ni l'Irlande arriérée qu'il devait évangéliser. Mais l'Amérique et l'Europe !

– Monsieur l'Occidental, vous devriez vous souvenir que Schéhérazade a conté son histoire pendant mille et une nuits. Les Occidentaux sont trop pressés...

En nous croisant dans le couloir, chacun se dirigeant vers sa chambre, la nostalgie flottait sur son visage. Plus tard, en passant devant sa porte, j'entendis des sanglots. Ému, navré, j'ouvris doucement la porte. Elle était couchée, tournée vers le mur. Je voyais son dos, dans l'ombre, agité par des hoquets. Je m'approchai et m'assis sur le lit. Je posai ma main sur son épaule. Elle ne bougea pas, mais elle sortit sa main du drap et prit la mienne. Je m'allongeai à côté d'elle, sur la couverture, et je l'enveloppai de mes bras. Elle se pelotonna contre moi sans se retourner. J'étais envahi de tendresse. Elle resta un long moment immobile et silencieuse. Ses sanglots s'apaisaient peu à peu. Puis elle soupira profondément et elle dit :

— Je devrais être plus forte. Je vous raconterai la suite demain, c'est promis. Il ne faut pas que je me laisse aller.

— Mais je ne veux pas vous faire du mal, Noor. Ne parlez plus de cela. C'est moi qui vous raconterai ma vie !

— Non, non. Je dois surmonter mes souvenirs sinon, je ne serai bonne à rien. Mais je veux bien écouter l'histoire de votre vie. Vous avez vécu tellement de choses...

Elle se retourna. Elle me faisait face dans le noir. Il y eut un instant suspendu. Elle m'embrassa sur la joue. Dépité, je l'embrassai à mon tour, sur le front, comme un enfant, et je quittai la pièce. Dix minutes plus tard, tendant l'oreille devant sa porte, je perçus le bruit régulier de sa respiration.

16.

Un coup de sonnette retentit. Nous nous regardâmes en silence. Qui nous cherchait? La police? D'autres membres du réseau?

Nous déjeunions d'un plat de topinambours assaisonnés de margarine et de quelques oignons que Noor avait découverts avec un cri de joie, au fond du garde-manger. J'avais passé toute la matinée à la fenêtre, assis sur une chaise, un calepin à la main. Caché par le rideau de mousseline, j'avais noté heure par heure les allées et venues qui s'effectuaient à la porte du commissariat. Au moment de déjeuner, j'avais été rassuré : les flics de garde se relayaient toutes les deux heures; ils laissaient un petit battement entre deux factions, sans doute pour prendre un remontant et échanger quelques mots. La pause durait au moins cinq minutes, parfois dix. Elle s'allongeait pendant l'heure du déjeuner. Je pouvais donc sortir de l'immeuble sans qu'ils me voient : il suffisait d'attendre la fin d'une garde, à huit heures, dix heures ou midi. Ainsi je n'étais pas tout à fait prisonnier. Je pouvais filer jusqu'au métro sans risquer d'être arrêté. Après, à la grâce de Dieu...

En mangeant ses topinambours, j'avais annoncé à

Noor mon intention de partir en expédition le lendemain.

– Patientez encore une journée, dit-elle d'une voix
suppliante. Les Allemands doivent être sur les dents.

– Si vous voulez... Mais je dois agir. C'est trop bête.

– Le premier devoir de l'agent, c'est tout de même de
rester en vie. Alors, ne faites pas le malin. Attendez!
Demain...

Le coup de sonnette l'avait interrompue.

Je lui fis signe de ne pas bouger. Nous n'existions pas
officiellement : il ne fallait pas répondre. Nous prêtions
l'oreille, interdits. Nous n'entendions que le silence
de l'immeuble et la rumeur de la rue. Au bout d'une
minute, un froissement nous parvint distinctement. Il me
sembla que quelqu'un descendait l'escalier. Mais le tapis
rouge étouffait le bruit des pas. Sur la pointe des pieds,
sans souffler mot, je gagnai l'entrée, Noor derrière moi.
Je vis un bout de papier blanc. C'était une lettre qu'on
avait glissée sous la porte. Je la ramassai. Elle venait du
département du Calvados. Elle était adressée à Renée
Garry; il n'y avait rien au dos. Je l'ouvris. Le texte
commençait par « Cher Arthur, chère Aurore ».

Les nouvelles n'étaient pas bonnes. Le réseau Prosper
a été décimé, annonçait Garry. Les arrestations se
comptent par dizaines, sinon par centaines. Il était sans
nouvelles de Prosper lui-même, mais sa compagne,
Andrée Borrel, avait été blessée et arrêtée en pleine rue
sous le nez d'un autre agent, qui l'avait immédiatement
fait savoir. Gilbert Norman, le radio, avait été pris à la
terrasse de la brasserie La Lorraine. Il avait rendez-vous
avec un contact, qui s'était éclipsé quand il l'avait vu
entouré de policiers. Beaucoup d'autres, que je ne
connaissais pas, étaient entre les mains de la Gestapo.

Norman capturé, les réseaux Prosper et Cinéma étaient sans radio. Il ne restait que Noor. Garry nous demandait de transmettre ces informations à Londres. Mais il nous enjoignait de ne pas commettre d'imprudence et de ne pas chercher un lieu d'émission avant huit jours. Il nous racontait aussi que son mariage aurait bien lieu le lendemain, dans une petite église normande, devant un curé et avec des enfants de chœur.

L'après-midi fut morose. Nous lisions dans le salon en évitant de commenter la lettre de Garry. Nous attendions la vacation du soir. À neuf heures, nous nous installâmes dans la chambre de Noor, autour de la coiffeuse, devant l'image du Père de Foucauld, à moitié cachée par le poste de radio. Cette fois, le message fut consistant. Noor mit une bonne demi-heure à le déchiffrer. Elle se trompa dans une transposition et recommença en pestant. Londres attestait les difficultés du réseau Prosper, le nombre d'arrestations. Nous apprenions aussi que Cinéma était intact, ainsi que Tinker, le réseau de Cowburn, l'homme de Dreux. En revanche, Scientist, le réseau de Donaldson, le fiancé de Noor, était vulnérable : il était très lié à Prosper qui avait participé de près à sa mise en place. De nombreux agents de Prosper avaient travaillé avec Scientist. Ils étaient aujourd'hui prisonniers, menaçant leurs camarades. Nous recevions au passage de chaleureuses félicitations pour la réussite de l'opération contre la gare de Dreux.

Lisant la suite, je sursautai : Londres nous conseillait de nous mettre, dans quelques jours, en rapport avec Gilbert Norman qui, disait le message, avait échappé à la rafle, en compagnie de Prosper. Eux deux et Blainville, ajoutait-on, seraient en mesure de reconstituer le réseau une fois l'alerte passée. Suivait un numéro de téléphone à appeler. Je regardai Noor :

– Vous êtes sûre de la transcription ? dis-je.

– Oui, je crois...

Elle consulta ses notes, fit quelques vérifications, puis confirma.

– Oui. Nous avons bien lu.

– Comment est-ce possible ? Garry nous écrit que Norman a été embarqué. Londres nous dit d'entrer en contact avec lui. Quelqu'un se trompe.

– Ou quelqu'un ment...

– Pourquoi mentiraient-ils ? C'est incompréhensible. Une erreur s'est glissée dans les communications. Londres a mal interprété un message...

– Je ne pense pas que Londres puisse mal saisir un message. C'est impossible dans les procédures que nous utilisons. Les messages sont très clairs une fois déchiffrés. On ne peut pas se tromper dans un nom ou prendre une phrase pour une autre. Pas avec le morse et la double transcription. Ou bien c'est clair, ou bien c'est illisible. Il n'y a pas de flou possible ou d'ambiguïté.

Je regardais Noor en réfléchissant. Elle savait de quoi elle parlait. D'où son envoi en France. Et, soudain, je pensai à Buckmaster et à Bodington. En définissant ma mission, ils m'avaient averti : un poste de radio, disaient-ils, avait été retourné par les Allemands. Ils s'en étaient aperçus et avaient coupé court après avoir continué un temps les communications. Voilà qui expliquerait l'incohérence des messages : le poste Norman a été retourné, pensai-je. Gilbert a craqué sous la torture ou bien trahi. Les Allemands ont pris sa suite. Ce sont eux qui rendent compte à Londres des avatars du réseau Prosper. Et Londres répercute à ses agents ! Mon esprit était pris de vertige devant le danger mortel qui venait d'apparaître. Sans la lettre de Garry, nous aurions appelé le numéro

indiqué par Londres. Comment douter d'un renseignement fourni par des chefs directs ? Ce numéro nous
aurait conduits à un rendez-vous avec Norman. Et nous
serions tombés dans une souricière.

Pendant une heure, nous discutâmes passionnément.
J'étais pour une action immédiate : écrire à Garry pour
l'avertir ; contacter Vienet et Blainville. Noor mettait
l'accent sur le risque que comportait un mouvement pré-
maturé. Et qu'était-il advenu de Prosper ? Norman
était-il le traître ? Était-ce Prosper ? Quelqu'un d'autre ?
Il fallait poursuivre les investigations, dénoncer à
Londres le retournement de Norman, localiser Prosper
et faire la lumière sur lui, que savais-je encore... Il fallait
agir.

– Attendons demain, dit Noor. Nous sommes excités
par ces hypothèses. Trouvons d'abord un moyen de vérifier vos intuitions. Il est tard, soldat !

Elle me prit par la main et m'entraîna vers le salon.
Comme un rituel, elle ouvrit la porte de la petite armoire
de la bibliothèque, sortit la bouteille de whisky, le porto,
un verre droit et une coupe. Elle versa le Gwalynlivet
dans l'un, le porto dans l'autre, me tendit mon whisky,
puis enleva ses chaussures et s'enfonça dans le fauteuil
club en remontant ses genoux sous son menton. La
deuxième nuit de ma Schéhérazade commençait...

– Ajit, mon père, dit-elle, s'est embarqué à Bombay
sur un paquebot rouillé. Il taillait lentement sa route vers
l'ouest. La mer était d'huile et il régnait une chaleur
accablante. Les cales étaient occupées par des familles
bruyantes et des travailleurs tout maigres. Ils allaient
tenter leur chance en Amérique.

– Votre père avait de l'argent ?

– Non, très peu. Il dormait sur le pont. Il était appuyé sur sa petite valise de cuir bouilli et il gardait son sitar à ses côtés. J'ai vu des photos de lui, à cette époque. C'était un jeune homme élégant. Il avait un regard fiévreux, et beaucoup de douceur. Et, un jour, il a vu la statue à la torche, devant le bateau. Il est entré dans un grand golfe, avec des buildings qui barraient l'horizon. Il a attendu dans les couloirs d'Ellis Island et un type en képi bleu a tamponné un papier. Il avait le droit de séjourner cinq ans aux États-Unis.

– Mais il ne connaissait personne...

– Si. Il avait l'adresse d'un cousin qui était arrivé en Amérique six ans plus tôt. Il habitait au fond du Bronx, à l'autre bout de Manhattan. À pied, trois heures plus tard, il a trouvé la rue. Il m'a raconté. On aurait pu se croire à Baroda ! La seule différence, c'était la hauteur des immeubles. Ils étaient noirs de fumée et des échelles de secours quadrillaient les façades. Pour le reste, il ne voyait que des femmes en sari, des enfants bruns qui jouaient autour des bornes d'incendie, des brahmanes en calot blanc et des boutiques constellées d'inscriptions indiennes. Son cousin l'a accueilli avec respect. Il lui a offert du thé dans une petite coupe en terre cuite. Il lui a fourni du travail. Il cousait des manches de chemise douze heures par jour dans un sous-sol où la lumière du jour filtrait à peine.

– Et le soufisme ?

– Attendez ! Avec sa première semaine de paie, il a fait imprimer des affiches où il était annoncé qu'un jeune wali venu du pays parlerait des « mystères de Dieu ».

– Il a attiré du monde ?

– Non. Il avait accroché l'annonce sur les vitrines des boutiques et à la porte des ateliers du quartier indien.

Les propriétaires avaient vérifié qu'il ne s'agissait pas de propagande socialiste. Quatre jours plus tard, il a pris la parole devant seize Indiens pieux. Ils étaient épuisés par leur journée de labeur. Deux ou trois se sont endormis pendant son prêche. Mais il était content.

– A-t-il eu davantage de succès ?

– Un peu, oui. Il est resté six mois dans la communauté indienne de New York. Il a acquis une réputation d'orateur et de sage, et il a pu cesser de travailler, car il vivait des offrandes de ses premiers disciples.

– C'était un début...

– Oui, mais il a vite compris qu'il était dans une impasse. La propagation du message soufi parmi les immigrés ne suffisait pas. Son père lui avait parlé d'« évangéliser le Nouveau Monde ».

– Il fallait convaincre les Américains !

– Exactement. Il a donc pensé à la musique. Il avait l'adresse d'un musicien qui avait vécu dix ans plus tôt à Baroda pour s'initier au sitar et à la composition traditionnelle. Il dirigeait un conservatoire dans le sud de Manhattan. Un conservatoire plutôt huppé. Il est allé le voir. Il avait son costume à col de clergyman, une tunique blanche rapiécée et un turban autour de la tête. L'autre l'a accueilli avec courtoisie. Il s'est enquis de Baroda, de son père, etc. Au bout d'une demi-heure, Ajit lui a demandé s'il pouvait espérer donner des leçons dans son conservatoire.

– C'était une requête audacieuse...

– Oui. Le conservatoire employait des musiciens professionnels qui avaient fait leurs études aux États-Unis. Mais le directeur l'a fait jouer du piano. C'était très chic de sa part. Et il l'a engagé aussitôt ! Mon père avait interprété une sonate de Liszt, très difficile techniquement. Le lendemain, il a été nommé professeur remplaçant.

– C'est incroyable !

– Non. Mon père était hors du commun. Et le type a eu une idée géniale. Il lui a conseillé d'enseigner aussi la musique indienne. Ça l'intéressait parce que c'était la mode en Occident. Mon père ne le savait pas, mais il y avait un mouvement orientaliste qui se développait un peu partout. L'année suivante, le conservatoire a ouvert une classe de musique traditionnelle soufie, accompagnée d'un cycle de conférences. J'ai vu l'affiche, il me l'a montrée un jour, sur laquelle était écrit : Enseignement assuré par le « maître de sagesse indienne Pir-O-Murshid Ajit Vijay Khan ».

– Pir-O-Murshid ?

– Cela signifie « maître de sagesse ».

– L'affiche voulait dire « le maître de sagesse maître de sagesse Ajit » ?

– Oui. Les mots exotiques impressionnent ! Il a eu du succès tout de suite. Il était érudit et simple à la fois. Il était souvent drôle et il pratiquait une politesse toute britannique. Ça existe...

– C'est le bon côté des impérialistes...

– Il est devenu l'homme à la mode parmi les familles cultivées du sud de Manhattan. Je crois qu'il plaisait aux dames désœuvrées qui organisaient la vie mondaine new-yorkaise. Il prêchait la spiritualité tolérante, les exercices de méditation et des mouvements lents, comme le yoga. Il était souvent invité dans des dîners en ville. Ou à des conférences privées autour d'un thé, dans les grandes résidences de la Cinquième Avenue. Il s'était laissé pousser la barbe. Il ne portait plus qu'une longue robe blanche, et une veste de soie de couleurs vives. Il avait de l'allure !

– Une personnalité mondaine ?

– Si vous voulez... L'année suivante, une riche admiratrice a convaincu son mari de distraire une part de ses dividendes pour constituer une fondation que dirigerait Pir-O-Murshid. Il a pu louer une maison près de la Huitième Avenue et l'a utilisée pour ses activités de propagation de la foi et d'enseignement de la musique sacrée. Il a étendu ses conférences à d'autres villes de la côte est jusqu'à San Francisco et Los Angeles. Comme mon futur père revenait plusieurs fois parler dans la même ville, il a constaté qu'il retrouvait un noyau de fidèles à chaque conférence et il leur a proposé de fonder dans leur ville un petit centre de foi soufie et de musique. Il prenait en pension, à New York, des membres de ces communautés pour les instruire dans la connaissance mystique, avant de les renvoyer chez eux, où ils formaient des disciples à leur tour.

– Mais vous ?

– J'y viens ! Un soir qu'il avait parlé devant les membres d'une société philanthropique de Boston, une jeune femme mince, aux beaux cheveux châtains et au regard mélancolique, a souhaité lui parler. Elle voulait s'initier à la connaissance avec des leçons particulières. C'était la fille d'une riche famille bostonienne qui était prête à payer un bon prix. Au bout de trois leçons, Ajit a refusé l'argent et l'a demandée en mariage. La jeune fille s'appelait Ora Wilson. Elle a accepté avec joie. C'était ma mère !

– Étrange, pour une Bostonienne, de se marier avec un gourou...

– Un gourou ? Oui, si on veut... Elle était très religieuse, fascinée par le soufisme et par mon père en même temps. Elle est devenue bégum.

– Bégum ?

– Cela signifie princesse. La bégum Ajit Vijay Khan. C'est mieux que Miss Wilson, non?

– Ah oui! Et vous avez pris le pseudonyme de Wilson à cause d'elle...

– Oui, j'aime beaucoup ma mère. Et puis la RAF trouvait que mon nom était compliqué. Ils m'ont demandé un nom anglo-saxon. J'ai choisi Nora Wilson.

– Donc, vous êtes née aux États-Unis?

– Non. Je suis née au Kremlin, à Moscou.

– À Moscou?

– Ajit se souvenait chaque jour du message de son père. L'Amérique ne suffisait pas. Il fallait aussi prendre pied en Europe. L'été 1912, il a de nouveau embarqué sur un paquebot. Cette fois avec sa femme et en première classe. Il était précédé de sa réputation. Son carnet d'adresses musical et mondain était bien rempli. En deux ans de prêches et de concerts, il a réussi à faire essaimer ses centres soufis à Genève, Amsterdam, Londres, Berlin et Paris. Il a fait venir de Baroda frères et sœurs qui avaient monté un orchestre de musique sacrée. Les donations se multipliaient. Il était l'hôte des familles royales, l'ami des puissants, l'ornement des soirées du gotha. Les instituts de théologie et des universités de philosophie se l'arrachaient. Son interprétation de l'islam était commentée dans les séminaires et les amphithéâtres.

– A-t-il forgé sa propre doctrine?

– Oui. Au contact de la société occidentale, il a évolué. Plus il apprenait, plus il comprenait l'état d'esprit des Européens et des Américains, plus il réformait sa propre pensée. Il a gardé la base de la pensée soufie – l'attitude mystique et le combat permanent contre le nafs, les exercices qui conduisent à la connaissance directe de Dieu. Mais il y a ajouté ce que les théologiens appellent un syncrétisme. Une synthèse...

– Au fond, c'était un prophète ?

– Il a eu moins de succès que Jésus ou Mahomet. D'accord. Mais il a créé une religion. Il intégrait dans ses discours les éléments qui lui paraissaient les mieux établis dans les autres religions et il a drainé des disciples de l'Europe entière, il prononçait ses conférences en quatre langues. C'était incroyable. Il traduisait successivement ses propos, formulés d'abord dans la langue locale, puis en français et en anglais ou en allemand, selon l'auditoire. Il cherchait des exemples et des arguments dans les découvertes de la science physique ou mathématique. Il s'exprimait en paraboles et en symboles mais gardait toujours une grande clarté d'expression. Il a publié plusieurs livres qui sont des classiques du soufisme moderne.

– Les autres soufis l'ont-ils accepté ?

– Plus ou moins. C'est une religion plutôt tolérante et, dans la tradition, les grands maîtres se succèdent. Son cas n'avait rien d'exceptionnel. Il y en avait eu beaucoup dans l'histoire du soufisme. Mais lui était original. Les soufis traditionnels sont attachés aux origines orientales et à la source musulmane de la pensée soufie. Certains le tenaient pour un dangereux libéral. Ils trouvaient que cette tentative de synthèse entre le christianisme, le bouddhisme et l'islam était à la limite de l'hérésie. Mais, enfin, on ne pouvait pas le brûler ou le lapider...

– Ou l'empaler.

– Ou l'empaler, parce qu'il était en Occident. Il faut bien reconnaître que, dans votre société d'incroyance et de décadence, on est quand même plus tranquille...

– Vous voyez, quand il n'y a pas de Dieu, les hommes sont plus libres...

– Oui, mais ils sont désespérés.

– C'est possible. Au moins, on ne les met pas en prison pour leur rendre l'espoir.

– Touché, monsieur le rationnel.

– Pourquoi Moscou ?

– C'est Raspoutine qui a fait venir mon père...

– Raspoutine ?

– Oui, le moine qui était le confident de la tsarine.

– Je connais !

– Ah, tout de même !

– Mais il était fou.

– Non, pas du tout. Il était mystique.

– C'était un escroc. Il était vénal, il passait son temps à lutiner les demoiselles d'honneur et il allait voir des prostituées.

– Peut-être. J'étais trop jeune pour m'en rendre compte. Mon père m'a toujours dit que c'était un mystique intéressant... Ma mère était enceinte. Raspoutine lui a conseillé d'accoucher au Kremlin. En hommage à la clarté qui naît de la connaissance et chasse les ténèbres, elle m'a appelée « Lumière » : Noor.

– Vous êtes restés en Russie ?

– Non. La guerre nous a chassés. Nous sommes partis pour Londres où vivait une communauté soufie active. Et puis le gouvernement nous a tourmentés, parce que nous fréquentions un avocat indépendantiste du nom de Gandhi...

– J'en ai entendu parler.

– Très bien, bravo ! Nous avons dû fuir, chassés encore une fois par les impérialistes anglais.

– Vous êtes repartis...

– Oui. En France, cette fois. Nous étions quatre enfants. Mon frère Vilayat était l'aîné. Il jouait de plusieurs instruments, parlait quatre langues, montait à cheval et progressait tous les jours dans la science mystique. Moi aussi, j'ai reçu un enseignement théologique et musical. J'ai appris la harpe, le piano, la littérature et la métrique poétique soufies. Mon père a décidé de fixer près de Paris le centre européen de sa communauté. Il a acheté une vaste maison à Suresnes, au milieu d'un parc, sur la pente d'une colline qui domine toute la ville. Il a aménagé une terrasse sur le toit, avec une balustrade de pierre. Plusieurs fois par jour, il sortait sur la terrasse. Il s'asseyait en tailleur sur un petit tapis à franges et il méditait, tourné vers le soleil. Il a baptisé la maison Fazal Manzil. C'est là que j'ai grandi. Il a pris l'habitude de réunir tous les ans ses disciples du monde entier dans la prairie, face à la maison, et il tenait un séminaire annuel où se retrouvaient des représentants des grandes religions du monde. Fazal Manzil est devenu le premier centre soufi en Europe.

— Il pratiquait un culte ?

— Bien sûr ! Le soir, ma famille se réunissait avec quelques disciples dans le deuxième salon du rez-de-chaussée, où on avait installé une douzaine de chaises et de fauteuils. Là, il prenait un gros livre sur un meuble indien, il s'avançait vers un lutrin et il lisait quelques versets extraits des grands textes religieux de l'humanité. Ils étaient tirés du Coran, de la Bible, de la Torah ou de l'enseignement bouddhiste. Il les avait regroupés selon sa pensée et avait créé un corps de doctrine cohérent.

— Vous alliez en classe ?

— Évidemment ! Vous croyez que nous vivions sur nous-mêmes, comme une secte ?

— Mais non ! Je demande...

— J'ai suivi les cours à l'école de Suresnes, puis au lycée de Boulogne. Le reste du temps, je faisais de la poésie, je jouais de la harpe ou bien je bavardais avec ma mère. Je recevais les enfants du quartier et je leur racontais des histoires. J'étais assez populaire...

– Cela ne m'étonne pas. Votre père est toujours vivant ?

– Non. Il est mort. Un soir de 1935, il nous a demandé de venir le voir, Vilayat et moi, dans le petit bureau qu'il avait construit sur la terrasse. Ses traits étaient tirés et il parlait en s'essoufflant. Cette image est devant mes yeux. Il faisait beau. Un coucher de soleil descendait sur Paris. Il nous a dit : « Mes enfants, je vais bientôt être rappelé à Dieu. Demain, je partirai pour Baroda et vous ne me verrez plus. C'est ainsi. Il faut accepter les épreuves de la vie. Dès qu'il sera en mesure de le faire, Vilayat poursuivra mon enseignement. Noor l'aidera de son mieux. Vous vous marierez pour perpétuer notre lignée et vous vous attacherez à transmettre mes découvertes. Vous prendrez aussi soin de la bégum, qui aura besoin de vous. » Nous étions interdits. Il nous a pris dans ses bras et il nous a serrés contre sa poitrine. Il a ajouté : « Adieu, mes enfants. Je vous ai beaucoup aimés. Nous nous retrouverons plus tard, près de Dieu. Ne soyez pas tristes. Mon sort est enviable. Je me rapproche de la lumière. » Nous pleurions. Il a fini par une sorte de testament politique : « Une grande épreuve vous attend. Il va y avoir la guerre. Cet Hitler est un fou et un tyran maléfique qui voudra conquérir l'Europe. Quoi qu'en pensent leurs dirigeants aujourd'hui, la France et l'Angleterre devront l'affronter. » Depuis quatre ans, on entendait régulièrement, dans la radio de bois verni du salon, les vociférations des meetings nazis. Chaque fois, il avait le regard glacé et il hochait la tête. « Sachez que la doctrine de ces nazis représente le contraire de mon enseignement. Ces hommes-là ont l'intention d'asservir l'humanité entière. Ils ne sont que haine et mépris pour les humbles. Notre foi est fondée sur le respect et sur la liberté. Je vous l'annonce, vous ne pourrez pas rester neutres. Dans la voie que vous choisirez, vous devrez vous engager aux côtés de ces deux pays qui nous ont accueillis, qui ont protégé notre maison et notre foi, même s'ils ne la comprenaient pas, la France et l'Angleterre. Telle est ma volonté. »

Il y avait une lueur de défi dans le regard de Noor quand elle rapporta les dernières paroles de son père. Elle s'arrêta. Je regardai ma montre : trois heures dix. Comme si elle sortait d'un rêve, elle me fixa. Elle sourit.

– Il faudra vous livrer au même exercice, ne l'oubliez pas.

– Cela ne prendra pas la moitié d'une soirée !

17.

Le lendemain, à onze heures, comme la veille à la même heure, je vis le flic du commissariat rentrer dans son poste. Je dévalai immédiatement les escaliers et sortis à gauche vers le café qui faisait le coin avec la rue de la Tour, et qui s'appelait Aux Espagnols, près de l'église espagnole de Paris. J'avais coupé court aux objurgations de Noor en lui démontrant que notre inaction mettait d'autres agents en danger. J'entrai, commandai un café au comptoir et demandai le téléphone. Le patron le prit sur une étagère derrière lui et le tira pour le poser devant moi.

– Attendez, dit-il, je mets le compteur.

Il alla près du débit de tabac où on ne débitait plus grand-chose, sinon des timbres-poste et des billets de loterie, et tourna une manette noire. J'entendis la ligne se libérer dans l'écouteur. Je composai le numéro de Vienet et j'attendis. En face de moi, je voyais au mur une affiche qui vantait l'apéritif « La Mère Picon » et au-dessous une autre exaltant la « Légion des volontaires français contre le bolchevisme ». Une voix féminine répondit.

– Bonjour, je voudrais parler à M. Millet (c'était le nom de Vienet), de la part de M. Joumard.

– De M. Joumard? demanda-t-elle.

Elle avait bien séparé les syllabes en répétant le nom. Je crus sentir une pointe d'excitation dans sa voix.

– Oui, de M. Jou-mard.

– Ne quittez pas, je vous le passe.

J'eus Vienet dans la seconde.

– Allô, monsieur Joumard? dit-il d'un ton inquiet. Alfred Joumard?

– Non, Arthur.

– Ah oui... Arthur! Mais rappelez-moi où nous nous sommes rencontrés la dernière fois?

Je compris que Vienet jouait les ignorants. Il voulait être sûr d'avoir affaire à moi et non à un agent de la Gestapo qui aurait obtenu son numéro pendant un interrogatoire. La rafle en cours rendait prudent.

– Nous nous sommes vus à l'école, vous savez, dimanche, il y a dix jours, répondis-je. Vous vous souvenez? Le professeur était là. Et le poète aussi.

– Le poète..., dit-il, vous voulez dire Brasillach?

 - Non, Cocteau.

– Ah oui! Et vous étiez avec cette jeune femme charmante, n'est-ce pas?... J'ai oublié son nom...

– Aurore.

– Aurore, c'est ça. Très bien, très bien.

– Voulez-vous d'autres détails? dis-je avec un sourire dans la voix.

– Non, c'est inutile. Mais vous comprenez que je ne peux pas prendre de risques. Comment allez-vous, Arthur? Et Aurore?

– Nous allons bien, mais il faut que je vous voie. D'urgence.

– Oui, bien sûr. Et vous ne souhaitez pas vous déplacer, je suppose.

– Vous m'avez compris...

– Fixez un rendez-vous, j'y serai.

Je réfléchis. J'allais lui indiquer l'adresse de l'appartement. Mais il y avait une petite chance que Vienet ait été lui aussi arrêté pour être ensuite retourné. La Gestapo pouvait être à un mètre de lui, avec un écouteur. Je ne devais pas lui révéler mon adresse. Je ne pouvais pas non plus envisager un endroit éloigné de la rue de la Pompe : j'aurais couru un trop grand danger en m'y rendant. Je jetai un coup d'œil autour de moi. En face du café, de l'autre côté du carrefour, il y avait une boulangerie. Autour, le croisement de trois rues formait une petite place.

– Venez, dans vingt minutes, au croisement de la rue de la Tour et de la rue de la Pompe. C'est près du métro Pompe. Il y a une boulangerie au carrefour. Entrez, je serai là.

– D'accord, dit-il.

Il n'avait pas demandé plus de temps : c'était bon signe. Je savais que ses bureaux étaient situés sur les Champs-Élysées. C'était à un quart d'heure à pied et trois minutes en voiture. S'il avait réclamé un délai, j'aurais pu supposer que lui, ou la police, aurait besoin de temps pour organiser une souricière. Je décidai malgré tout de rester prudent. Je payai et j'allai faire le tour de la place comme si je cherchais une adresse. À chaque entrée d'immeuble, quand la porte était ouverte ou s'il y avait une baie vitrée, je jetais un œil à l'intérieur. Au troisième immeuble, je trouvai ce que je cherchais : un couloir vide, sans loge de concierge. J'entrai, refermai la porte et demeurai à l'intérieur. À travers une vitre teintée de rose protégée par un croisillon de métal, j'avais un bon point de vue sur la boulangerie. Mais j'étais invisible de la rue. En cas de piège, il suffisait que je reste caché là. Et s'ils visitaient tous les immeubles, je pourrais encore m'enfuir par les toits.

Un quart d'heure plus tard, une voiture passa devant le café d'où j'avais téléphoné. Je reconnus Vienet, qui ne s'arrêta pas, tout en regardant à droite et à gauche pour repérer les lieux. Trois minutes plus tard, la voiture repassa, toujours sans s'arrêter. La troisième fois, elle se gara devant le café. Vienet en sortit, marcha droit vers la boulangerie et entra. J'attendis. Aucune autre voiture ne suivait. En dehors d'un client qui quittait le café avec un chien en laisse, le carrefour était désert. J'entrouvris la porte de l'immeuble. De biais, je vis le flic qui faisait le pied de grue devant son commissariat. Tout semblait calme.

Un client sortit de la boulangerie. Toujours rien. Au bout de deux minutes, Vienet revint sur le trottoir, une miche de pain noir à la main, avec un visage étonné. Il s'arrêta et regarda autour de lui, plongeant son regard dans chacune des trois rues qui se croisaient. J'attendis encore. Vienet était immobile. Il consulta sa montre, puis se mit à faire les cent pas devant la boulangerie. Quatre minutes plus tard, il traversa de nouveau la rue et ouvrit la porte de sa voiture pour repartir. À ce moment précis, je sortis sur le trottoir et je criai : « Vienet ! » Il me vit et écarta les bras en signe d'interrogation. Je pointai du doigt le café. Il s'en approcha. Puis je tournai la tête de tous côtés : aucun signe d'agitation, aucune voiture démarrant vers moi, aucun homme en imperméable courant dans ma direction. Je traversai à mon tour et entrai dans le café.

Je restai deux heures avec Vienet. Je compris à cette occasion pourquoi je n'arrivais pas à le prendre tout à fait au sérieux. Avec son costume sur mesure, sa pochette, ses cheveux laqués, sa fine moustache noire et son sourire enjôleur, Vienet était le sosie de Jean Sablon, un chanteur français que j'avais vu sur scène avant guerre et qui avait importé en France le style « crooner » de certains jazzmen de charme américains. Il m'offrit une omelette au fromage, un morceau de brie et un paris-brest. L'omelette était minuscule, le brie n'avait aucun goût et le paris-brest était fait de farine de froment et de saccharine. Je ne fis guère attention à la nourriture : les informations données par Vienet me stupéfièrent.

Norman, me dit-il, avait été pris le premier, à la terrasse de la brasserie La Lorraine. Deux gestapistes l'avaient immobilisé en lui braquant un luger sur le ventre alors qu'il buvait une bière. Un troisième l'attendait dans une traction avant noire. Ils l'emmenèrent directement au 84, avenue Foch. C'était l'un des sièges de la section IV de la Gestapo parisienne, cette police nazie pilotée au sommet par Himmler et par Heydrich, jusqu'à son assassinat par le SOE. En France, la responsabilité en avait été confiée dès 1940 à Helmut Knochen, docteur en philosophie et nazi fanatique, d'une intelligence aiguë. C'était lui qui avait conseillé à l'état-major et à Hitler de ménager le gouvernement de Vichy et de limiter la répression en France, de manière à transformer le pays en une immense résidence de repos pour l'armée allemande. Les actions de la Résistance, armée par le SOE, contrariaient cette politique. Il était prêt à tout pour rétablir la sécurité de la base arrière qu'il avait ménagée à la Wehrmacht.

La section IV était dédiée à la « lutte antiterroriste » et à la détection des radios clandestines. Deux militaires rusés et brutaux la dirigeaient, Boemelburg et Kieffer.

– Ils n'usent pas toujours de la force, expliqua Vienet. Ils ont une longue expérience et savent que la pression psychologique peut être aussi efficace. Mais ils ne reculent devant aucun moyen si la ruse ne marche pas. Ce sont eux qui ont torturé Moulin quand il a été transféré de Lyon.

– Qui est Moulin ?

– C'est Max, celui que de Gaulle avait envoyé en France pour mettre un peu d'ordre dans la Résistance. Il a été pris, il y a une dizaine de jours, à Caluire, près de Lyon, avec plusieurs autres. Quand il est arrivé avenue Foch, Kieffer s'est plaint de la brutalité de la Gestapo locale, qui avait beaucoup cogné sur Moulin. Mais quand Moulin a refusé de parler, comme il l'avait fait à Lyon, les gens de l'avenue Foch l'ont massacré. Il n'a rien dit. Boemelburg l'a ensuite arrêté chez lui, à Neuilly, pour le « travailler ». Il n'a rien obtenu. Rien !

On sentait dans sa voix une admiration sans bornes pour le courage de Moulin.

– Quand il a été à bout de forces, il s'est jeté contre les murs de sa cellule. Il est mort pendant son transfert en Allemagne, dans un train. Voilà une solution que Norman n'a pas choisie...

– Ils l'ont torturé, lui aussi ?

– Ils n'ont pas eu besoin de le faire. Norman était usé. Il a craqué.

– Comme ça, tout de suite ?

– Boemelburg et Kieffer ont un adjoint redoutable, dont le nom est Ernst Goetz. C'était un professeur de français en Allemagne. Il s'occupe des radios. C'est lui qui organise les opérations de retournement, ce qu'ils appellent le « Funkspiel », le jeu de la radio. Il connaît très bien votre organisation.

– Je dois avoir vu un de ses véhicules. Il est passé en bas de notre appartement, avant-hier...

– Vous avez émis de votre planque ? Ne faites jamais ça. Dans ce quartier, ils sont très bien équipés et ils vont très vite.

– Ne vous inquiétez pas. Nous ne recommencerons pas. Nous avons eu trop peur.

– Ce Goetz a mis sous les yeux de Norman un organigramme complet du SOE, avec les adresses à Londres, les camps d'entraînement, le nom des chefs principaux, la disposition géographique des réseaux en France. Tout ce qu'ils avaient appris en interrogeant d'autres agents. Ils lui ont aussi raconté presque tout ce qu'ils savaient sur le réseau Prosper, c'est-à-dire beaucoup. Norman a un peu résisté. Mais Goetz avait fait enregistrer le son d'une séance de torture particulièrement horrible. Ils ont passé la bande sur un gros magnétophone, dans la pièce d'à côté. Norman s'est effondré en un quart d'heure. Il a avoué qui il était, ce qu'il faisait, qui était son chef, etc.

La reddition de Gilbert Norman avait été catastrophique pour Prosper et son réseau. L'invasion de l'école de Viroflay par un bataillon de soldats allemands en était le premier résultat. Le jardinier, qui veillait sur la serre, plusieurs enseignants et une poignée d'étudiants furent emmenés dans un camion. Le professeur Adamowski n'était pas à Viroflay. Il attendait un courrier de Prosper dans son appartement parisien, square de l'Alboni. Quand deux hommes de la Gestapo sonnèrent à la porte, il leur ouvrit et dit : « Ah, vous êtes deux. Je vous guettais ! » Étonnés, ils entrèrent dans le salon, patientèrent jusqu'à ce qu'il revienne avec un café et sortirent leur carte de la police allemande. Il lui fallut une minute entière pour comprendre. Il fut conduit à Fresnes pendant que les deux policiers restaient dans l'appartement. À six heures du soir, ils accueillirent Hélène Adamowski, qui protesta hautement en disant qu'elle ne comprenait rien à ce qu'on lui disait. À force de conviction, le professeur réussit à persuader la Gestapo que sa femme ignorait tout de ses activités. Elle fut relâchée. Mais il fut interrogé avec une cruauté particulière.

Andrée Borrel, l'amie de Prosper, avait rendez-vous dans le musée de la Marine, au Palais de Chaillot. En apercevant un nombre anormal d'hommes seuls qui attendaient devant l'entrée, sur la place du Trocadéro, elle courut vers la rue Franklin. Un lieutenant de la Gestapo française lui tira dessus. La balle traversa le poumon et elle fut transportée, mourante, à l'hôpital du Val-de-Grâce, où des chirurgiens de l'armée lui sauvèrent la vie. Quand son état s'améliora, elle fut transférée à l'infirmerie de Fresnes.

Le restaurateur du Jardin du Palais-Royal fut aussi arrêté. On lui reprochait d'avoir dissimulé à la police que des résistants figuraient parmi ses clients réguliers et on découvrit que son restaurant servait de boîte aux lettres à Prosper. Il fut fusillé.

Prosper, lui, avait trouvé refuge dans un vieil hôtel de la rue Mazagran, près de la République. Il était sorti quand la Gestapo est arrivée. Le concierge de l'hôtel ne put pas dissimuler qu'un certain M. Desprée avait pris pension depuis la veille. À dix heures, Prosper entra dans le hall et vit deux hommes en imperméable qui lisaient un journal sur un canapé. Il s'enfuit en courant. Mais la rue était remplie de policiers. Il fut ceinturé, jeté à terre et emmené, menotté, directement avenue Foch.

– Il n'a pas parlé? dis-je.

– Non. Mais ils lui ont fait lire la déposition de Norman. Tout y était. Y compris le nom du père et de la mère de Prosper. Heureusement, ils vivent tous les deux en Angleterre... Alors, Prosper a imaginé un accord avec la Gestapo.

– Un accord avec la Gestapo!?

– Oui, un échange, un compromis...

– Un compromis sur quoi?

– Il a proposé la liste des caches d'armes, des terrains d'atterrissage, et le nom de plusieurs membres du réseau, en échange de la vie sauve pour tous ses agents.

– Mais comment peut-on négocier avec les nazis? Ils n'ont aucune parole!

– Je ne sais pas. Il l'a fait, en tout cas.

– Ils ont accepté?

– Oui. Kieffer et Boemelburg ont signé un papier. Knochen a approuvé et Prosper a donné ce qu'il avait négocié.

– Tout?

– Non, pas tout. Pas vous. Ni Aurore. Ni certains agents que les Allemands peuvent difficilement connaître. Prosper a dû faire un choix parmi ceux qui lui semblaient grillés ou sur le point de l'être.

– Et ils ont pris les autres?

– Quelques-uns. Très peu, en fait. Grâce aux aveux de Norman et en suivant les filières, ils avaient déjà arrêté plus de cent personnes dans la région parisienne. En revanche, ils ont confisqué toutes les armes. Des quantités énormes.

– C'est incroyable!

– Vous savez, Prosper était un mystique. Quand il a été capturé, tout s'est effondré pour lui. Il était très conscient de sa valeur. Trop. Et trop convaincu de son importance. Une fois, il m'avait dit : « Vous savez, si je veux, je peux provoquer le débarquement. Si je donne l'ordre de l'insurrection, Paris sera à feu et à sang. Les Alliés seront obligés de suivre. » Voilà ce qu'il m'affirmait, sans plaisanter le moins du monde. Du coup, il s'est imaginé qu'il pourrait parler d'égal à égal avec les Allemands. Il menait une vie de fou. Cela faisait trois ans qu'il était parmi nous à se terrer, à organiser des opérations insensées, à tenir toute l'organisation à bout de bras. Cela porte sur les nerfs.

En écoutant Vienet, un monde différent se révélait à mon esprit sidéré, un monde dans lequel les héros étaient pris au piège, dans lequel les meilleurs combattants de l'ombre devenaient les plus naïfs, dans lequel un agent secret se croyait l'égal d'un ministre ou d'un général d'armée. Il y a une folie inhérente à l'action clandestine. J'en voyais les ravages en écoutant ce chef gaulliste me décrire l'échec d'un croisé, Francis Suttill dit Prosper, l'un des meilleurs soldats qu'ait comptés l'armée britannique.

Un doute me vint.

– Et vous, comment êtes-vous si bien informé ? Je sais que vous connaissez Kieffer. Mais ce n'est tout de même pas lui qui vous raconte ce qu'il fait...

Vienet sourit.

– Je pensais que vous me poseriez cette question plus tôt. Vous avez encore des progrès à faire. J'ai deux sources. Les Allemands ont remis Norman en liberté deux jours, et il a essayé de piéger un de mes gars, un de ceux qui ont participé à l'opération Foligny avec vous. Quand Norman lui a expliqué que lui et Prosper avaient passé un accord avec la Gestapo, ses cheveux se sont dressés sur sa tête, ou presque. Il a renversé la table et il est parti en courant. Le café était truffé de flics, mais il les a pris par surprise. Ils lui ont couru après, car ils ignoraient qu'avant la guerre – et avant de tourner au voyou – mon type avait été champion de France junior du dix mille mètres. Au bout de dix minutes, il les avait semés. Ces crétins n'avaient pas de voiture à proximité.

– Et l'autre source ?

– J'ai quelqu'un avenue Foch. Et ce n'est pas Kieffer...

Vienet avait son sourire de chanteur de charme. Je me demandai s'il fallait le croire, ou bien le coucher sur ma liste de suspects. Je me dis que, s'il trahissait, il m'aurait déjà donné. Ou bien qu'il aurait cherché à savoir où j'habitais pour prendre aussi Noor et sa radio. Après la guerre, j'appris au cours d'un procès de l'épuration que l'agent de Vienet avenue Foch s'appelait Marie-Rose Holveldts, une jolie fille qui faisait le ménage dans les bureaux de la section IV. Elle était la maîtresse d'un officier de la Gestapo, Karl Haug, mais renseignait en même temps les réseaux gaullistes. Grâce à elle, Vienet avait déjà déjoué plusieurs pièges tendus par Goetz et Kieffer. La foule avait failli la tondre quand on avait envahi les bureaux de la Gestapo en août 44, à la Libération. Mais plusieurs FFI s'étaient portés garants et des chefs de réseau vinrent témoigner à son procès. Elle fut acquittée.

– Mais qui a donné Norman ? dis-je à Vienet.

– Je ne sais pas. Peut-être a-t-il été imprudent ? Ou bien une partie du réseau était déjà grillée.

Je décidai de lui raconter les soupçons de Baker Street, mon début d'enquête, les deux opérations connues à l'avance par les Allemands et la théorie que j'avais forgée à ce propos.

– Vous avez peut-être raison. En tout cas, votre raisonnement est logique. Si l'hypothèse est juste, nous sommes dans une situation encore plus dangereuse que je ne le craignais.

– Mais si le traître était Prosper ?

– Tout est toujours possible. Je n'y crois pas. Je ne le sens pas. Norman et lui ont craqué après l'arrestation. Pas avant.

– Alors, il ne reste plus grand monde.

– C'est pourquoi la situation est plus dangereuse encore. S'il y a un traître en liberté, il continuera à intoxiquer Londres et à aider les Allemands. Personne n'est en sécurité.

– D'autant que Londres pense que Norman est toujours libre et actif. Ils me l'ont télégraphié hier soir.

– Comment peuvent-ils... ?

Il s'arrêta soudain, comme si un souvenir précis lui revenait.

– Mais bon sang de bonsoir ! Je me rappelle cette histoire. Je l'avais trouvée incroyable et elle m'était sortie de l'esprit. Quand Norman a parlé à mon gars, pour le convaincre, il lui a dit que Londres les avait lâchés. C'est souvent ce que prétendent les agents qui craquent. Cela justifie leur reddition. Mais Norman a été plus précis. Les radios ont deux « checks » de sécurité. Vous le savez mieux que moi : si on est pris, on donne le premier aux Allemands et on omet de parler du second. Le message arrive sans le second mot de passe : Londres comprend qu'on émet sous contrôle nazi. Lorsque Goetz l'a forcé à émettre pour son compte, Norman a suivi la procédure. Mais Londres a répondu cette chose inouïe : « Vérifiez votre message, vous avez oublié le second check de sécurité. » Vous vous rendez compte ! Je m'imaginais que Norman avait menti pour faire tomber mon gars. Mais, en fait, tout est clair : Londres a été d'une telle négligence qu'ils ont averti Goetz qu'il manquait un check de sécurité et quand Norman a émis de nouveau, avec le second mot de passe, ils ont supposé qu'il agissait librement. Ils pensent donc que Norman est libre. Il faut que vous les préveniez rapidement. Vous, ils vous croiront.

– J'ai une lettre pour Garry, répondis-je. Il est libre de ses mouvements en Normandie. Par son réseau, il pourra avertir Londres.

– Oui, c'est bien. Mais il faut aussi poursuivre votre enquête. Je peux vous aider. Je vais essayer de savoir si Prosper avait eu des contacts avec l'avenue Foch avant son arrestation. Ce qui expliquerait tout...

18.

Il me prit par l'épaule au moment où je pénétrais dans l'immeuble. Pourtant, après avoir quitté Vienet, je n'avais fait que trente mètres entre le café et l'entrée. Il était deux heures exactement. J'avais guetté la relève devant le commissariat pour me risquer.

– Police ! dit-il.

Sa main était forte. Il m'obligea à me retourner. Il brandissait une carte tricolore.

– Ne bougez pas ! Il y a vingt flics dans ce commissariat ! J'ai un sifflet. Vous n'avez aucune chance !

Je songeai à me dégager et à m'enfuir. Il m'aurait tiré dessus aussitôt. Si j'en réchappais, j'avais toute la police du XVIe arrondissement à mes trousses. La mort dans l'âme, je décidai de m'en remettre à ma couverture et j'obéis en disant :

– Mais... qu'est-ce que ça veut dire ? Je n'ai rien fait ! De quel droit ?

– On va vous expliquer.

Je traversai la rue avec lui et j'entrai dans le commissariat. Le sang avait quitté mon visage et une douleur me transperçait la poitrine. Le policier de l'accueil le salua de deux doigts pointés vers son képi. Il buvait un café avec son collègue de faction.

– Par ici, dit le commissaire.

Nous montâmes ensemble à l'étage et je m'installai dans une pièce aux parois de bois peint d'un jaune sale. Il y avait un grand portrait du maréchal Pétain au mur, deux armoires étroites avec des portes de lamelles de bois qui coulissaient vers le bas, un large bureau de métal vert encombré de tampons, de dossiers et de trombones, avec un téléphone en bakélite noire sur le côté. À travers la fenêtre grillagée, on voyait le bas de l'immeuble où Noor m'attendait dans l'appartement silencieux. Il fit le tour du bureau et s'assit dans un fauteuil à vis recouvert de skaï vert. Il avait refermé la porte. C'était un gros homme avec une moustache en brosse, un teint rougeaud et des yeux étonnamment mobiles sous des sourcils poivre et sel. Il portait un chapeau de toile grise, qu'il avait accroché à un portemanteau en entrant. Il me demanda mes papiers et commença à les examiner avec attention.

– Vous êtes représentant?
– Oui. En machines à écrire.
– Vous êtes belge?
– Oui. D'Anvers.
– Vous travaillez en ce moment?
– Oui. Je démarche des clients.
– Vous alliez voir un client?
– Euh... oui.
– Quel nom, quel étage?
– Euh... la compagnie d'assurances Abeille. Au deuxième étage.

J'avais improvisé. Je payais ma faute professionnelle : j'étais sorti sans une histoire crédible à raconter. Je commençais à m'enferrer.

– Vous n'avez pas de matériel sur vous...

– Non. C'était un premier contact.

– Vous avez un drôle d'accent pour un Belge...

– Ah bon? Euh... je ne sais pas. C'est mon accent.

– *When did you arrive from England?*

Le piège aurait peut-être fonctionné s'il avait bien parlé anglais. Mais il prononçait ma langue avec un accent français qui rappelait celui de Maurice Chevalier dans les comédies musicales américaines.

– Pourquoi me parlez-vous anglais?

– Il n'y a pas de compagnie Abeille au 72, rue de la Pompe, et vous avez un accent anglais. Voilà pourquoi.

Il sortit un dossier et me tendit un papier pelure tapé à la machine. Au milieu d'un texte assez long, il y avait deux portraits dessinés au crayon et reproduits. À droite, on voyait une jeune femme brune au teint mat et aux traits réguliers. À gauche, un jeune homme aux cheveux rebelles, apparemment blonds, aux joues creuses et au nez légèrement recourbé. Le texte décrivait sommairement deux terroristes, membres d'un réseau britannique, qui avaient échappé à une arrestation près de Versailles.

– J'étais aux Espagnols. J'ai déjeuné juste derrière vous. Comme vous ressembliez au portait-robot, j'ai tendu l'oreille. J'ai saisi des bribes. Voilà tout. Ne vous fatiguez pas.

Je restai sans voix. Une telle accumulation d'imprudences m'accablait. J'aurais dû me rendre compte que, dans un bistrot voisin d'un commissariat, il pouvait y avoir un commissaire à table pendant l'heure du déjeuner... Je pensai à Vienet, qui avait dû être suivi et serait arrêté incessamment. Il me prendrait pour un traître. Le traître...

– Ils affirment là-dedans que vous avez participé à l'attentat de Dreux.

– ...

– Si c'est le cas, je vous félicite. C'était une belle opération.

Je le regardai dans les yeux. Il avait dit cela d'un ton tellement naturel que j'étais tenté de le croire. En même temps, je pensai que le piège était aussi grossier que sa tentative pour me faire répondre en anglais. Il continua :

– Oui, je sais. Vous ne me direz rien. Ce serait trop facile de faire parler des agents anglais de cette manière... Pourtant, vous verrez tout à l'heure que ce n'est pas un piège. Alors retenez ceci : il n'y a pas que des collabos dans la police française. Le vieux Pétain est un type bien. Et il est gâteux. Laval le mène par le bout du nez. Beaucoup de Français s'en aperçoivent. Y compris chez nous. Ils nous ont fait faire des choses abominables. Avec les Juifs, entre autres. On a prévenu ceux qu'on a pu. Mais qu'est-ce que vous voulez... En tout cas, précisez à vos chefs que tous les flics français ne sont pas des salauds. Vous vous en rendrez compte quand vous débarquerez. Il y aura des surprises. Vichy va tomber de haut. Moi, j'étais avec La Rocque, contre les cocos. Mais marcher avec les Boches, ça, non ! On fait le gros dos. On n'en pense pas moins. Bon, je sens que vous ne direz rien. C'est normal.

Il se leva soudain.

– Par ici ! dit-il en me montrant la sortie.

Je me levai. Il ouvrit la porte et s'effaça pour me laisser passer. Ébahi, croyant encore à un piège, j'obéis.

– Et vraiment, cette affaire de Dreux, c'était au poil ! J'ai ri comme un bossu en lisant les comptes rendus internes. Tous mes flics se sont marrés !

Guidé par lui d'un geste courtois que je n'arrivais pas à prendre pour autre chose qu'une lourde ironie, je descendis par où j'étais venu. Le flic de l'accueil lisait un roman de Gyp. Il nous jeta un regard paresseux et continua sa lecture quand il vit le commissaire. L'autre avait repris sa faction dehors. Sur le seuil, le commissaire me tendit la main.

– Allez, bonjour chez vous! (Il me fit un clin d'œil.) Et si vous avez le temps, faites un effort pour imaginer une histoire plus crédible. Et pratiquez le français! En cas de problème, vous pouvez venir me voir. Commissaire Trochu. Discrètement, *of course*!

En articulant ces deux derniers mots qu'il prononça « œuf corse », il refit un clin d'œil.

Complètement décontenancé, je restai muet, immobile sur le trottoir. Avec un œil pétillant sous ses gros sourcils, il fit un petit geste impatient pour que je déguerpisse.

– Allez-y. Bon courage!

Comme dans un rêve, je traversai la rue. Au moment de pénétrer dans l'immeuble où Noor m'attendait, je fis volte-face. Le commissaire parlait au planton. Celui-ci se tourna vers moi comme je poussais la porte. Il me regarda droit dans les yeux. Et, comme s'il saluait un supérieur, il mit deux doigts à son képi.

Noor me tomba dans les bras. J'avais dû sonner quatre fois avant qu'elle ne se décide et lui crier à travers la porte qu'il n'y avait rien à craindre. Elle m'observait à travers l'œilleton, se demandant si une escouade de flics ne guettait pas à l'étage au-dessous le moment où elle ouvrirait la porte pour se précipiter sur nous.

– Oh, dit-elle en se serrant contre moi, comme j'ai eu peur!

– Ça va, ça va, c'est fini! dis-je doucement.

– Je vous ai vu suivre ce gros type au commissariat. J'ai cru que tout était fichu. J'étais prête à m'enfuir par la cour s'ils venaient. J'ai préparé ma radio. Puis je vous ai vu ressortir. Je n'ai rien compris. Mais qu'est-ce qu'il s'est passé ?

Elle était toujours dans mes bras et je commençais à trouver ma mésaventure très agréable, même si mes jambes flageolaient toujours.

– C'est incroyable. Quand il m'a interpellé, je me suis vu emprisonné, fusillé, torturé. Je n'ai jamais été aussi terrorisé. J'arrivais à peine à parler.

– Mais qu'est-ce qu'il voulait ?

– Je ne sais pas. Il m'a percé à jour tout de suite. Je n'avais aucune histoire convaincante à lui raconter. J'étais un représentant sans échantillons qui allait voir un client qui n'existe pas. Philby avait raison, Noor. Ne jamais sortir sans une bonne histoire. Sinon, on ne tient pas cinq minutes.

– Mais il n'a rien dit ? Rien fait ?

– Non, rien. Il m'a expliqué que les flics français n'étaient pas tous des salauds.

– Il appartient à la Résistance.

– Non. Je ne crois pas. Mais il est du bon côté. Il avait reçu une circulaire nous concernant. C'est comme ça qu'il m'a reconnu au café, en bas. Il m'a montré nos portraits-robots. Pas mal fait. Pas question de sortir ensemble. Il faut absolument que nous changions d'apparence.

– Oh, que je suis heureuse ! Vous ne pouvez pas imaginer ! J'étais décomposée. Je vais aller l'embrasser.

Je ris avec elle.

– Il m'a félicité pour l'opération de Dreux.

– J'espère que vous l'avez remercié.

– Mais non, je pensais que c'était un piège grossier. Avant, il avait essayé de parler anglais. Mais il s'exprimait comme Maurice Chevalier.

Nous nous amusions de plus en plus. Elle s'était légèrement reculée, mais restait appuyée sur mon bras qui entourait sa taille. Quand elle riait, elle se penchait vers moi et son front reposait sur ma poitrine. Je sentais son corps collé au mien. La tension brusquement relâchée, ma joie d'en avoir réchappé, sa tendresse presque amoureuse, tout m'exaltait. Je pris Noor par les épaules et l'obligeai doucement à me regarder dans les yeux.

– Noor. Nous avons peu de temps devant nous. Il va falloir sortir dans Paris, prendre des contacts, transmettre. Nous pouvons être pris. J'y pense souvent. Vous aussi, forcément. Ce sont peut-être nos derniers jours avant qu'ils nous tuent.

Elle me dévisageait comme si elle attendait et redoutait à la fois ce que j'allais dire.

– Noor, vous le savez, je vous aime. Demain, après-demain, je serai peut-être devant un autre flic, qui ne sera pas de notre côté. Je m'en voudrais trop de ne pas avoir eu le courage de le faire. Noor, je vous aime. Vous êtes la femme la plus belle et la plus courageuse que j'aie connue. Vous êtes ce dont j'ai toujours rêvé.

– Oh ! Ne dites pas ça ! C'est trop... Moi aussi, je pense au danger, au temps qui passe, au temps qui reste...

Je l'attirai doucement vers moi pour l'embrasser. Elle se laissa faire. Mais, à la dernière seconde, elle tourna la tête et se plaqua contre ma poitrine. Elle me serrait elle aussi, très fort maintenant.

– Mais je ne peux pas. J'ai donné ma parole. Vous comprenez ? Je vous aime beaucoup John. Vous le savez. Mais je ne peux pas !

Elle se mordait la lèvre. Nous restâmes longtemps enlacés, debout au milieu de l'entrée, sans mot dire. Elle pleurait doucement. Puis je la pris par l'épaule et l'entraînai dans le salon.

– Il faut que nous préparions un message pour Londres. Vienet m'a tout expliqué. Nous devons les prévenir. Vienet pense que Prosper n'est pas le traître. Je n'en suis pas sûr. Il a tout de même fait une chose incroyable, il a passé un accord avec la Gestapo.

Je lui racontai par le menu la conversation avec Vienet et la confirmation de ma mission prioritaire : découvrir qui parlait aux Allemands.

– Mais comment allons-nous continuer l'enquête ? dit-elle à la fin.

– J'ai une idée...

Ce soir-là, ma vie bascula.

À neuf heures dix, Noor installa son poste sur la coiffeuse de Renée Garry, brancha l'antenne, sortit ses quartz et se mit à l'écoute. Elle était bien droite sur sa chaise et son casque faisait un serre-tête sur ses longs cheveux noirs. Comme à l'accoutumée, j'étais assis sur une chaise à sa droite pour l'assister et pour lire les messages aussitôt qu'ils étaient transcrits. À neuf heures quinze, l'émission débuta. Dans le silence de l'appartement, j'entendais les traits et les points du morse au milieu d'un brouillard sonore qui m'arrivait atténué par le casque. La main de Noor avançait très vite sur son cahier, notant les groupes de lettres comme ils venaient. Elle noircit une bonne page de mots incompréhensibles. Puis elle posa son casque, éteignit son poste et entreprit de décrypter le message. Le décryptage d'une lettre prenait bien trente secondes. Le message apparaissait ainsi, signe après signe, dans une lente gestation. Londres donnait des nouvelles des réseaux. Rien de neuf sur Prosper. Tinker et Cowburn avaient échappé à la rafle, ainsi que Cinéma de nos amis Garry. Il était suggéré de prendre contact avec eux le moment venu pour analyser les moyens de reconstituer les capacités d'action du SOE à Paris et dans la région parisienne. Londres nous ordonnait aussi de maintenir nos contacts avec la Résistance et de l'aider, dans la mesure du possible, à transmettre ses messages en Angleterre. Baker Street insistait sur la nécessité de reprendre les actions militaires aussi vite que possible. L'organisation était prête à effectuer un parachutage d'armes et de matériel sur notre demande.

Noor poussa un cri. Je me penchai pour voir ce qu'elle avait écrit : « RÉSEAU SCIENTIST DÉM... » Je la regardai. Elle était d'une pâleur effrayante. Je jetai un coup d'œil sur le cahier. Là, sur la table, au milieu de ces lettres qui recelaient la suite du message, cachée par le code, allait sans doute apparaître une terrible nouvelle. C'était comme une menace mortelle tapie sur le papier d'écolier.

– Ce... ce n'est pas possible..., dit Noor d'une voix blanche. Hier et avant-hier, ils disaient que Scientist allait bien... Ce n'est pas possible ! Donaldson, son fiancé, portait le nom de son réseau.

Je lui pris la main. Elle me regarda, les yeux pleins de détresse. L'ironie cruelle de la situation me serrait le cœur. Des larmes coulaient sur ses joues.

– Tant pis, dit-elle. Il faut que je sache !

Elle se pencha de nouveau sur le cahier. Un silence total régnait dans la chambre. J'entendais seulement son crayon qui crissait sur le papier. Je lus la suite.

« RÉSEAU SCIENTIST DÉMANTELÉ. »

– Non, non..., disait-elle. Ce n'est pas possible !

Mais, la bouche crispée, le corps tremblant, elle continua. « SCIENTIST, COURRIER ET RADIO »...

Elle fit une pause, effrayée de ce qu'elle allait décrypter. Je gardais un petit espoir. Il était possible, après tout, que Donaldson et ses adjoints aient survécu à la chute du réseau. Un miracle pouvait encore se produire. Je la pris par l'épaule. Elle inscrivit la première lettre : « T... ».

– Non ! dit-elle, la voix coupée par les sanglots. Non !

Elle inscrivit encore trois lettres. Puis elle poussa un cri terrible et se renversa en arrière. Je lus le mot, fait des caractères mal tracés : « TUÉS ». Elle se prit la tête dans les mains.

– C'est trop injuste. Ces salauds ! Ils l'ont eu. En un mois. Comment ? Il était si sûr de lui. Si tranquille.

Elle s'arrêta puis reprit :

– C'est ce type, celui que nous cherchons, qui l'a donné ! Le salaud...

Le regard fixe, elle serrait ses poings devant elle. Elle murmura :

– Ce n'est pas possible ! Pas lui !

Puis elle tomba sur mon épaule, le corps secoué de longs hoquets. Un cri étouffé venait de sa gorge. Elle se pencha en avant, comme quelqu'un qui va vomir, les bras croisés sur le ventre. Une longue plainte, presque inaudible, s'échappait de son corps cassé en deux. J'étais muet, paralysé. Un quart d'heure se passa. Elle était comme dans une transe, et je ne savais que faire. J'attendais, inutile, que la crise se dissipe.

Soudain, elle se redressa et recommença à transcrire, le visage fermé.

« SCIENTIST, RADIO ET COURRIER TUÉS DANS FUSILLADE. »

– Ah! dit-elle, la bouche serrée, ils se sont défendus. J'espère qu'ils en ont tué plusieurs.

Le message continuait : « ÉVITER TOUT CONTACT AVEC MEMBRES SCIENTIST. SEULS NORMAN ET PROSPER RESTENT FIABLES. »

– Mais, dis-je, ils nous servent encore cette fable sur Prosper et Norman!

– Tant que nous n'aurons pas télégraphié, dit-elle, ils resteront dans l'erreur. Il faudra se débrouiller pour sortir...

Ses yeux rougis ne pleuraient plus. Son visage avait pris une expression à la fois douloureuse et déterminée.

– Nous verrons demain, dis-je. Je rencontrerai Blainville, par le moyen que m'a donné Garry, sur les quais, avec le bouquiniste. Et j'appellerai Vienet.

– Il ne faut pas que vous preniez tous les risques. Moi aussi, je peux aller à l'extérieur.

– Non, pas tout de suite. Vous êtes encore plus reconnaissable que moi.

– En fait, dit-elle, il nous faudrait de la teinture. Vous êtes très blond et moi très brune. En modifiant cela, ils auront beaucoup plus de mal...

– Demain, je chercherai un coiffeur.

Cette discussion pratique la soulageait. Elle me prit par la main et nous nous dirigeâmes vers le salon.

– Je ne vous raconterai pas la suite aujourd'hui, dit-elle avec un triste sourire. Mais prenons un verre. J'en ai besoin.

Je lui servis un grand porto et me versai un whisky. Elle s'allongea dans le fauteuil club et défit ses chaussures. Elle soupira du plus profond d'elle-même.

– C'était un homme formidable, dit-elle. Il est mort en combattant, ça ne m'étonne pas.

Une larme perla au bord de son œil. Elle poursuivit doucement dans le silence de la nuit :

– Il adorait la vie. Nous devions nous marier, mais après la guerre. Il ne voulait pas laisser de veuve, disait-il. Il regardait sa propre mort en face. Il m'avait dit que, s'il était tué, je devais vivre ma vie. Me souvenir de lui, mais vivre ma vie. Ces salauds l'ont eu... Finalement, ils ont eu les meilleurs d'entre nous.

– Beaucoup d'autres tomberont. Nous ne pouvons pas gagner sans cela. Mais le pays se souviendra de lui. Il a fait ce qui était juste. Il a affronté la bête. Nous aussi devons l'affronter.

– Et si la bête gagnait ?

– Non. Si des hommes comme Donaldson sont prêts à mourir, nous gagnerons.

Elle se servit un autre verre de porto. Elle se mouvait lentement, comme quelqu'un d'engourdi. Son visage était grave et triste dans la pénombre du salon. Elle se rassit, les sourcils froncés, le regard soudain aigu.

– Il faut bouger, dit-elle d'une voix plus forte. Nous ne pouvons pas rester là. Nous devons agir. Tant pis. Je me souviens de ce que disait Wesselow à Arisaig. Vous vous rappelez ? « Nous n'aurons pas laissé ces salauds tranquilles. Pour des idiots comme nous, ce ne serait déjà pas si mal ! » (Elle sourit d'un air méchant.) Au moins nous aurons fait quelque chose de notre vie. Il ne faut pas laisser les salauds choisir à notre place. S'il nous reste quelques jours, ils seront à nous. Pas à eux.

– Nous sortirons demain.

Comme je l'écoutais surmonter son chagrin par un effort de volonté qui me semblait inouï, mon admiration pour elle montait d'un cran. Si c'était possible...

– J'ai une idée pour repérer le traître, dis-je.

Je lui exposai mon plan. Elle m'écouta, concentrée. Elle fit une objection technique. Je repris mon raisonnement, elle trouva une solution. Puis elle se mit debout.

– Allons dormir. Nous avons une journée dure demain... (Elle se tut un instant et poursuivit :) Celle d'aujourd'hui l'était déjà...

Je me levai en même temps qu'elle. Elle s'appuya contre moi. Je la conduisis jusqu'à la porte de sa chambre. J'allais l'embrasser quand elle éclata de nouveau en sanglots. Nos plans d'action l'avaient distraite de son chagrin. La nuit qui commençait l'y renvoyait. Je la pris de nouveau par les épaules.

– Courage, dis-je. Pensez à ce que nous allons faire. C'est la seule solution.

Elle était secouée de sanglots. J'ouvris la porte et l'accompagnai jusqu'à son lit. Elle me fit face et m'entoura les épaules de ses bras, la tête contre ma poitrine. Ses larmes faisaient de petites auréoles sur ma chemise. Puis elle s'affaissa soudain, comme si les jambes lui manquaient. L'instant d'après, nous étions tous les deux sur le lit, enlacés, immobiles. Elle pleurait doucement en disant : « Je suis désolée. Excusez-moi. » Puis elle se calma peu à peu. Au bout d'un quart d'heure, elle se retourna vers le mur, pelotonnée sur elle-même, les genoux remontés vers la poitrine. Je sentais son dos rond contre mon corps. Je pensai qu'il fallait la laisser maintenant. Je retirai mes bras qui l'entouraient. Elle dit : « Restez ! » Sans bouger, elle avança seulement le bras pour éteindre la lampe de chevet. J'appuyai sur le bouton et nous restâmes allongés sans mot dire, comme deux enfants qui se rassurent dans le noir. Elle frissonnait encore par intermittence et ses soupirs continuaient, de plus en plus faibles. Puis elle s'endormit.

Blotti contre elle, submergé d'amour, j'écoutais sa respiration régulière qui emplissait le silence de la chambre. On entendait la brise nocturne qui traversait le jardin en contrebas et, de loin en loin, le bruit assourdi d'une voiture qui passait. Filtrée par les volets, la lumière de la lune faisait briller sa chevelure noire et découpait ses épaules dont j'avais la silhouette sombre sous les yeux. La fatigue me gagna peu à peu. Dans l'engourdissement du sommeil, je vis son sourire flotter devant moi et ses mouvements gracieux qui affleuraient dans ma conscience assoupie. Un sentiment d'espoir me traversait, mêlé d'un peu de honte.

Le lit avait remué. Du même regard je vis ma montre qui luisait à mon bras replié – il était quatre heures – et la silhouette de Noor assise sur le lit. D'un geste brusque, elle déboutonnait son corsage en faisant bouger ses cheveux qui tombaient sur ses épaules. Dans mon demi-sommeil, je m'interrogeai. Elle replia ses bras derrière son dos : elle défaisait son soutien-gorge. Puis elle retira sa robe. J'écarquillais les yeux et mon sang cognait dans mes tempes. Elle se tourna vers moi, mit un bras autour de mes épaules et m'attira vers elle. Je l'enlaçai à mon tour. Je sentis sa peau nue et chaude sous ma main. Mon cœur battait si fort qu'il me faisait mal.

Je dis stupidement :

– Noor... qu'est-ce qu'il y a ?

– Chut, ne parle pas. Il ne faut pas chercher à comprendre. J'ai réfléchi. Nous n'avons pas le temps. Je ne veux pas qu'ils me volent ma vie...

Et elle m'embrassa avec une douceur et une fougue qui m'étaient inconnues. Je la serrai de mes deux bras, caressant son dos nu. Elle poussa un petit cri qui se chan-

240

gea en doux gémissement. Quand je descendis sur sa cuisse, elle replia la jambe et la passa autour des miennes, accentuant la pression de ses lèvres. Je sentais sa poitrine souple contre moi. Elle se dégagea et défit les boutons de ma chemise. Ses gestes devenaient impérieux. Elle était penchée sur moi, comme concentrée sur un travail délicat. Quand elle dénudait une partie de mon corps, elle l'embrassait longuement, puis la caressait d'une main légère...

À l'aube, je m'endormis de nouveau, avec un sentiment de plénitude.

19.

À midi, Noor me secoua par les épaules. Elle était fraîche et coiffée, vêtue d'un corsage sans manches et d'une jupe-culotte. Elle avait posé un plateau sur la table de nuit, avec une théière fumante et des tartines de pain noir qu'elle avait grillées sur le feu de la cuisinière.

– Allez, debout, soldat ! dit-elle en riant.

– Noor..., commençai-je.

Il devait y avoir je ne sais quoi de solennel sur mon visage. Elle mit son doigt devant ses lèvres en souriant.

– Non. N'en parlons pas. C'était un moment de bonheur. Il n'y a rien à ajouter... Il faut oublier...

– Comment ça, oublier ? dis-je.

– Oui. Oublier. C'était un instant merveilleux, John, mais il n'a jamais eu lieu. Nous étions deux enfants dans la nuit...

J'étais stupéfait, mortifié.

– Des enfants ? dis-je avec humeur. Des enfants assez grands, tout de même...

– Peut-être, dit-elle en riant. Mais il faut oublier. Je le dois.

Il y avait un voile sur son regard qui se perdait derrière moi.

– Moi, je ne pourrai pas oublier.

– John, implora-t-elle, nous sommes amis, non?

– Amis! Mais non, nous ne sommes pas amis. Amis... c'est un mot terrible!

– C'est le plus beau, pourtant...

– Noor, ne te moque pas de moi.

– Je ne me moque pas de toi. C'est la pire nuit de ma vie et la plus belle. C'est tout. (Elle se radoucit.) J'ai besoin de temps... Tu comprends?

Je comprenais trop bien.

– Parlons, dit-elle. J'irai ce matin chercher de la teinture.

– Non, c'est dangereux. Tu es trop reconnaissable.

– Mais, si tu vas chez un coiffeur demander de la teinture, ils se méfieront tout de suite.

– Je raconterai une histoire. Il faut en sortir.

Elle s'assit sur le lit, une tasse de thé à la main. De l'autre, elle me tendit les tartines.

– Il n'y avait pas de croissants, dit-elle.

– Ce sera quand même mon plus beau petit déjeuner, mon amour, dis-je en la regardant dans les yeux.

– Ne m'appelle pas comme ça.

– Ah? Bon! Si tu veux... mon amour.

Elle rit en essayant d'avoir l'air fâchée. Je la pris par le cou. Elle m'embrassa sur la joue.

– Ah non! Plus de baisers sur la joue. C'est insupportable, à la fin!

– John, nous n'allons pas nous disputer.

– Si! Pourquoi pas, après tout?

– Bon. Lieutenant, nous sommes au front. Il faut rétablir la discipline!

– Non. La guerre commence à deux heures. Ce n'est pas l'heure.

Elle rit en me posa un baiser léger sur les lèvres.

– Oh, quelle mine renfrognée ! dit-elle.

Je terminai mon thé et je disparus dans la salle de bains. Je me vis dans la glace : le plus heureux des hommes et le plus malheureux. Au fond de mon cœur, masquée par la colère, je reconnus la peur. La peur de la perdre à peine conquise. J'étais chassé du jardin d'Éden.

La coiffeuse de la rue de Passy eut une expression bizarre, mais elle me vendit les deux flacons de teinture. L'histoire de ma mère alitée ne l'avait visiblement pas convaincue. Mais la vue des billets avait dissipé sa méfiance. J'avais tiré deux grosses coupures du double fond de ma valise. Les missions délicates du SOE avaient au moins cet avantage : on ne manquait pas d'argent. C'était de la fausse monnaie, mais elle était fabriquée par les techniciens de la Banque d'Angleterre, sous le contrôle du ministère des Affaires économiques qui exerçait la tutelle du SOE. J'imaginais le frisson d'interdit qui devait agiter ces fonctionnaires, chargés en temps de paix de la sûreté de la monnaie...

Je revis ensuite Vienet aux Espagnols, en vérifiant cette fois qu'aucun client ne pouvait surprendre la conversation. J'évitai de lui parler du commissaire Trochu et je lui exposai mon plan. Il approuva en suggérant une modification de détail.

– Je viendrai moi-même, ce sera plus sûr, dit-il. Mais teignez-vous les cheveux d'abord. Sans cela, nous risquons gros !

Je remontai dans l'appartement quatre à quatre. Noor prit les flacons et transporta une chaise dans la salle de bains. Elle me fit asseoir, une grande serviette nouée autour de mon cou. L'odeur amère de la teinture se

répandit dans tout l'appartement. Noor avait déniché
dans la pharmacie une de ces spatules en bois qu'on mettait dans la bouche des enfants pour leur comprimer la
langue et observer leur larynx.

– Ma mère se teignait parfois les cheveux, dit-elle.

Elle avait dilué de la teinture noire dans un bol et me
l'appliquait, mèche par mèche. Je l'observais dans la
glace, attentive, courbée sur moi, les reins cambrés, ses
cuisses ressortant sous sa jupe tendue. Elle surprit mon
regard et secoua la tête avec un sourire, ce qui eut le don
de me mettre de mauvaise humeur. Je tournai la tête
pour lui parler. Le contenu du bol se renversa sur ma
tête, coulant sur mon visage comme une cascade brune.
Elle éclata de rire.

– Voilà où conduisent les mauvaises pensées...

Je fis un effort pour ne pas sourire, gardant mon œil
noir et ma bouche sévère pendant que je m'essuyais avec
la serviette. Elle termina son travail et il fallut attendre
que la teinture prenne. Je m'installai sur le canapé du
salon et Noor se mit au piano. Elle joua un concerto de
Mozart et je me calmai peu à peu. Il était l'heure de sortir. Elle m'accompagna à la porte de l'appartement en
étudiant mon apparence d'un œil attentif. J'avais mis
mon autre costume, plus strict, avec une cravate et des
souliers cirés.

– Je crois que ça va, dit-elle. Je te reconnais à peine...
– Oui, dis-je. J'avais remarqué.

Il n'y avait pas d'affiche d'Aristide Bruant sur le côté
de la caisse du bouquiniste. La voie était libre. Osant à
peine m'asseoir, j'avais fait le trajet en métro et dévisagé
tous les passagers. J'avais changé à Michel-Ange-Auteuil
et j'étais descendu à Maubert. En regardant derrière moi

toutes les trente secondes, j'avais ensuite pris la rue des Bernardins vers la Seine. J'avais calculé que le dernier bouquiniste du quai Montebello était situé au bout de la petite rue qui longeait l'église Saint-Nicolas-du-Chardonnet, bordée d'immeubles étroits et décrépis. Au débouché sur le quai, je vis le café que Garry m'avait indiqué. Il y avait une terrasse couverte d'un toit de toile amovible et une petite salle avec quatre tables. Je m'installai au fond : j'étais dans l'ombre pour les gens qui passaient, mais je voyais le quai devant moi, clair sous le soleil. Sur le trottoir opposé, le long du parapet qui surplombait la Seine, les amateurs fouillaient les caisses de vieux livres. L'affiche indiquant le danger n'était pas là. Le bouquiniste était assis à gauche de son étal, sur une chaise pliante, lisant un volume recouvert de papier de riz translucide. J'attendis quelques minutes, le temps de boire un erzatz de jus de fruits à l'étrange couleur marron. On voyait sur la gauche, de l'autre côté du fleuve, au milieu des arbres qui bruissaient dans le petit vent d'été, les arcs-boutants de Notre-Dame qui soutenaient le toit de tuiles grises, au-dessus du chœur de la cathédrale. Tout avait l'air normal. Pas de sentinelle désœuvrée autour de l'étal. Les clients qui avaient fouillé dans les caisses repartaient. Aucun ne revint sur ses pas. Aucune auto garée à proximité. Seuls roulaient des jeunes femmes en bicyclette, des vélos-taxis et parfois une voiture allemande au petit drapeau rouge et noir. Sur l'île de la Cité, des soldats en uniforme se promenaient le nez en l'air, d'autres étaient attablés à une terrasse, contemplant la Seine qui brillait sous le ciel bleu.

Je me levai, traversai le quai et m'arrêtai devant le bouquiniste. La longue caisse ouverte était surmontée de gravures clouées sur le rebord supérieur. Je passai mon doigt sur les tranches poussiéreuses des livres rangés devant moi. L'exemplaire de *Madame Bovary* était le troisième de la dernière rangée. Un regard furtif à droite et à gauche. Je sortis le billet que j'avais écrit et le glissai dans l'épais volume coupé à la main. Je parcourus les autres rangées, puis je continuai tranquillement le long du quai, vers le pont Saint-Michel.

Au coin de la rue Dante, à la hauteur du parvis de Notre-Dame, on me tapa sur l'épaule. Effrayé, je fis un saut de côté. C'était Blainville. Ses yeux bleus me regardaient d'un air rieur et sa mèche châtain flottait dans la brise.

– J'étais inquiet pour vous, me dit-il. Heureusement, vous êtes là ! Je suis venu ici tous les soirs à cinq heures. Aujourd'hui, je vous ai vu partir quand j'arrivais. Je vous ai suivi pour vérifier que vous étiez bien seul...

– Je suis heureux de vous voir, dis-je en lui serrant la main.

– Allons boire un verre. Mon café est près d'ici.

Blainville possédait un bistrot au coin de la rue Gît-le-Cœur et de la rue Saint-André-des-Arts, qu'il avait acheté avec l'argent du SOE. Il avait convaincu Londres que ce serait un excellent moyen de donner des rendez-vous sans craindre les importuns. À vrai dire, il avait assorti sa demande d'une telle force de persuasion que Baker Street s'était senti obligé de lui céder, ne serait-ce que pour ne pas mécontenter un organisateur si précieux. C'était un café cossu, avec un comptoir en cuivre, des fauteuils doublés de cuir et un percolateur étincelant. Sa terrasse débordait un peu sur l'étroite rue où les étals des librairies universitaires occupaient les trottoirs. Il me présenta sa femme, qui tenait la caisse, une petite dame boudinée dans une robe aux couleurs vives. Le contraste entre lui et sa compagne me frappa. J'attendais une épouse longiligne et sophistiquée.

Il lui parla avec rudesse pour commander un demi et un pastis. Elle revint avec les boissons et se retira aussitôt derrière son comptoir après avoir fermé le café. Des clients nous auraient gênés.

– Alors comment avez-vous fait ? me demanda-t-il. Nos amis sont dans une triste situation...

Je lui racontai notre mésaventure de Viroflay, l'intuition de Noor, la lutte avec l'officier et notre fuite par les bois.

– Cette jeune femme est extraordinaire, dit-il. Cela ne m'étonne qu'à moitié. Elle n'a aucune expérience et toutes les audaces...

– Oui, elle est extraordinaire...

– Et quelle silhouette ! ajouta-t-il d'un air gourmand.

Je lui lançai un regard noir. Il changea de sujet.

– J'ai eu deux ou trois contacts avec les gens de Prosper. Apparemment, la rafle a été terrible. Les Adamowski sont pris, la pauvre Andrée Borrel a failli y passer. Ils la détiennent à Fresnes. Elle a été blessée en essayant de s'échapper. Ils ont arrêté une centaine de personnes, au moins. J'ai pensé me cacher. Mais je suis trop vulnérable, de toute manière. Si quelqu'un parle, ils arrêteront ma femme et je serai obligé de me livrer. Apparemment, personne n'a parlé...

J'imaginai que Prosper et Norman avaient livré les caches et les terrains, sans mentionner l'existence de celui qui organisait les voyages. Après tout, les Allemands pouvaient ignorer qu'un agent était spécialisé dans la recherche des terrains et la supervision des atterrissages.

– Mais qui nous a donnés ? demandai-je soudain.

– Je ne sais pas, dit-il, mais je crois que le pauvre Prosper était à bout. Ils ont pu l'attraper avant cette rafle et passé une sorte d'accord avec lui... Il a peut-être fait un marché de dupes. Il est courageux, mais il tenait beaucoup à ses agents. Ces gens de la Gestapo sont forts et malins. Ils ont dû lui proposer d'épargner ses hommes, ou quelque chose comme ça... Alors, il a cédé et tout le monde est tombé, ou presque...

– À votre avis, c'est lui qui a dénoncé les opérations de la rue de Solferino et de la gare de Dreux?

– Peut-être. Il a probablement donné des bribes pour respecter l'accord sans faire échouer les actions. Du coup, les Allemands avaient des éléments, mais pas assez pour tout empêcher...

– Vous en êtes sûr?

– Non. Je suppose, je suppute. Mais, quand vous mettez bout à bout ce qui s'est passé depuis deux semaines, c'est l'hypothèse la plus cohérente... Prosper a beaucoup payé de sa personne. Il avait une confiance en lui hors du commun. Quand il a vu que les Allemands se rapprochaient de lui, il a dû préférer discuter avec eux. Comme s'il pouvait le faire de puissance à puissance... Vous savez, cette vie rend un peu fou. On perd le sens commun.

Blainville tenait les mêmes raisonnements que Vienet, mais aboutissait à des conclusions diamétralement opposées.

– Pour l'instant, reprit-il, c'est difficile pour Aurore de transmettre. Mais vous pouvez peut-être entrer en contact avec Norman. Il est encore en activité...

– Mais... Vien... (Je me repris aussitôt.) Mais... mais j'ai cru comprendre que Norman avait été arrêté!

– Non...

Il me regarda d'un air hésitant, surpris de ma réponse.

- Non, ce n'est pas ce qu'on m'a dit. Norman est toujours libre.

– Mais je sais par Garry qu'il a été arrêté à la terrasse de La Lorraine !

– Ah bon ? Pourtant, on m'a assuré...

– C'est Londres qui vous l'a assuré ?

– Mais non ! Je n'ai pas de contacts avec Londres depuis la rafle... C'est un rescapé que vous ne connaissez pas, qui est en contact avec lui et avec moi. Il m'a dit qu'on pouvait utiliser son poste !

Je faisais des efforts pour masquer mon trouble. Blainville me disait exactement l'inverse de ce que m'avaient raconté Garry et Vienet ! D'où venait ce décalage ? Blainville avait-il été intoxiqué ?

– Votre contact est-il fiable ?

– Oui. À mille pour cent !

– Bon, il faudra voir. En tout cas, je crois que Norman est entre leurs mains.

– Je vais vérifier dès que possible.

– Henri, repris-je en le regardant dans les yeux, nous avons besoin de vos services. Sans Prosper, nous n'avons plus d'armes. Londres nous a ordonné de continuer les actions militaires. Il faut du matériel. Pouvez-vous réceptionner un parachutage, dans les prochains jours ? Je viendrai en prendre livraison. Nous avons deux appartements sûrs. Nous y entreposerons des Sten, des revolvers et du plastic. Au moins, nous pourrons faire quelque chose.

– Oui, dit-il après un moment de réflexion. Près de Bourgueil, dans l'Indre-et-Loire, je connais un terrain qui n'a pas été encore employé. J'ai une cache dans une propriété isolée. C'est possible.

– Bien. Donnez-moi les coordonnées du terrain, je préviens Londres et je vous confirme l'affaire. Ils sont prêts. Ils iront vite.

Il se leva et marcha jusqu'au fond de la salle déserte, où il disparut par une petite porte laquée de noir. Cinq minutes plus tard, il était de retour avec une carte Michelin qu'il ouvrit sur la table. Il pointa une étendue boisée un peu au nord de la Loire, non loin de Saumur. Deux villages la délimitaient, Gizeux et Courléon. Au milieu de la tache verte qui symbolisait la forêt, on voyait écrit « Chaumont ».

– C'est là, dit-il. Ce sont des gens qui sont entrés dans la Résistance en 1940.

Il déplia la carte en grand et compta les plis de gauche à droite. Arrivé au terrain, il dit : « Quatre sur la deuxième rangée ! » Puis il mesura avec une règle l'abscisse et l'ordonnée du terrain, le long du rectangle formé par les plis. Il prit une serviette en papier et inscrivit avec son portemine, en tout petits caractères, « Indigestion ». Il y ajouta le numéro de la carte Michelin de l'Indre-et-Loire, 37, le numéro du pli, puis les chiffres qu'il avait relevés avec le double décimètre. Ils indiquaient par croisement l'emplacement exact du terrain. Londres avait un jeu de cartes Michelin identiques : le pilote n'aurait aucun mal à localiser l'endroit. Blainville avait la curieuse habitude de nommer ses terrains du nom d'une maladie. Il y avait « Cancer », « Grippe », « Pneumonie », « Tuberculose », etc. Le terrain de Chaumont s'appelait donc « Indigestion ». Je froissai la serviette en papier et la plaçai au fond de ma poche de pantalon. En cas de fouille, on pouvait espérer que la police prendrait ce chiffon pour un mouchoir et ne remarquerait pas les minuscules indications écrites au crayon fin.

– Si vous voulez, dit-il, je peux donner ces indications à Norman. Il transmettra peut-être plus facilement que vous.

– Je vous assure, Henri, dis-je. Norman est arrêté.

– Bon. J'en aurai très vite le cœur net. Transmettez vous-même si vous voulez... Vous viendrez avec Aurore ?

– Ne vous inquiétez pas. Nous serons là. Je vous donne les indications dès que Londres me répond. Et nous nous mettons d'accord sur les modalités de la livraison. Je vous joins par le bouquiniste ?

– Oui. Sur le quai, je peux vérifier la sécurité. Si on vous suit, je m'en apercevrai.

J'avais fait mille détours, renoué mon lacet quatre fois et observé la rue dans le miroir d'une vitrine pour surprendre un suiveur. Rien. Ma conversation avec Blainville m'avait embrouillé. Ses accusations contre Prosper étaient cohérentes. La trahison de Prosper, fût-elle bien intentionnée, expliquait tout. Mais quelque chose me gênait. Prosper, Norman, Blainville, Vienet, un autre... Les hypothèses se pressaient dans mon cerveau. Dans quelques jours, me dis-je, je saurais. Quand je fus sûr de ne pas être suivi, je me décidai à entrer dans le métro. À Trocadéro, je pris l'avenue Paul-Doumer, moyen indirect de rejoindre mon havre. Je tournai à droite dans la rue de la Tour, étroite et déserte, où je pouvais repérer une filature à coup sûr. Personne. À huit heures vingt-cinq, je sonnai à l'appartement où Noor m'attendait. Elle ouvrit. Je vis tout de suite qu'elle avait pleuré. Ses yeux étaient rouges et son teint pâle. Elle ne refusa pas mon baiser.

Elle avait préparé un petit repas froid. Nous dînâmes rapidement pour écouter Londres à neuf heures. Rien de nouveau, sinon la répétition des nouvelles de la veille, notamment celles qui concernaient le réseau Scientist. Noor sanglota encore, mais se reprit vite. Baker Street voulait surtout un contact avec nous, tout en réitérant les consignes de prudence.

– Je vais demander à Vienet, dis-je. Il faut transmettre la demande de parachutage. De cette façon, nous saurons...

– Demain, je me teins les cheveux, dit-elle. Tu ne seras pas le seul à sortir.

– Nous verrons.

Dans la semi-obscurité de la chambre, j'eus une poussée de désir. Je la serrai contre moi. Là encore, elle ne résista pas et se laissa caresser. Puis elle dit :

– Tu oublies notre rendez-vous !

Cinq minutes plus tard, elle était assise devant moi, les jambes et les pieds nus, allongée dans le fauteuil club, un verre de porto à la main.

– Aujourd'hui, c'est à toi de parler.

– Mais ma vie n'a aucun intérêt.

– Si, pour moi, dit-elle d'une voix douce. Le plus grand intérêt. Où es-tu né ?

Je décidai de ne pas résister. Après tout, il est agréable de parler de soi. Surtout à la femme qu'on aime.

– À Cowes, dans le sud de l'Angleterre, sur l'île de Wight. Là où sont organisées beaucoup de courses de voiliers.

– Je connais très bien ! dit-elle en riant. C'est drôle. Enfin, je connais surtout Portsmouth et Southampton.

– Mon père travaillait à Portsmouth, au chantier naval. Tous les jours, il prenait le bateau à travers le Solent.

– C'était un ingénieur ?

– Non, un ouvrier. Nous habitions un petit appartement dans la rue principale de Cowes, au-dessus d'un magasin d'accessoires de pêche. Il devait se lever plus tôt pour attraper la navette. Mais c'était moins cher qu'à Portsmouth. Mon père assemblait les coques et les éléments lourds du pont des navires. Il m'impressionnait beaucoup quand j'étais gamin. Il avait de grosses lunettes opaques pour se protéger les yeux et il travaillait avec un chalumeau qui lançait des étincelles partout. Ça me paraissait le métier le plus difficile du monde !

– Ça l'était peut-être...

– Peut-être. C'était surtout l'un des plus durs. Quand j'étais gamin, il travaillait dix heures par jour, y compris le samedi. Et puis tout a changé. Heureusement. Mais mon père l'a payé cher...

– Pourquoi ?

– Il était dans le syndicat. C'était même un des leaders. Au moment de la grande grève des mineurs en 1926, il a mis le chantier naval en grève.

Il devait y avoir une pointe de fierté dans ma voix, car elle dit aussitôt :

– C'était un combattant, lui aussi.

– Oui. La grève a duré trois mois. Plus que celle des mineurs. Au bout de six semaines, il n'y avait plus rien à manger à la maison. Ma mère était désespérée. Mon père allait pêcher dans la rivière de Cowes, quand il n'était pas de garde au piquet de grève. Nous étions quatre enfants. Je me souviens que j'allais faire du porte-à-porte dans le quartier. J'avais une sébile en fer-blanc avec l'inscription « Solidarité » d'un côté et de l'autre « Mort aux jaunes ! ». Si on me refusait la pièce, je tournais la sébile et on pouvait lire le second slogan ! Je partais en courant. Presque personne ne donnait. Il y avait beaucoup de jaunes...

– Des jaunes ?

– Oui, des non-grévistes. La direction avait « lock-outé » tout le monde. Les gens crevaient de faim. Ils avaient englouti toutes leurs économies pour survivre, parfois de l'argent qu'ils amassaient depuis des années pour s'acheter un pavillon. Souvent, dans la rue devant chez moi, les femmes se battaient. Celles dont le mari n'était pas en grève insultaient les autres, et inversement... Un soir, mon père est revenu avec un visage plus grave. Il a longtemps parlé avec ma mère. J'avais faim, je ne dormais pas. J'entendais ce qu'ils disaient. La direction avait réuni une milice. Un type avait fait défection et prévenu les ouvriers. L'assaut était prévu pour le lendemain. Ma mère était terrorisée. Elle disait qu'on ne pouvait rien faire contre la milice. C'étaient des voyous qui tapaient très dur. Ils étaient armés. Ils avaient des chiens. Et tout le monde savait que la police laisserait faire. Mais le vieux a dit qu'il fallait se battre, ou tout ce qu'ils avaient fait ne servirait à rien. Ma mère pleurait. Il essayait de la consoler. Il expliquait que c'était une question d'honneur, que sa vie n'aurait pas de sens s'il se dégonflait. Et puis, soudain, il m'a vu. J'avais passé la tête par la porte de la chambre où nous dormions, tous les quatre. Je m'en souviendrai toujours. J'avais douze ans. Il a dit : « Tu ne dors pas, toi ? Alors viens ! » Il m'a assis à la table de la cuisine. C'était aussi la table de la salle à manger. En regardant ma mère en coin, il m'a parlé. Sa voix me paraissait bizarre. Il devait être ému. Elle sanglotait. « Voilà, fils, demain les patrons vont nous attaquer. Si je n'y vais pas, je ne pourrai plus me voir dans une glace. Si je t'élève, fils, c'est pour que tu saches rester debout. Il ne faut pas plier, il faut faire face, même si le vent est fort. Sans quoi, on n'est rien. Avec les patrons, il n'y a que la force. Ils chercheront toujours à nous avoir. Il faut rester debout et unis. Autrement, les ouvriers ne compteront jamais. Ils nous écraseront toujours. Peut-être qu'il y aura des blessés. Peut-être des morts. Peut-être que je ne reviendrai pas. Mais tu pourras dire autour de toi : le vieux est resté debout. Voilà ! »

Le lendemain, la milice a chargé les piquets avec des barres de fer, des triques, des matraques. Ils avaient trois fusils. Mais les ouvriers les attendaient. Ils avaient monté une embuscade au milieu des bateaux en construction. Ils avaient des boulons, des ceinturons, des gourdins. Ils les ont pris entre deux groupes, par surprise. Les voyous ont paniqué. Les types avec des fusils ont tiré. Il y a eu deux morts, deux ouvriers. La police n'a pas bougé. Mais la milice a été écrasée. Ils se sont retrouvés presque tous à l'hôpital. Mon père est rentré à la maison avec la peau du crâne ouverte et la lèvre supérieure fendue. Il avait des pansements tout autour du visage. Mais je ne l'ai jamais vu avec ce regard-là ! À l'enterrement des ouvriers, toute la ville est venue. Au cimetière, nous avons chanté *L'Internationale*.

– Ton père était communiste ?

– Non. Pas du tout. Il n'aimait pas les bolcheviks. Il disait qu'ils étaient des dictateurs. En Angleterre, de toute manière, il y a très peu de communistes. Mon père était du Labour, comme la plupart des ouvriers. En fait, il était surtout du syndicat. Les patrons ont porté plainte en accusant les grévistes d'avoir attaqué leur service d'ordre. Ils avaient la loi pour eux. Le piquet de grève n'était pas légal. Mais cela se passait sous le gouvernement de MacDonald. C'était un travailliste, lui aussi. Un travailliste de droite, mais un travailliste. Il a demandé un rapport au ministre du Travail. Le rapport a conclu que les patrons avaient provoqué les ouvriers, ce qui a déclenché un scandale énorme. Les conservateurs se sont déchaînés. Pour une fois, MacDonald a tenu bon. Alors, les patrons des chantiers navals ont décidé de négocier. À cause des morts, ils avaient toute la ville contre eux. Ils ont presque tout lâché : la semaine de quarante-huit heures au lieu de cinquante-quatre, une retraite meilleure, une assurance-maladie, une caisse de chômage... Et même une semaine de congés payés. Dix ans avant le Front populaire ! Tout, quoi ! Quand on a su le contenu de l'accord, mon père a réuni la direction du syndicat à la maison. Ils ont chanté, crié et bu toute la nuit. Même moi. Au petit matin, il a fallu les porter chez eux. Le lendemain, le vieux m'a dit : « Tu vois, fils, il ne faut jamais plier ! » Mais la direction du chantier a fini par l'avoir. Elle l'a surveillé heure par heure, jour après jour. Un an plus tard, ils ont réussi à lui coller une faute. Il a été licencié. Il a porté plainte. Il a gagné. Mais ils ont payé l'amende et ils ont refusé de le reprendre. Tous les patrons se sont donné le mot. Mon père est resté au chômage six mois, avec la toute petite indemnité qu'ils avaient obtenue à la fin de la grève. Le syndicat l'a aidé. Mais il aurait fallu qu'il déménage pour trouver du travail. Il n'a pas voulu quitter la région. Là-dessus, ma mère est partie. Elle n'en pouvait plus. C'était une Française. Elle venait de Granville, dans la Manche. Il l'avait épousée au cours d'un voyage, quand il visitait la France, par le ferry de Cherbourg. Elle est retournée chez elle. Je ne l'ai jamais revue. Elle est à Granville. J'ai une adresse. Mais je n'ai pas eu le courage d'y aller. Elle n'a jamais donné de nouvelles. Le vieux ne s'en est pas relevé. Il a fini par dénicher un emploi dans un petit chantier, à Cowes. Il construisait des voiliers. Il était beaucoup moins payé. Mais il aimait le travail. Les voiliers, c'est noble. Moins noble que les cargos ou les paquebots. Mais c'est noble. Le dimanche, il m'emmenait autour de l'île de Wight avec un bateau du chantier. Il m'a appris à naviguer. En mer, il était apaisé. Le reste du temps, il travaillait comme une brute pour nous élever. Jamais un voyage, jamais une sortie.

– Il ne s'est pas remarié ?

– Non. Il disait qu'il était trop vieux. En fait, il aimait toujours ma mère. Elle était très jolie... Il souffrait comme un damné. Mais il ne s'est jamais plaint, pas devant nous. De temps en temps, seulement, il rentrait un peu tard, en titubant. C'est tout. Il a économisé tout ce qu'il a pu. Il m'a envoyé au collège, puis à l'université. Je travaillais bien. On discutait souvent politique à la maison. Il lisait le journal tous les soirs et on commentait l'actualité, depuis toujours. Il me parlait des bourgeois anglais, du capitalisme, des fascistes. Pendant la guerre d'Espagne, il a organisé des collectes et, en 1938, il m'a dit : « Ce Chamberlain est un crétin et un lâche. Il a cédé aux fascistes. Il va y avoir la guerre ! » Il allait aux manifestations. Mais pas trop : il s'occupait de nous. Le syndicat offrait des cours du soir pour les enfants d'ouvriers qui voulaient réussir leurs études. On avait les livres gratuits, des cours de perfectionnement. Quand j'ai été reçu à Cambridge, il est venu à la cérémonie en train. Il avait mis son seul costume et amidonné lui-même sa chemise. Il se tenait droit, au premier rang, à côté des familles de la gentry, fier comme un lord. Quand il m'a vu avec ma robe noire, il a éclaté en sanglots. De retour à Portsmouth avec moi, ses copains du syndicat avaient amené une fanfare à la gare. On pleurait comme des saules. Nous ne savions pas où nous mettre ! Finalement, il a été heureux. Je crois. Et puis il est mort. Pendant l'été 39. Il avait trop respiré de poussière d'acier. Il est mort en six semaines, sans souffrir. Le dernier jour, il m'a appelé près de lui et il m'a dit : « Tu as un bon métier à Londres. Je lis tes articles. C'est bien. Alors tu prends soin de tes frères et sœurs ! » Il a ajouté : « Maintenant, tu es dans la haute. Mais n'oublie pas d'où tu viens ! Jamais ! » Et il m'a serré la main. C'est tout. Ça suffisait.

— C'est vrai. Ça suffisait. Je sais pourquoi tu es là, maintenant.

20.

Noor aussi avait respecté la volonté de son père. Long-temps après minuit, pris par notre confession croisée, nous parlions toujours. Le niveau des deux bouteilles baissait, l'alcool chassait le sommeil. Noor me raconta la suite de son histoire. Après le départ d'Ajit, la vie s'était écoulée paisiblement. La bégum seule apportait une touche de malheur dans la vie de Noor. Après la mort de son mari, elle s'était retirée dans sa chambre, au premier étage de la maison, et avait tiré les rideaux. Depuis, elle n'en sortait plus. On lui montait ses repas. Elle vivait la plupart du temps dans la pénombre, assise en tailleur, méditant. Elle ne souriait jamais, lisait peu et s'exprimait rarement. Seule Noor avait avec elle de longues conver-sations. Sa peau devenait de plus en plus pâle et sa voix de plus en plus ténue. On aurait dit une fleur qui dépéris-sait à l'ombre.

Noor grandissait en charme, en savoir et en talent. Elle avait pris sous sa protection les gamins de la colline et leur racontait des histoires de son pays, l'Inde des forêts profondes et des animaux fabuleux. Elle travaillait la harpe avec Mme Bardeaux, qui faisait aussi jouer Lili Laskine, qui deviendrait la grande harpiste française.

Debussy passait de temps en temps à son cours pour discuter de musique indienne avec Noor ou avec ses frères, qui étudiaient le violon et le violoncelle. Un jour, Noor eut l'idée d'écrire les contes qu'elle inventait pour les enfants de Suresnes. Elle trouva un petit éditeur et elle publia son premier livre, *Les Contes de Jakata*, un recueil de récits pleins de princes généreux et de serpents qui prennent la parole. Un ami lui suggéra de les présenter à un directeur de la radio. Et pendant l'année 1939, toutes les semaines, Noor se rendait dans les studios de Radio-Paris et enregistrait un conte, qu'elle lisait d'une voix douce, sur un fond de musique soufie. Les gens de Radio-Paris disaient qu'elle avait beaucoup d'écoute. Elle continua en 1940, malgré la drôle de guerre, tout en suivant ses études de lettres à la Sorbonne et ses cours de harpe. En juin, tout bascula. Horrifiée, la famille apprenait par la radio la défaite soudaine de l'armée française qu'une propagande martiale ne masquait plus. Sur le vieil atlas à la couverture de cuir, ils repéraient sur la carte des départements de l'Est la position des armées, telle qu'elle transparaissait des communiqués rassurants de l'état-major. Aucun doute : de jour en jour, le théâtre des opérations progressait vers l'ouest et se rapprochait de Paris. Les deux cadets, le frère et la sœur, décidèrent de partir vers le sud pour ne pas être pris si les Allemands arrivaient. Noor et Vilayat restèrent avec la bégum, qui suivait tout cela de sa chambre obscure. Ils se souvenaient des mises en garde d'Ajit contre les nazis. Les obsessions raciales de Hitler leur semblaient une menace mortelle. Et, le 12 juin 1940, Noor et Vilayat entendirent le canon tonner, loin dans le nord-est. Des détachements français étaient passés en bas de Suresnes les jours précédents, le long de la Seine, débandés et lamentables. Alors, les deux jeunes gens prirent place dans le salon, Vilayat dans un fauteuil de cuir, Noor dans le canapé, les jambes repliées sous elle. À travers la fenêtre, on voyait tout Paris dans une brume de chaleur. Les oiseaux chantaient dans le jardin en contrebas et les rayons du soleil faisaient des taches jaunes sur la bibliothèque sculptée où s'alignaient des livres de théologie. Sur le guéridon, à côté du canapé de Noor, il y avait un gros sitar posé à l'envers et, derrière Vilayat, la harpe se dressait, enveloppée dans sa housse.

– Nous ne pouvons pas rester, commença Vilayat. Il faut partir dans le Sud. Mère ne peut pas survivre ici, dans sa chambre. Les Français ne tiendront pas. En France, Hitler a gagné. Il faut partir.

– Mais les Français vont continuer à se battre.

– Non. Ils ne pourront pas. Comme en Pologne, il y a six mois. Ils ont des tanks, des avions, les Français ne sont pas préparés. Ils sont vaincus, c'est sûr. On entend le canon. Les Allemands sont près de Paris. En un mois ! Mais les Anglais ne vont pas baisser les bras. Le roi a appelé Churchill. Nous le connaissons bien, Noor. C'est lui qui a fait des ennuis à notre père. C'est un Anglais arrogant, mais il est dur. C'est un fanatique de l'Empire. Il dénonce les nazis depuis des années. Il résistera, c'est sûr. C'est plus facile pour les Anglais. Ils ont la mer.

– Alors il faut passer en Angleterre. Les Anglais nous protégeront...

– Oui. Mais nous ne devons pas seulement nous protéger. Il faut lutter, notre père nous l'a dit. Il faut combattre ces nazis. Ils veulent tuer la religion, la liberté, tout ce qui nous fait vivre. Battons-nous avec les Français et les Anglais. Avec les Anglais, en tout cas.

– Mais nous ne pouvons pas nous battre. Nous avons juré. Pas de violence, pas de meurtre, pas d'assassinat.

Vilayat, ce n'est pas notre monde. Et puis nous ne savons rien faire. Vilayat, tu veux te battre avec ton violoncelle ?

– Nous apprendrons. Quand un pays est en guerre, ils font des millions de soldats avec des civils. Nous sommes des civils, c'est tout.

– Mais je ne veux pas tuer. Jamais !

– J'ai réfléchi. Il y a une solution. Nous demanderons à être versés dans des unités non combattantes. Nous serons utiles. Nous n'aurons pas de fusil, mais nous serons utiles.

– Les Anglais vont se moquer de nous ! Ils verront arriver deux sauvages d'une secte farfelue qui leur demanderont d'entrer dans l'armée à condition de ne pas tuer... Vilayat, nous allons être ridicules. Non, ou bien nous sommes dans l'armée ou bien nous n'y sommes pas.

– Mais enfin, ils ont besoin de tout le monde ! Nous pouvons les aider. De toute manière, nous n'avons pas le choix. En France, nous sommes sûrs de ne rien faire. La guerre va s'étendre, Noor. Il faut en être !

– Mais qu'allons-nous dire aux Anglais quand nous descendrons du bateau ? Ils vont nous renvoyer je ne sais où. Ils n'ont pas besoin de nous. C'est l'armée qui donne les affectations. Enfin, je suppose. Si chacun arrive avec ses demandes particulières, ils ne peuvent pas s'organiser. Faire la guerre sans se battre ! Ils vont nous prendre pour des lâches.

– Il y a une solution, dit Vilayat. Nous leur dirons ceci : nos convictions religieuses nous interdisent de tuer, mais nous voulons nous battre. Affectez-nous dans des unités dangereuses, mais où on ne tire sur personne. Même des unités très dangereuses...

– Mais qu'est-ce que c'est, une unité dangereuse ? Si c'est dangereux, on se bat...

– Non, pas forcément. Les guides ou ceux qui font de la reconnaissance derrière les lignes ne se battent pas. Mais ils courent des risques. De vrais risques. Ceux qui sont navigateurs sur les bateaux n'ont pas d'armes. Mais, quand un obus arrive, il ne choisit pas entre les combattants et les autres. Il y a beaucoup de postes de ce genre. Cela, ils peuvent l'accepter. Non ?

Deux ans plus tard, un jour d'octobre 1942, Noor entrait au Northumberland, l'hôtel proche du War Office réquisitionné par l'armée, où le recruteur du SOE tenait ses entretiens. Selwyn Jepson la reçut dans une pièce dépouillée. Séduisante dans son uniforme bleu marine de la RAF, malgré les souliers plats et la jupe sévère, Noor s'était gracieusement assise devant lui, sur une chaise de paille face à la table de cuisine sur laquelle il avait posé son dossier militaire.

Noor avait quitté Paris le 16 juin 1940, avec son frère et sa mère, dans la vieille voiture à marchepieds qui était remisée dans le garage de Fazal Manzil depuis des années. Claire et Idayat, les deux cadets, avaient pris la Citroën moderne pour se réfugier sur la Côte d'Azur, où ils allaient vivre pendant toute la guerre. Au milieu d'une foule effrayée marchant sur le côté des routes, dans un convoi de véhicules hétéroclites chargés de passagers, de malles et de valises, ils avaient progressé vers Bordeaux où le gouvernement s'était réfugié. Dormant dehors, mangeant en roulant, se cachant soudain sous un arbre ou à l'ombre d'un mur quand ils entendaient un bruit de moteur d'avion, ils étaient arrivés en trois jours dans le port qui laissait encore passer quelques bateaux vers l'Angleterre. Devant eux, un stuka avait mitraillé les réfugiés et ils avaient dû écarter les cadavres de la route pour continuer. À la gare de Bordeaux où les deux femmes s'étaient réfugiées pendant que Vilayat allait au port chercher une place sur un cargo, une bombe était tombée sur le toit. La verrière de la gare avait explosé, couvrant la foule des réfugiés de débris de verre. Finalement, Vilayat avait obtenu deux places dans le dernier bateau. Accoudées à un bastingage rouillé, Noor et sa mère avaient vu disparaître les côtes de leur pays d'adoption dans le crépuscule. Le lendemain, elles répondaient tant bien que mal aux questions d'un officier d'immigration, qui leur accorda, en tant que citoyennes de l'Empire britannique, un laissez-passer provisoire. Vilayat était remonté jusqu'à Nantes pour trouver un embarquement. Trois jours plus tard, la famille était rassemblée dans un petit appartement sombre du centre de Londres, loué par l'intermédiaire d'une famille qu'ils avaient connue lors de leur séjour précédent. La bégum avait vaillamment supporté l'épreuve du voyage. Mais sa dépression reprenait le dessus. Seule dans une ville étrangère, sans ressources, elle ne voyait aucun avenir devant elle. Noor, toujours gaie, parlait de s'inscrire à l'Université de Londres, de concerts à l'Albert Hall. Vilayat se présenta dès le lendemain au bureau de recrutement de la Royal Air Force. On faillit le jeter dehors. Il voulait recevoir une formation pour devenir pilote d'avion de reconnaissance. Mais il refusait de combattre. Il risquerait sa vie à chaque mission. Mais il ne tirerait sur personne... Au bout d'une semaine de palabres dans d'innombrables bureaux, à force d'intelligence et de finesse, il finit par obtenir satisfaction. À la fin d'une première période d'examens, on s'aperçut que sa vue était mauvaise. Il demanda alors à être muté dans la Navy et, si possible, sur un dragueur de mines. Là encore, le poste semblait assez pacifique et dangereux à la fois. La Navy eut l'intelligence de l'intégrer. À la fin de la guerre, il serait décoré de la Victoria Cross.

Au lieu d'aller à la faculté et au concert, Noor avait imité son frère. Il leur semblait que l'ombre de leur père s'étendait sur eux. La Royal Air Force l'embaucha comme secrétaire. Puis elle postula pour une formation de radio, qu'elle entama le 28 août 1942. Un peu plus tard, elle vit une annonce sur le mur de la classe où l'on initiait les apprentis radios. On cherchait des volontaires bilingues pour une mission importante dont on ne précisait pas la nature. Elle avait écrit. Et, maintenant, elle était assise devant un officier au visage agréable et à la calvitie précoce.

Dans le civil, Jepson était auteur dramatique et scénariste de cinéma. Après la guerre, il obtiendrait de grands succès publics. Il connaissait déjà très bien le monde du spectacle et, à force d'écrire des dialogues et des intrigues, il avait acquis une science intuitive du caractère humain. Habituellement, il interrogeait les impétrants longuement, sans leur dévoiler ses intentions, puis il les revoyait une ou deux fois pour approfondir son jugement, avant de décider, avec Gubbins et Buckmaster, les deux patrons du SOE, de la suite à donner à la candidature. Avec Noor, les choses s'étaient passées différemment.

Comme toujours, Jepson s'était exprimé en anglais, puis, brusquement, il était passé au français, qu'il parlait couramment. Si le candidat hésitait, Jepson mettait fin à l'entretien. Noor avait passé sans difficulté ce premier test.

– Mademoiselle, vous avez été admise dans la RAF. Pourquoi vous êtes-vous portée volontaire ? Vous n'êtes pas anglaise...

– Je suis née à Moscou, mais j'ai passé une partie de mon enfance à Londres. Ensuite, j'ai habité en France.

Ces deux pays m'ont accueillie. Ils sont alliés. Il me paraît juste de me battre pour eux.

– Vous êtes indienne, comme votre père. Les Indiens n'ont rien à voir dans cette guerre...

– Les Indiens ne peuvent pas souhaiter la victoire de Hitler. Il représente tout le contraire de ce à quoi ils croient...

– Les Indiens réclament leur indépendance. C'est l'Angleterre qui la leur refuse. Pas les Allemands. Comment pouvons-nous être sûrs de votre loyauté ?

– L'indépendance de l'Inde se fera un jour. C'est écrit. Mais, aujourd'hui, nous avons tous un ennemi. C'est le nazisme.

– Votre père pense comme vous ?

– Mon père est mort. Ma mère est à Londres, et mon frère Vilayat aussi. Nous avons quitté la France en juin 1940. Pour rejoindre l'Angleterre.

– Votre frère est dans la RAF...

– Il était dans la RAF. Sa vue n'est pas assez bonne. Ils l'ont envoyé dans la marine...

– Avant la guerre, vous écriviez des contes pour enfants ?

– Oui. J'ai fait des études de littérature et de musique à Paris.

– Vous jouez d'un instrument ?

– Du piano, de la harpe et des instruments indiens. Nous sommes une famille musicienne...

– Je lis dans le dossier que vous et votre frère avez obtenu une dérogation. Vous ne voulez pas être versée dans une unité combattante ?

– Nous avons une religion très exigeante. Nous n'avons pas le droit d'user de violence...

– Mais, à la guerre, c'est un devoir d'être violent !

– Pas toujours. Winston Churchill ne tue personne...

– Je suppose que vous ne comptez pas entrer au gouvernement...

Noor rit gentiment. Elle secoua la tête.

– Il faut nous comprendre. Je sais que c'est un peu hypocrite. Mais toutes les religions le sont un peu, non ? Nous n'avons pas le droit de tuer quiconque. Mais nous ne sommes pas idiots. C'est la guerre. Nous voulons participer. Ces nazis sont des monstres. Il faut les battre. En échange, nous sommes prêts à accepter des missions dangereuses.

Jepson la considérait d'un œil éberlué.

– Mais, si on vous menaçait, vous devriez bien vous défendre ?

– Peut-être. Nous verrons... Pour l'instant, la question ne se pose pas.

Un silence se fit. Jepson réfléchissait. Il parut prendre une décision.

– La question pourrait se poser, dit-il.

Nouveau silence.

– Si je vous ai demandé de venir, c'est que nous cherchons des volontaires pour une mission dangereuse.

– J'ai cru le comprendre...

– Très dangereuse. Nous recherchons des soldats bilingues pour s'introduire en France. Ce sont des agents de l'Angleterre, mais ils ne portent pas d'uniforme. S'ils sont pris, ils ne bénéficient d'aucune protection. Ils peuvent être interrogés, avec brutalité.

– Que faut-il faire ?

– Vous suivez un stage de radio pour la RAF. Nous avons besoin de radios. Si vous acceptez, vous suivrez un entraînement intensif, pas seulement pour la radio, mais aussi pour toutes les formes de combat clandestin.

– Je ne veux pas tuer...

– Ce n'est pas la question. Vous suivez un entraînement, puis vous êtes envoyée en France comme radio, pour nous permettre de communiquer avec les réseaux de résistance. Vous avez une chance sur deux de revenir... Il n'y a aucune récompense financière et vous n'aurez aucune promotion dans l'armée. Votre solde sera mise de côté pendant votre séjour en France et l'argent vous sera versé à votre retour. Si vous ne revenez pas, il sera remis à votre famille...

Il laissa sa phrase en suspens. Un long silence s'établit. Noor le regardait dans les yeux, calme et souriante. Il demanda :

– Est-ce que vous pensez pouvoir accepter ?

– Oui.

Habituellement, Jepson se méfiait des acceptations trop rapides. Cette fois, il coupa court aux hésitations. La jeune femme lui parut idéaliste, au-delà même de ce qu'il pouvait imaginer. Mais pas impulsive ou tête brûlée. Par acquit de conscience, il demanda :

– Pourquoi ?

– Je suis venue pour ça.

Il était quatre heures du matin. Nous étions embrumés par l'alcool et le manque de sommeil. Noor se leva en chancelant. Elle vit l'heure.

– Nous sommes fous, dit-elle.

– C'est moi qui suis fou, dis-je en m'approchant.

Je la pris par la taille. Elle semblait fatiguée. Mais une lueur brillait au fond de ses yeux. Abandonnée, elle se rapprocha de mon visage, un léger sourire sur les lèvres. Je l'embrassai à pleine bouche. Le baiser dura longtemps. Elle gémissait. Elle passa une jambe autour de moi pour se presser plus fort. Je défis sa jupe, puis son corsage. Elle fut bientôt nue dans mes bras, déboutonnant lentement ma chemise. Quand je n'eus plus de vêtements, je tombai à la renverse sur le canapé. Une heure plus tard, nous nous endormions en laissant la lumière du salon allumée.

À onze heures, je me réveillai, clignant des yeux dans la lumière du jour qui filtrait par les rideaux tirés. J'éteignis la lampe, puis je la pris dans mes bras, alanguie, et je la portai dans la chambre. Elle se réveilla et m'embrassa. Dans le lit, elle m'enlaça, frémissante. À quatre heures de l'après-midi, nous eûmes faim. Elle cuisinait, vêtue de ma chemise, jambes nues. Le repas terminé, elle alla s'asseoir au piano et commença à jouer une sonate de Beethoven. Les pans de ma chemise laissaient voir le haut de ses cuisses dorées, jusqu'aux hanches. À la troisième sonate, je m'approchai pour la caresser sous ma chemise. Elle continua à jouer en fermant les yeux. Elle tressaillait à chaque mouvement de mes doigts. Puis elle cessa de jouer et se laissa glisser sur le tapis.

Nous nous réveillâmes pour la vacation de neuf heures quinze. Londres réitérait sa proposition de parachutage. Il fallait sortir.

— Demain, je dois voir Vienet, dis-je. Allons nous coucher. Nous aurons une journée moins agréable.

— Il y a un problème, dit-elle.

— Quoi?

— Je n'ai pas sommeil.

21.

Mon colt à la ceinture, veste fermée, j'étais appuyé à la vitrine du cinéma Les Acacias, où les photos des *Enfants du paradis* – Arletty, Pierre Brasseur, Jean-Louis Barrault – étaient clouées sur un fond de velours rouge. Je surveillais l'avenue Mac-Mahon qui descendait de l'Étoile et croisait la rue des Acacias un peu plus loin sur ma gauche. Nous étions en embuscade avec les hommes que Kerleven m'avait présentés. C'était une section particulière des Francs-tireurs et partisans, composée de Juifs, d'Arméniens, d'Espagnols et de Portugais, qu'on appelait les FTP-MOI (main-d'œuvre immigrée). Elle était dirigée par un Arménien du nom de Manouchian, et s'était spécialisée dans le sabotage et l'assassinat. Les hommes de Manouchian connaissaient la gloire. La propagande allemande avait fait placarder dans toute la France une affiche rouge où leurs portraits étaient regroupés, avec leurs patronymes difficiles à prononcer, mêlés à des photos de déraillements de trains et d'armes de guerre saisies dans des rafles. Les Allemands voulaient montrer que les soi-disant patriotes étaient des communistes étrangers, à la fois tueurs et métèques. Désignées à l'exécration publique par les occupants, ces

271

caractéristiques me les rendaient éminemment sympathiques. Malhabiles en français, ils parlaient peu. Mais ils agissaient beaucoup et l'armée allemande les redoutait.

Noor et mois avions repris contact avec Vienet aux Espagnols. Il nous avait emmenés en voiture dans une forêt de Picardie, où Noor avait pu transmettre sans problème. Nous avions mis au point avec Londres le parachutage prévu en Touraine. Blainville était prévenu grâce à la boîte aux lettres du quai Montebello. Il avait tout confirmé. Les armes seraient larguées au-dessus de Chaumont le 11 juillet vers une heure du matin. Blainville les entreposerait dans la maison qui se dressait sur un mamelon au milieu d'une clairière, à cinq kilomètres du premier village. Restait à se rendre en Touraine pour en prendre livraison. L'opération était dangereuse. Autant nous pouvions déambuler dans Paris en courant des risques acceptables, autant le franchissement des contrôles dans les gares était périlleux.

Vienet avait pensé à Kerleven. Interrogé, le communiste avait accepté de nous transférer en Touraine. Il avait une filière sûre, grâce aux réseaux de Résistance-Rail : nous voyagerions dans la cabine d'une locomotive. Les Allemands contrôlaient très rarement les chauffeurs. Et, s'ils le faisaient, une cache était possible dans le tender qui contenait la réserve de charbon. On en sortait noir comme de la suie, mais sain et sauf.

« Mon cher Arthur, m'avait dit Kerleven, je vous rends service. J'attends que vous me renvoyiez l'ascenseur. Je vous ai vu au travail avec votre ami Darbois. Vous êtes très bon. Nos camarades du groupe Manouchian ont monté une opération près de l'Étoile pour après-demain. Ils ont besoin de deux tireurs. Vous faites le boulot, nous vous transportons à Saumur, ils seront deux, et nous vous ramenons. Honnête, non ? »

Il était difficile de refuser. Après tout, le SOE m'avait envoyé en France pour assister la Résistance. Toute la Résistance. Manouchian était un petit homme nerveux et noiraud, avec un regard profond, une moustache noire et un cou maigre qui laissait un espace entre la chemise et la peau. Il m'avait expliqué l'opération. Il avait imaginé un système de couverture original, qui exigeait beaucoup de sang-froid et des qualités de tireur. J'étais le candidat parfait, disait-il. Aussi, le surlendemain, étais-je appuyé à la vitrine des Acacias, vérifiant machinalement la sûreté de mon colt sous ma veste.

À onze heures trente-deux, les deux militants qui attendaient avenue Mac-Mahon, l'un sur un banc, l'autre adossé à un arbre, se mirent en mouvement après nous avoir fait un signe de tête. Trente secondes plus tard, je vis un camion allemand descendre l'avenue. La cabine était occupée par le chauffeur et un officier. L'arrière était ouvert, sans bâche, pour que les soldats alignés de part et d'autre sur deux bancs puissent voyager à l'air libre. Je vis les deux FTP sortir posément chacun une grenade et compter jusqu'à quatre en observant l'avancée du camion. Le chauffeur ne les avait pas remarqués. Le camion parvint à leur hauteur. Ils firent deux pas sur la chaussée et jetèrent les grenades en même temps. Elles explosèrent aussitôt. Une main arrachée s'envola et retomba sur la chaussée, en même temps qu'un casque et des morceaux de vareuse. Les jambes des soldats étaient réduites en une bouillie de sang et d'os. L'un d'entre eux se plia en deux pour retenir ses viscères qui se répandaient sur le sol. Les morts gisaient les uns sur les autres. Les survivants poussaient des cris de douleur, étalés sur les bancs et le sol de l'arrière, couchés dans le sang. Le camion s'arrêta. L'officier en descendit, pistolet au poing, hébété.

Un autre camion suivait. Il freina brutalement. Les soldats sautèrent sur la chaussée pour courir après les deux hommes de Manouchian. Ceux-ci ne les avaient pas attendus. À peine les grenades lancées, ils avaient bondi vers la rue des Acacias, tout en sortant leur colt. Le premier se porta à ma hauteur et le second à celle de Darbois, qui se tenait, sur le trottoir d'en face. Puis ils se retournèrent. Nous étions quatre tireurs armés face au groupe des Allemands qui déboulaient en désordre. Quelques secondes passèrent et je criai : « Feu ! » Quatre soldats tombèrent sur le pavé. Les autres se couchèrent par terre et voulurent ajuster leur fusil. Mais nous courions déjà. Cinquante mètres plus loin, protégés par des voitures en stationnement, deux autres hommes de Manouchian faisaient le guet, un de chaque côté de la rue. Je me courbai à côté de celui qui était sur mon trottoir. Nous étions six. Les soldats tiraient en notre direction, mais nous étions cachés par les voitures. Houspillés par les deux officiers, ils s'approchèrent, Comme dans les régiments d'autrefois, nous levâmes notre arme en même temps. À trente mètres, je criai de nouveau : « Feu ! » Les hommes de Manouchian savaient tirer. Six soldats s'écroulèrent. Le repli recommença pendant que les soldats se jetaient encore à terre. Cent mètres plus loin, il y avait deux autres militants. La salve à huit fut encore plus meurtrière. Les officiers ne parvenaient plus à faire relever leurs hommes. Pendant qu'ils hurlaient, nous nous dispersâmes boulevard des Ternes. Avenue Niel, trois voitures nous attendaient. Dix minutes plus tard, nous sortions de Paris par la porte de Champerret pour nous enfoncer dans Levallois, jusqu'à un petit pavillon de pierre meulière. Deux militants refermèrent la grille. Manouchian était là. Il nous salua un à un d'un bras passé autour des épaules. Il souriait de toutes ses dents, éclatantes sous sa moustache noire. Avec son accent de l'Est, il disait : « Formidable, les gars ! Aucune anicroche. Ils ont au moins vingt morts ! C'est une bonne tactique, non ? »

Le lendemain, les Allemands prirent cinquante otages dans les prisons parisiennes. Surtout des communistes et des réfugiés étrangers en détention. Ils les emmenèrent au mont Valérien et les passèrent par les armes. Un jeune homme refusa le bandeau qu'on lui tendait. Il fit face au peloton et, quand on commanda le feu, il cria : « Vive le prolétariat allemand ! », qui fut couvert par le claquement de la salve. Un officier SS marcha vers lui et, alors qu'il était déjà mort, lui tira deux balles dans la nuque, de rage.

Le soir de l'opération, après un repas bruyant et bien arrosé dans le repaire de Manouchian, je rentrai à pied rue de la Pompe, juste avant le couvre-feu. Noor était assise en haut des marches. Quand je levai les yeux sur elle, je la reconnus à peine. Elle avait coupé ses cheveux et leur avait appliqué une teinture blonde. Ils étaient coiffés en bataille et avaient pris une couleur jaune filasse.

– Que penses-tu de ma nouvelle coupe ? dit-elle.

– C'est un désastre ! Ils vont t'arrêter pour atteinte au bon goût !

Elle éclata de rire en refermant la porte. Puis elle dit :

– Comment cela s'est-il passé ?

– Ça s'est passé.

J'étais content de la réussite des hommes de Manouchian. J'admirais leur courage. Mais je me disais qu'il y avait des exploits plus chevaleresques que de jeter des grenades sur des troufions mal protégés. Je savais que les

Allemands allaient user de représailles cruelles. Si la propagande de Vichy avait connu mon existence, elle aurait pu me mettre sur le dos la mort de cent cinquante otages en un mois et trois opérations. Record battu... Churchill l'avait dit : « Mettre l'Europe à feu et à sang. »

Le soir, nous nous sommes assis tous les deux dans le salon, Noor avec son porto et moi avec mon whisky. Seul changement, au lieu de nous faire face, nous étions côte à côte sur le canapé, mon bras sur son épaule et sa tête posée sur ma poitrine. J'avais du mal à m'habituer à ses cheveux blonds. Avec son teint mat, elle ne ressemblait à aucun spécimen d'humanité connu. Peut-être certaines chanteuses de cabaret. Dans des pays exotiques...

– Je ne sais pas pourquoi je te plais, dis-je tout d'un coup, perdu dans mes pensées amères. Je ne suis qu'un tueur, au fond... Dans ta religion, il est interdit de tuer. Même une fourmi.

– Oh ! Quelle caricature ! Nous respectons les animaux, c'est vrai. Mais tu veux me ridiculiser !

– Non, pas du tout. Il est bien interdit de tuer, non ? J'ai la plus grande considération pour cette idée. Mais comment fais-tu pour me supporter ? Je passe mon temps à exécuter des gens.

– Tant que ce n'est pas moi qui tue..., dit-elle, faussement cynique.

– Noor, c'est important. Je veux savoir ce que tu penses. Un jour, tu vas finir par me détester.

– Les soufis savent depuis longtemps que tout le monde ne peut pas être soufi. Ils sont plus sages que tu ne crois...

– Mais comment répondent-ils à la question que tout le monde t'a posée en Angleterre pendant l'entraînement. Comment ne pas tuer en temps de guerre ?

– D'abord, beaucoup de soufis ont tué. J'appartiens à une école particulière, celle que mon père a fondée. C'était un « murshid », tu sais.

– Oui, je sais.

– Mon père a cherché toute sa vie un rapprochement avec les autres religions. Au contraire, depuis le Moyen Âge, la plupart des soufis se sont voulus uniquement musulmans. Et parfois, ils ont été extrêmement intolérants. Cela dépendait de la situation politique. Ils ont participé à des djihads. Je ne parle pas du grand djihad, la vraie lutte, la lutte contre soi-même, contre le nafs. Je parle de la guerre sainte, celle de la conquête militaire.

– Mais qu'aurait dit ton père s'il avait fallu porter les armes ?

– Mon père nous a recommandé de combattre les nazis. Je pense qu'il aurait imaginé la solution que nous avons trouvée tout seuls : des tâches dangereuses et pas d'armes.

– C'est un peu hypocrite.

– Il n'y a pas de religion sans un peu d'hypocrisie. L'absence d'hypocrisie s'appelle la sainteté ou le cynisme. Le plus souvent, le cynisme. Et je t'ai dit que nous savions que tout le monde ne pouvait pas être soufi. Donc, les autres tuent. Pas nous. Le soufisme, dit-elle d'un ton narquois, c'est pour une toute petite élite.

– Je ne comprends rien à ces religions.

– Je vais t'expliquer. Le pape, par exemple, a inventé le concept de « guerre juste ». Dans certains cas, la guerre est justifiée. Si l'on combat le mal absolu, on a le droit de tuer. Nous proposons une réponse plus exigeante. Mais elle n'est pas très différente. Les religions se posent tous les problèmes que nous nous posons. Et, souvent, les choses ne sont pas tranchées. Dans les textes existent toujours des obscurités, des ambiguïtés, des contradictions. Parce que Dieu laisse leur liberté aux hommes. Ils peuvent suivre sa voie ou la refuser. À leurs risques et périls. C'est la raison pour laquelle le régime qui correspond le mieux à la vraie religion est la démocratie. Nous sommes libres. Au fond, le grand fléau des religions, ce sont les prêtres. Ils prétendent avoir la bonne interprétation. Ils ne font que rabâcher des dogmes idiots. Alors que les textes sont toujours plus compliqués, plus beaux, plus profonds, que leurs préceptes. Les prêtres sont des hommes. Les textes viennent de Dieu. Voilà la différence. Mon père cherchait la vérité dans les textes.

— Mais vous avez des prêtres, dans le soufisme...

— Non. Pas des prêtres. Des walis, des murshids, des sages, qui doivent d'abord démontrer par leur vie qu'ils sont dignes d'enseigner. Ils sont reconnus par leur communauté, pas nommés par un évêque. L'islam est beaucoup plus libre que votre religion chrétienne, de ce point de vue... Les walis nous montrent la voie. Ils nous enseignent les exercices spirituels, avant de nous faire la morale. Ils n'imposent rien. Ils guident. Libre à nous de suivre ou de ne pas suivre. Des prêtres ? Non merci !

Elle s'animait en parlant, ses yeux lançaient des éclairs. Plus je l'observais, plus je la désirais.

— Dis-moi, Noor, que dit le soufisme sur l'amour ?

Elle voulut me répondre sérieusement.

— L'amour est inhérent à l'homme et à la femme. Même l'amour physique. Dans le Coran, on trouve l'apologie de l'amour physique. Le Prophète lui-même a eu une révélation de l'Ange alors qu'il faisait l'amour avec sa femme. Cela n'a pas gêné l'Ange, qui lui a parlé comme si de rien n'était. Ce sont les ulémas, les imams, les docteurs de la foi qui ont diabolisé l'amour. Pas Dieu!

Comme mon regard n'était que désir, elle comprit mes intentions.

– Mais tu te moques de moi!

Elle commença à me boxer la poitrine.

– Tu me fais parler religion et tu ne penses qu'au sexe!

– Noor, dis-je, je t'aime. Je ne pense qu'à toi. Évidemment, je pense aussi à te faire l'amour.

Elle redoubla ses coups de poing, jusqu'à ce qu'elle tombe dans mes bras. Elle aussi avait très envie de moi. Nous nous dirigeâmes vers la chambre, l'un et l'autre enlacés. Nous nous endormîmes à l'aube.

22.

– Cachez-vous, il y a des soldats !

Georges, le mécano, nous désigna la trappe dans le plancher du tender. Je soulevai la plaque de métal, Noor s'assit pour descendre et s'allongea sur la planche de gauche, fixée par de grosses vis entre les deux roues du wagon charbonnier, un mètre à peine au-dessus de la voie. Je la suivis et gagnai la planche de droite. J'entendis Georges qui répandait sur la trappe quelques pelletées de charbon. Le train entrait en gare d'Orléans-les Aubrais. Dans la lumière de la lune, Georges avait repéré le reflet des casques. Il serait peut-être contrôlé : nous devions disparaître dans la cache construite par les hommes du réseau pour les transports difficiles. Il fallait enlever le charbon et faire ouvrir la trappe du tender pour la découvrir. Ou bien ramper sous le wagon avec une lampe torche. Le zèle des Allemands n'avait pas encore été jusque-là. Blottis dans un espace sombre à peine suffisant pour respirer, nous attendions que le train reparte, immobiles, pendant que les Allemands interrogeaient Georges.

Malgré ces désagréments, c'était un trajet magnifique. Enfant, j'avais toujours rêvé de voyager dans la locomotive... À la gare Montparnasse, nous avions suivi un cheminot bougon qui, rue du Départ, nous avait conduits par une porte discrète qui donnait sur la tête du train. Nous nous étions allongés tous les deux sur les planches malcommodes, tandis que la locomotive soufflait une fumée grise qui nous enveloppait et nous faisait tousser. Les pistolets et la radio étaient posés près de nous, un peu vers l'avant du tender. Franchis les boulevards extérieurs, Georges avait ouvert la trappe et nous avait tendu la main. Nous restâmes debout à droite de la chaudière grondante, fascinés par ce spectacle interdit aux voyageurs, et vibrant avec le train qui progressait de signal en signal. Nous foncions vers le point obscur où les rails luisants se rejoignent, plongeant dans les tunnels, croisant dans un souffle brutal les convois qui jaillissaient en sens inverse. Noor s'était blottie contre mon épaule, et son regard se perdait dans la nuit. Le vacarme de la vapeur nous privait de conversation. Nous n'en avions pas besoin... J'avais une idée du bonheur.

Aux Aubrais, Georges avait répondu sans difficulté aux questions des soldats. Le train transportait des pièces détachées pour les chantiers navals de Nantes. Une vérification de papiers, un court dialogue, et le sifflet avait retenti. Après Orléans, il n'y eut plus de contrôles. Georges nous fit émerger de nouveau. Le train traversait des gares fantômes où une sentinelle réveillée par le passage du convoi jetait un œil nonchalant sur les wagons qui défilaient devant elle. Il suffisait de se baisser pour éviter d'être vus.

Un peu après Ancenis, Georges aperçut un signal lumineux au haut d'un virage. Il ralentit le train. La valise de la radio à la main, je sautai sur le ballast, Noor me suivit et Georges remit la vapeur en nous saluant d'un grand geste du bras. Sorti du fossé, un autre cheminot nous rejoignit, portant une lanterne sourde. Il nous conduisit le long de la voie jusque derrière un passage à niveau. Sous un appentis, il y avait deux bicyclettes. Il valait mieux rejoindre Chaumont la nuit et le meilleur moyen de transport était le vélo. Nous entendions les voitures approcher : il suffisait de se cacher dans le fossé. Un remerciement furtif, un bras serré dans l'obscurité, et nous roulions sous la lune vers notre destination.

Muni de la carte Michelin indiquée par Blainville, j'avais trouvé le petit chemin de terre rectiligne qui s'enfonçait à travers bois en quittant la route Bourgueil-Gizeux. Nous avions laissé une ferme sur notre droite. J'avais craint l'aboiement des chiens, mais nous roulions en silence. Nous étions parvenus à un carrefour. À droite, un autre chemin conduisait à un étang ; à gauche, il montait entre deux champs en pente, vers une grande maison flanquée d'une tour crénelée, qui se découpait en noir sur la nuit d'été. Le parachutage devait avoir lieu de l'autre côté, au nord de la maison, une vaste étendue de vergers encastrée au cœur de la forêt. Nous étions attendus le lendemain pour prendre livraison des armes en voiture. Mais, pour avoir la réponse à la question qui nous obsédait, nous devions être sur place et assister au parachutage. Alors, nous en aurions le cœur net... Voilà pourquoi, dissimulés dans le sous-bois qui entourait les abords de Chaumont, nous avions dormi quelques heures au milieu d'un bosquet dont les feuilles bruissaient légèrement dans la brise nocturne.

La maison se dressait à deux cents mètres. Dans mes jumelles, je pouvais l'observer à loisir. C'était un pavillon de chasse en pierre de tuffeau, recouvert d'un crépi gris, avec des volets rouges et un toit d'ardoise. À gauche, il y avait une grange derrière laquelle on élevait des pintades et des faisans. À droite, une ferme d'où j'avais vu s'éloigner un paysan houspillant un cheval qui tirait une charrue au soc relevé. L'attelage avait pris l'allée qui menait à l'étang et disparu dans le bois. Vers dix heures, une vieille femme en blouse marcha vers la grange d'un bon pas. Elle allait nourrir les volailles. À midi, une autre femme, en béret et culotte de cheval, sortit devant la maison et attendit sur le perron de pierre noire. Elle regardait l'allée de sable blanc qui montait vers elle. Je tournai mes jumelles. Un homme en uniforme bleu poussait son vélo sur la pente. C'était le facteur, qui remit un journal entouré d'une bande de papier à celle qui devait être la maîtresse de maison, puis repartit.

L'après-midi s'écoula sans signe de vie autour des bâtiments. Le soleil écrasait le champ de blé vert devant nous. De temps en temps, un chien aboyait derrière la maison. Sinon, nous n'entendions que les bruits calmes de la forêt. Noor avait découvert des girolles sur un matelas de mousse. Elle en cueillit de quoi remplir son grand sac à main. En retrait de la lisière du sous-bois, au milieu d'une petite clairière, elle avait disposé son antenne de fil vert entre trois branches. La valise de la radio était posée au pied d'un tronc de sapin.

Adossés à un arbre, nous parlions musique, quand l'aboiement des chiens se déchaîna d'un coup. Je me précipitai vers la lisière, mes jumelles à la main. À ma droite, sur l'allée qui montait vers la maison, deux voitures se suivaient. Elles roulaient vite, soulevant un nuage de poudre blanche derrière leurs roues. La première était une Citroën noire, la seconde un véhicule militaire de reconnaissance, bâché à l'arrière. Je braquai les jumelles sur la maison. La femme en culotte de cheval se tenait à la porte d'entrée. Elle disparut. Les deux voitures s'approchaient. Soudain, par-derrière, je vis deux hommes s'enfuir vers la gauche, un fusil à la main, une musette en bandoulière. Ils couraient vers un gros buisson et s'y enfoncèrent. Ils reparurent devant la grange et filèrent vers une allée dont j'apercevais l'entrée sombre sous les arbres. Les occupants des voitures ne pouvaient pas les voir, de gros tilleuls leur masquaient la grange. J'avais repéré les lieux sur la carte. Les fuyards avaient pris un chemin sous bois qui les ramenait à la route de Bourgueil. À moins d'avoir prévu une embuscade, les Allemands ne les rattraperaient pas.

— Il y en a deux qui se sont enfuis..., dis-je à Noor, qui essayait de comprendre.

— Tant mieux !

— Mais ils ont les autres à leur merci...

Les voitures s'arrêtèrent devant le perron. Deux civils en costume et quatre soldats en surgirent. Tous braquaient une arme devant eux. La vieille femme apparut sur le côté de la maison. Ils la mirent en joue. Elle s'adressa à eux et ils entrèrent dans la maison. Vingt minutes plus tard, il ressortirent. Les deux femmes entouraient les civils en parlant et en gesticulant. Deux soldats portaient une grosse table de bois, qu'ils posèrent sur la pelouse devant le perron. Derrière eux, les deux autres soldats franchirent la porte. Ils tenaient chacun par un bras un jeune homme brun qui n'avait pas plus de seize ans. Pâle, le col ouvert, il ne se débattait pas. Dans l'objectif des jumelles, j'aperçus un peu de sang qui coulait de sa lèvre.

Les deux soldats lui enlevèrent sa chemise et l'allongèrent sur la table, face tournée vers le bois. Pendant qu'un le maintenait, l'autre ligotait ses bras et ses jambes aux pieds de la table. La femme en culotte de cheval tenta de se jeter sur les soldats. L'un des deux policiers – que je supposais tels – la prit par le bras et la repoussa. Un soldat lui mit son fusil sous le nez. L'autre civil s'avança. Il avait tiré une cravache de sa ceinture, que je n'avais pas remarquée jusque-là. Brusquement, il leva le bras et la cravache s'abattit avec violence sur le dos nu. Le cri parvint jusqu'à nous.

– Ils le torturent, dit Noor. Il faut faire quelque chose !

– Nous avons deux pistolets, ils sont six, ils ont des fusils et il y a au moins deux cents mètres à parcourir à découvert pour arriver jusqu'à eux. Nous nous ferions tuer pour rien...

– Mais nous ne pouvons pas rester sans rien faire ! Ils veulent savoir où sont partis les deux autres. C'est un gamin ! C'est son père qui a dû s'enfuir.

– Non, Noor. Nous sommes cachés et nous allons attendre. Nous ne pouvons pas agir. Et nous ne sommes pas là pour ça. Nous n'avons pas notre réponse...

La cravache s'abattait avec régularité sur le jeune supplicié. Placé en contrebas, je ne voyais pas le résultat des coups. Je l'imaginais facilement. Au bout d'un moment, un soldat s'approcha de la table, défit les liens qui maintenaient l'adolescent, dénoua sa ceinture et lui retira son pantalon, puis son slip. Nu comme un ver, il fut ligoté de nouveau, mais sur le dos, visage vers le ciel. L'homme à la cravache reprit sa besogne, cette fois plus bas sur le corps. Le cri des deux femmes résonna dans la forêt.

Plus tard, deux autres soldats enlevèrent les cordes. Les deux femmes relevèrent le garçon, le prenant chacune par un bras qu'elles passèrent par-dessus leur épaule. Son corps nu apparut. Le dos était entièrement rouge et des filets de sang coulaient le long des jambes. Sa tête dodelinait. Il n'était pas mort. Je pensai au corps du Christ descendu de la croix et porté par deux femmes. Quand ils eurent disparu dans la maison, le civil à la cravache frappa un grand coup sur le capot de la Citroën. Le gamin n'avait pas parlé. Les femmes non plus.

La nuit tombait. J'observais toujours la maison. L'un des deux civils se pencha à l'intérieur du véhicule de reconnaissance. Il se releva, tenant un micro à la main. Il devait appeler du renfort par radio.

– Il faut avertir Londres, dit Noor, le parachutage va être intercepté. Autant l'annuler !

– Attendons un peu. Soyons sûrs que les Allemands sont bien là pour le parachutage. Peut-être est-ce une coïncidence...

Pourtant, il m'était facile de reconstituer ce qui s'était passé. Les Allemands avaient sans doute été prévenus du parachutage. Ils avaient envoyé une patrouille prendre position à l'avance sur les lieux. Ils n'avaient trouvé personne, sinon ces deux femmes et un gamin. La torture n'avait rien donné. Maintenant, il leur fallait s'établir en force pour le cas où la Résistance aurait prévu d'arriver à la nuit tombée. Mais, comme je l'avais dit à Noor, cette situation pouvait être le fruit du hasard. Les Allemands pourchassaient des résistants. Peut-être étaient-ils venus sur renseignement, sans savoir qu'un parachutage devait avoir lieu ce soir-là. Peut-être allaient-ils repartir...

L'incertitude disparut une heure plus tard. Vers dix heures, une dizaine de camions s'engagèrent, phares allumés, sur l'allée qui montait vers la maison. Ils la contournèrent dans un grand bruit de moteur. Je devinai que les soldats allaient encercler le verger pour assister au largage des conteneurs d'armes. Je me tournai vers Noor.

– Ils attendent les avions. Maintenant, il faut alerter Londres. Annulons !

Noor ouvrit sa radio, l'alluma et envoya le message qui annonçait une transmission. Accroupi près d'elle, je masquai avec ma veste le poste et ses ampoules lumineuses. Par une nuit noire, la plus petite lumière se voit à des kilomètres.

– Je n'ai pas de réponse.

– Recommence !

Elle émit de nouveau. Rien. Elle répéta la manœuvre au bout de cinq minutes. Toujours rien.

– Ils ne doivent pas recevoir, dit-elle, sinon ils répondraient. Ils répondent toujours quand on les appelle. Nous sommes en contrebas de la pente et il y a une colline en face. Les ondes ne passent pas !

– Tu crois ?

– Je ne sais pas. Mais c'est très possible. Ces machines sont capricieuses.

Il nous restait une heure. Si Londres ne captait rien, les Allemands réceptionneraient des tonnes et des tonnes d'armement britannique.

– Nous changeons d'endroit. Il faut remonter.

Noor rangea son antenne, ferma sa valise pendant que je regardais ma boussole à la lueur de la torche étouffée par ma veste. En marchant à travers bois, sur la gauche de la grange, nous pouvions progresser jusqu'au sommet de la colline tout en évitant les soldats qui devaient attendre autour du grand verger.

Nous partîmes dans la forêt, guidés par l'aiguille de la boussole que je consultais toutes les cinq minutes. Il y avait de grandes fougères, des ronces. Nous avancions lentement en faisant des détours. Au bout d'une demi-heure, il me sembla que nous n'étions guère plus haut.

– Arrêtons-nous et essayons, dit Noor.

– Non. Si nous ne les joignons pas, nous n'aurons plus le temps d'aller ailleurs. Il faut grimper.

Nous continuâmes. Les branches nous griffaient le visage et les ronces s'accrochaient à nos vêtements. Il était près de minuit quand le terrain s'inclina devant nous. Nous avions atteint l'arête du monticule. C'était l'endroit le plus favorable.

– Vite, Noor, le message !

Elle s'affaira. Après trois minutes, elle tapotait sur son manipulateur. Je tendis l'oreille. Loin derrière nous, vers l'ouest, j'entendais un vrombissement, d'abord sourd, puis de plus en plus net.

– Les avions ! Noor ! Ils arrivent ! Ils vont tomber dans le piège ! Vite !

– J'attends l'accusé de réception.

Une minute s'écoula. Mon cœur battait à tout rompre. Tout était ma faute. Il fallait transmettre le message bien plus tôt. Pourquoi attendre la dernière minute ? Imprévoyance criminelle !

– Ça y est, dit Noor, ils ont répondu ! Je transmets.

Le message était lapidaire. En une minute, ce fut fait.

– Les avions approchent ! dis-je. Merde, merde, merde ! Trop tard !

Le bruit des moteurs passa au-dessus de nos têtes. J'étais désespéré. Le parachutage avait eu lieu. Un gamin torturé, un réseau décimé, des tonnes d'armes offertes à la Gestapo, tout cela par ma faute ! À cause de mes absurdes élucubrations à la Sherlock Holmes. Et je n'avais même pas la réponse formelle à ma question. Les

Allemands savaient. Mais qui les avait prévenus? La mission tournait au désastre. J'imaginais l'opératrice anglaise qui téléphonait frénétiquement au QG à peine le message décrypté, Buckmaster ou Bodington donnant immédiatement l'ordre de contacter les avions pour les faire revenir. Au moment où je maudissais ma légèreté, le bruit des moteurs enfla de nouveau.

– Ils reviennent! dit Noor

– Oui! lançai-je avec un peu d'espoir dans la voix. Ils ont fait un tour de repérage. Il reste encore une minute pour les atteindre. Allez, Buck, dépêche-toi! Annule, nom de Dieu!

Je pris Noor par la main et nous nous mîmes à courir vers le verger, tout en scrutant l'obscurité pour ne pas tomber sur un soldat. Le bruit des moteurs enflait toujours. Soudain, il décrut. Les avions avaient coupé leur régime pour plonger sur les lumières qui balisaient le terrain, ces lumières qu'ils croyaient amies. Nous arrivions pour assister au désastre. Je vis les ombres des appareils dans le ciel, loin vers l'est, qui avaient amorcé leur descente, plongeant droit vers nous. Dans trente secondes, les corolles des parachutes s'ouvriraient au-dessus du verger. Puis l'angoisse s'évanouit. Les moteurs avaient rugi de nouveau. Les avions remontaient à plein régime vers les étoiles.

– Hourra! dis-je. Ils repartent. Buck les a eus. Hourra!

– Hourra! fit Noor en me serrant la main très fort.

Le vrombissement des moteurs diminua rapidement. Ils disparaissaient vers l'ouest. Cette fois, la Gestapo n'aurait pas son cadeau.

Une minute plus tard, on n'entendait plus que le bruit des grillons. Un ordre en allemand transperça la rumeur de la nuit. Des torches s'allumèrent. D'autres ordres furent criés de chaque côté du verger. Plusieurs silhouettes se dirigèrent vers le sud où je devinais la masse sombre de la maison. En restant à couvert, nous suivîmes les soldats qui revenaient, tête basse. La porte arrière du pavillon de chasse s'ouvrit, découpant un rectangle de lumière. Les casques brillèrent dans la nuit. Je braquai mes jumelles. L'un derrière l'autre, les soldats pénétraient d'un pas lourd dans la cuisine éclairée. Un personnage en civil fermait la marche. Il entra dans la lumière. Dans l'objectif, de dos mais parfaitement identifiable, je reconnus la chevelure ondulée de Blainville.

23.

C'était l'heure des adieux. Le lendemain du parachutage manqué, nous avions envoyé un long message à Londres, avec une terrible conclusion : le traître était Blainville, l'un des plus courageux responsables du SOE en France et sur lequel reposait une grande partie de ses communications. À Paris, la réponse de Buckmaster arriva le soir même : ordre de rentrer sur-le-champ. De toute évidence, Buck voulait démêler de vive voix l'écheveau du réseau Prosper et mettre au point sa riposte avec les deux agents les mieux à même de le renseigner. C'est là que Noor changea de rôle.

– Je ne peux pas rentrer, avait-elle dit tout à trac. La Résistance a besoin de moi. Je suis la dernière. Il n'y a pas d'autre radio disponible dans toute la région parisienne...

Je la regardai, stupéfié. Je crus une nouvelle fois à l'effet de son inconscience.

– Mais enfin, Noor, je ne vais pas te laisser seule à Paris. Le réseau est mort, Noor, ton réseau ! C'est trop dangereux. Tu ne serviras à rien.

– Mais si, mon cher. Cette fois, je servirai à quelque chose. J'ai réfléchi. Je connais Vienet, j'irai voir Kerleven. Eux ont des réseaux en état de marche. L'un est avec la résistance gaulliste, l'autre avec la résistance communiste. Ça fait du monde ! Ils ont forcément besoin de moi. Surtout si une insurrection est lancée. John, je le sais comme toi. Je suis la seule opératrice radio disponible. La seule.

Je restai sans mot dire. Sa logique était imparable. Pour une période indéterminée, le poste Aurore était le seul canal par lequel la résistance parisienne pouvait communiquer avec Londres. Attendre l'arrivée d'un autre radio ? Il fallait patienter jusqu'à la prochaine lune. Et trouver un autre moyen de transport que les avions de Blainville. Noor, décidément, me parut de moins en moins naïve, de moins en moins gauche. Elle m'avait suivi en Touraine sans jamais se plaindre, sans jamais faiblir, gardant son sang-froid malgré la peur et le manque de sommeil. La princesse apprenait vite. Plus vite que ne l'avaient pensé ses instructeurs, en tout cas.

Pourtant, ces progrès me glaçaient le cœur. Je ne voulais pas l'abandonner. Le risque était trop grand. L'étau s'était déjà resserré. Les Allemands avaient son signalement ; nous savions que Blainville trahissait et Blainville la connaissait ; le réseau Prosper était sous les verrous, ses agents torturés ou retournés. L'appartement de la rue de la Pompe pouvait tomber d'un instant à l'autre. Il lui faudrait une chance inouïe pour s'en sortir.

– Je sais ce que tu ressens, John. Moi aussi, je voudrais rester avec toi.

Je l'avais prise dans mes bras. Elle continua.

– C'est moi qui raisonne maintenant. Il n'y a pas d'autre solution. Rentrer, c'est handicaper la Résistance. J'ai retourné le problème dans tous les sens. Il n'y a qu'une seule solution. Je ne pars pas. Toute autre décision est une trahison. Échec et mat, monsieur le rationnel. Je repartirai un peu plus tard, voilà tout. Buckmaster se débrouillera pour me remplacer. Il préférera sûrement quelqu'un de plus expérimenté. À la prochaine lune, nous nous retrouvons à Londres.

– Non ! C'est trop dangereux. Ils te prendront en trois jours.

– Comment ça, ils me prendront en trois jours ? Et pourquoi ? Tu penses vraiment que je suis une incapable. J'ai appris. On apprend vite dans ces circonstances. Tiens ! Je suis sûre que tu n'as même pas prévu un moyen de sortir par-derrière, rue de la Pompe.

C'était vrai. Tout à mes raisonnements sur le sort de Prosper, j'avais négligé le premier conseil de Philby· un itinéraire sûr pour s'échapper, où qu'on soit... Elle poursuivit :

– Eh bien, moi, je l'ai fait. Si on arrive par la porte, je peux m'échapper !

– Comment cela ?

– J'ai une issue de secours. Je l'ai testée. Tu vois, je ne suis pas une si mauvaise espionne. Toi, le grand agent du SOE, tu n'y as pas pensé. Je m'en sortirai.

Ses arguments étaient irréfutables. Pour une raison simple : elle avait raison. Buckmaster et la section F avaient pour mission d'aider la Résistance. La Résistance avait besoin de communications. Dans les circonstances présentes, Noor était la seule qui puisse les assurer.

De la gare Montparnasse, où les cheminots nous avaient prêté un local provisoire, nous avions envoyé notre proposition à Londres. Buckmaster devait être aux aguets : la réponse revint trente minutes plus tard. Le chef de la section F acceptait. Il avait dû hésiter. Mais l'argument de Noor était irrésistible. En bon chef de guerre, Buckmaster n'avait pas tergiversé longtemps. Le poste Aurore était utile ? Qu'il continue. Aussi, deux jours plus tard, nous nous tenions devant la porte ouverte de l'appartement de la rue de la Pompe, face à face pour ces adieux qui me déchiraient. Cette fois, c'est Garry qui m'avait fourni la filière de déplacement. Deux de ses hommes venaient me chercher en voiture et me conduiraient en Normandie où un Lysander se poserait pour me ramener à Tangmere. J'enlaçai Noor. C'est peut-être la dernière fois, pensai-je.

Elle se serra très fort contre moi et elle laissa échapper, dans un murmure :

– J'ai peur...

– Non, Noor, ne dis pas cela. Tu me tues. Viens, rentrons ensemble. J'expliquerai à Buckmaster que c'était décidément trop risqué. Il comprendra. Après tout, il t'a donné l'ordre de rentrer. C'était son premier geste. Il comprendra. Plutôt qu'un agent mort en France, il préfère un agent vivant en Angleterre. Noor, je t'en conjure !

– Non. Je t'ai dit que j'avais réfléchi. J'ai médité, même. Je dois rester. C'est une affaire d'honneur. De fidélité. Mais j'ai peur. C'est humain...

Je passai mes mains dans ses cheveux courts. Elle leva son visage et m'embrassa longuement. Puis elle me regarda dans les yeux et prononça dans la même phrase les mots qui me crucifiaient et ceux que j'attendais depuis des jours et des jours.

– Au revoir, mon amour...

Elle se détacha doucement de mon étreinte, recula jusqu'à la porte du couloir, la poussa de sa main dans le dos et, de l'autre, me fit un signe d'adieu. Puis, en souriant, elle leva l'index et le majeur, pour le V de la victoire... et elle disparut.

Les hommes de Garry m'attendaient au carrefour, devant Les Espagnols. Je me dirigeai vers la voiture. En passant, je croisai le regard du flic de faction, devant le commissariat. Je vis qu'il m'avait reconnu. Je levai le bras et le saluai de deux doigts contre ma tempe, comme je le lui avais vu faire. Il sourit largement et me rendit mon salut. Je montai dans la voiture, qui démarra aussitôt. Elle freina soudain. Un jeune homme venait de traverser le carrefour sans nous voir, le regard braqué vers la rue de la Tour. La voiture cala, le chauffeur jura, puis nous repartîmes. Il m'avait semblé reconnaître le piéton. Mais le chauffeur m'adressa la parole :

– Alors, à quand le débarquement, lieutenant ?

– Demain peut-être. Ou dans six mois...

– Il est temps, nous sommes prêts !

– Croyez-vous ? Mon réseau vient d'être démantelé. Nous étions prêts. Nous ne le sommes plus.

La conversation continua ainsi jusqu'au tunnel de Saint-Cloud. C'est à Versailles que la mémoire me revint.

– Merde ! Quel idiot ! Il faut faire demi-tour.

Je me souvenais de tout. Le jeune homme qui traversait la rue de la Pompe, qui avait fait piler la voiture, qui regardait vers la rue de la Tour : c'était celui qui m'avait suivi, le jour de mon arrivée, jusqu'au Lido. Il avait un costume clair la première fois et aujourd'hui un pardessus noir et un chapeau. Voilà pourquoi je n'avais pas réagi tout de suite. Mais j'en étais sûr : c'était lui. J'étais terrifié. Sa présence ne pouvait pas être le fait du hasard. La Gestapo nous avait filés. Ou bien elle avait un tuyau. En tout cas, elle se préparait à prendre Noor.

– Il faut revenir, dis-je. Question de vie ou de mort.

– Mais pourquoi?

J'expliquai la situation.

– Il est trop tard, dit le chauffeur. À dix contre un qu'ils sont déjà montés. De toute manière, nous sommes trois. Ils seront plus nombreux, armés, ce coin grouille de flics. Impossible...

– Mais il faut faire quelque chose. Je ne peux pas la laisser se faire arrêter.

J'essayais de réfléchir malgré la panique. Retourner en arrière? Les deux amis de Garry avaient raison : nous arriverions trop tard. Peut-être était-elle déjà entre leurs mains... Mais s'ils n'étaient pas encore montés? Et si le jeune homme n'était là qu'en éclaireur, que l'opération soit prévue pour plus tard? Comment prévenir Noor? Le téléphone? Les Garry n'avaient pas le téléphone dans cet appartement. La concierge, les voisins? Impossible. La figure de Trochu, le commissaire patriote apparut.

– Il faut que je téléphone. Tout de suite.

La voiture bifurqua au premier carrefour. Nous étions dans Versailles. Un arrêt d'autobus, des magasins, un bistrot. La voiture s'immobilisa, je me précipitai. Le téléphone était libre. L'annuaire, le numéro, la voix paresseuse du planton :

– Commissariat du XVIe nord, j'écoute.

– Commissaire Trochu, s'il vous plaît?

– Qui le demande?

– ...

Je ne savais comment me présenter. J'essayai une formule.

– C'est personnel, je suis son ami de Dreux, celui des opérations ferroviaires. Dites-lui, il comprendra...

J'attendis deux minutes, puis j'entendis :
– Ici Trochu. Qu'est-ce qui se passe ?

Quatre minutes plus tard, le commissaire Trochu, son chapeau sur la tête, son imperméable sous le bras, traversait la rue de la Pompe après avoir jeté un coup d'œil sur sa droite vers le café Les Espagnols. Le jeune homme au pardessus noir était toujours là. Il regardait vers la rue de la Tour avec une expression d'anxiété. Trochu ralentit le pas, attendit que le guetteur tourne la tête et entra au 72. Dans le hall, il évita l'escalier au tapis rouge et chercha l'autre porte : tous les immeubles du XVIe avaient un escalier de service. Il grimpa les marches de bois aussi vite que son gros corps le lui permettait. Au quatrième, il cogna à la porte. Aucune réponse. Il recommença et plaqua son oreille contre la porte. À travers le bois, il entendit le parquet craquer. Il devina que Noor s'était approchée.

– Mademoiselle Noor ! C'est John qui m'envoie. Je suis Trochu, le flic d'en bas. Il vous a parlé de moi. Ouvrez !

Il y eut de nouveaux craquements, des bruits furtifs, puis la porte de service s'entrouvrit. Le visage de Noor apparut dans l'ouverture.

– Il faut partir, mademoiselle. Ils sont en bas. Ils vont monter d'un instant à l'autre.

– Vous êtes sûr ?

– Votre ami m'a appelé. Je les ai vus. Mais je ne peux pas rester. Ils vont se méfier s'ils me voient. Je vous le dis : partez. Partez tout de suite !

– Mais... Attendez, je vous suis. Je prends mes affaires. Je viens.

– Non, pas par là. L'escalier donne sur le hall d'entrée. Nous risquons de tomber sur eux.

Noor se mordait la lèvre. Elle prit sa résolution.

– Bon, j'ai une autre solution. OK, je pars. Ne restez pas là...

À cet instant, la sonnette de l'entrée retentit.

– Ils sont là, dit Trochu. Partez, mademoiselle, partez vite ! Je dois redescendre. Je vais tâcher de les éviter.

– Oui, oui, partez !

Noor referma la porte. Elle courut vers sa chambre. La sonnette retentit de nouveau. Elle jeta des vêtements dans un sac, qu'elle mit en bandoulière. Elle referma la valise noire de la radio. En bonne opératrice, elle rangeait chaque fois soigneusement l'antenne dans son compartiment. Elle pouvait décamper en quelques secondes. Venant de l'entrée, elle entendit une voix :

– Ouvrez ! Police ! Nous savons que vous êtes là. Vous n'avez aucune issue. Ouvrez !

Noor mit son manteau, sortit son revolver de sous son matelas et le glissa dans sa poche.

– Ouvrez !

Noor entendit une phrase en allemand, qu'elle ne comprenait pas. Puis, soudain, un bruit sourd et effrayant résonna dans tout l'appartement. Les policiers tentaient d'enfoncer la porte. Les mains tremblantes, Noor sortit de son armoire les cordons des rideaux, qu'elle avait coupés et noués pour fabriquer une longue corde. Elle en attacha l'extrémité à la poignée de la radio. Elle ouvrit la fenêtre de sa chambre et posa la valise noire sur le rebord de zinc, de l'autre côté de la rambarde de fer forgé. La porte d'entrée résistait encore. Noor entendait des coups et des cris en allemand. Calme, elle referma la porte de sa chambre, prit l'extrémité de la corde dans sa main et enjamba la rambarde. Debout sur le rebord, le dos au vide, elle tira à elle les deux battants de la fenêtre. Quelques jours plus tôt, elle avait planté deux clous à mi-hauteur, à l'extérieur, dans les montants de bois qui tenaient les carreaux. Elle les prit chacun dans une main et referma la fenêtre en encastrant ses deux battants l'un dans l'autre. À ce moment précis, la porte d'entrée céda. Les agents de la Gestapo envahirent l'appartement.

Noor mit le pied gauche sur le piton de fer du volet de gauche, celui qu'elle avait utilisé pour déployer son antenne. Elle s'agrippa de la main gauche au bord supérieur du volet de bois et fit une rotation au-dessus du vide. Son pied droit atteignit le piton de fer de la chambre voisine. Elle empoigna l'autre volet et se tint entre deux fenêtres, face au mur, les pieds sur les pitons, accrochée par les mains aux deux volets, invisible de l'intérieur. Restait la valise de la radio, posée sur le rebord de zinc. Retenue par sa main droite, Noor tira de sa main gauche sur la corde qu'elle tenait enroulée autour de son poignet. La valise tomba. Noor la retint avec la corde et la laissa glisser le long de la paroi de l'immeuble.

Un gestapiste entra dans sa chambre. Il regarda sous le lit, dans l'armoire, jeta un coup d'œil par la fenêtre, vit qu'elle donnait sur une cour intérieure sombre et profonde. Noor, à vingt centimètres de lui, plaquée contre le mur extérieur ne respirait plus. Le flic ressortit de la chambre :

– Ils ne sont pas là !

– Alors, il n'y avait personne ! dit une voix. Je ne comprends pas. Il nous avait affirmé qu'ils seraient là. D'après lui, ils étaient coincés dans cet appartement ! Comprends pas... Fouillez encore. Ils ont peut-être une cache.

Noor était gênée par le poids de la valise qui lui sciait le poignet. Elle remonta la radio et la posa sur le rebord. Puis, comme elle l'avait fait plusieurs fois pendant ses longues heures d'attente dans l'appartement, elle entama une conversion. Elle mit ses deux pieds sur le même piton, pivota, inversa la position de ses bras, écarta de nouveau les jambes et se retrouva face au vide, les membres comme ceux d'un crucifié du temps des Romains. Devant elle, un peu à gauche, à deux mètres, de l'autre côté du puits formé par les murs de l'immeuble, il y avait une échelle, scellée dans la paroi opposée. Les échelons descendaient jusqu'au mur mitoyen qui séparait la cour intérieure du parc voisin. Noor ferma les yeux, attendit trente secondes, les rouvrit, puis se lança dans le vide, les bras tendus vers le ciel. Avant la chute, ses mains rencontrèrent l'échelon qu'elle avait visé. Elle l'empoigna, ses pieds quittèrent les deux pitons et elle cogna de ses jambes l'échelle scellée dans le mur. Elle mit ses pieds sur un échelon, se retourna et tira sur la corde. La valise bascula. Elle la retint, la stabilisa, la ramena à elle, la prit d'une main et commença à descendre, l'autre main sautant d'échelon en échelon. Arrivée au mur mitoyen, elle l'enfourcha, laissa filer la corde pour poser la radio sur le sol du parc et sauta dans l'herbe. Elle ramassa sa valise et courut vers un bosquet.

L'agent de la Gestapo, revenu dans la chambre, ouvrit la fenêtre. Il ne remarqua pas les deux clous extérieurs et dit au jeune homme en noir derrière lui :

– Non, il n'y a personne ! On ne peut pas s'échapper par là ! C'est impossible.

24.

Trochu m'avait rassuré. Quand je l'avais rappelé, une heure plus tard, en route pour la Normandie, tremblant d'angoisse et craignant le pire, il avait pris une voix paternelle.

– Elle s'en est sortie. Je ne l'ai pas vue s'enfuir, mais ce dont je suis sûr, c'est qu'ils n'ont rien trouvé.

– Ils sont montés à l'appartement?

– Oui, mais je les avais précédés. Je l'ai avertie. J'ignore comment elle a fait, mais ils sont repartis sans elle... Elle a disparu!

– Vous êtes sûr?

– Mais oui, je suis sûr! Elle a disparu. J'ai l'habitude des opérations de police.

– Ah! Formidable! Merci, commissaire, merci. Comment vous...

– Mais non, laissez. C'est comme ça. Je n'aime pas les Boches. Ce qui compte, c'est qu'ils ont raté leur coup. Je ne sais pas comment elle a fait. Sacrée bonne femme! Elle n'avait pas l'air, quand je l'ai vue tout à l'heure.

– Vous êtes certain qu'elle s'en est tirée?

– Mais oui. Je vous le dis. J'ai tout observé de mon bureau. Quand je suis redescendu, ils étaient dans les étages. Ils ne m'ont pas vu. Je suis rentré au poste et j'ai bien regardé. Elle les a eus.

Buckmaster était souriant, chaleureux, comme à l'accoutumée. J'avais traversé la Manche sans difficulté, guidé jusqu'au terrain par les hommes de Cowburn et Garry. Au moins, le réseau Tinker fonctionnait bien. Avant de partir, j'avais dîné à Dreux, chez un chirurgien-dentiste qui appartenait à la Résistance. Violette Laszlo était là, toujours aussi belle et mystérieuse. Je lui avais dépeint la situation de Noor. Cowburn et elle avaient réagi.

— Tout radio a besoin d'une protection, avait dit Cowburn. Il faut lui envoyer quelqu'un.

— Ce sera moi, avait répondu Violette. J'aime bien Noor. J'ai envie de voir Paris. Nous ferons une bonne équipe.

Cowburn avait accepté. Il n'était guère content à l'idée de se séparer de sa tireuse d'élite. Mais il jugea que l'impératif des communications l'emportait. Paris avait besoin d'un radio. Seule, Noor se ferait sans doute prendre. Avec Violette, elle survivrait plus longtemps. Le soir, dans un champ près de Dreux, j'étais monté dans le Lysander, un peu rassuré. Trois heures plus tard, j'étais à Tangmere et le lendemain, après une demi-nuit de sommeil, j'entrais dans le hall de Baker Street, mon récit en tête, bien décidé à mettre Blainville hors d'état de nuire.

Buckmaster me reçut avec Bodington à sa gauche, selon son habitude, les mains à plat sur le cuir du grand bureau, la tête un peu penchée, comme un homme qui veut montrer sa bienveillance. Je lui racontai le désastre du réseau Prosper, la traque de ses amis, l'opération

Foligny, le sabotage des locomotives, l'attentat contre le camion de l'avenue Mac-Mahon. Buck semblait satisfait. Un seul agent avait causé beaucoup de dégâts. Prosper était pris, mais les Allemands et les collabos avaient souffert. Somme toute, la mission n'était pas sans résultats. Puis je répétai mes déductions par le menu. Il m'écouta avec attention. Quand j'eus éliminé trois suspects, Darbois, Prosper et Vienet, et que Blainville resta seul en piste, Buck objecta :

– Ce ne sont que des combinaisons intellectuelles. Vous n'avez pas de preuve tangible de la culpabilité de Blainville. Vous avez procédé par élimination, mais vous n'avez aucun élément positif.

– Si. Je lui ai demandé d'organiser un parachutage, il était le seul à le savoir à part moi. Le parachutage a été planifié. Or ce sont les Allemands qui étaient à la réception. J'ai tout vu. Nous sommes arrivés en avance, exprès, pour surprendre la manœuvre. Et nous l'avons surprise. Les Allemands ont envoyé une patrouille l'après-midi du parachutage. Ils ont torturé un gamin, sous nos yeux. C'était insoutenable. Ils étaient prévenus. Par qui ? Par le seul homme qui connaissait l'existence du parachutage. Blainville.

– Ce pourrait être une coïncidence.

Bodington était intervenu.

– Après tout, dit-il, les Allemands font partout la chasse aux résistants, en Touraine comme ailleurs. Ils ont arrêté ces gens au moment où le parachutage devait avoir lieu. Peut-être le gamin a-t-il parlé, finalement. Un peu, en tout cas. Il a pu leur révéler l'heure du parachutage. Alors, ils sont restés pour réceptionner les armes...

– C'est invraisemblable, dis-je.

Je compris que Buck et Bodington se faisaient les avocats du diable. J'aurais agi comme eux. Ils ne pouvaient pas condamner Blainville sur la foi d'une seule dénonciation fondée sur une déduction abstraite. Blainville leur était trop utile. Ils avaient confiance en lui. Je continuai :

– De toute manière, la question est réglée : j'ai vu Blainville ce soir-là avec les Allemands.

– Vous l'avez aperçu ? reprit Bodington.

– Je l'ai vu. Il était présent le soir du parachutage. Il accompagnait la Gestapo.

– Mais comment l'avez-vous vu ? C'était en pleine nuit !

Bodington ne voulait pas lâcher. Il finissait par ressembler à un procureur.

– Je l'ai vu quand il est entré dans la maison. On ne pouvait pas se tromper. C'était lui.

– Pourquoi dites-vous « on ne pouvait pas se tromper » ? Vous ne l'avez pas bien vu ?

– Si !

– Mais comment ?

– À la jumelle, de dos, quand il entrait dans la cuisine avec les soldats.

– De dos ? Vous n'avez pas vu son visage ?

– Non. J'étais sur l'arrière. Je ne pouvais pas le voir. J'ai vu sa tête, ses cheveux, j'ai reconnu sa démarche. C'était lui. Aucun doute.

– Mais vous n'avez pas vu sa figure ! cria Bodington.

– Non, pourtant je sais que c'est lui. Tout concorde. Il nous trahit. Buck, je comprends que vous soyez méfiants. Mais j'ai enquêté sur place pendant des jours et des jours. J'ai tout vérifié, tout envisagé. La conclusion est terrible, mais elle est juste. Blainville nous trahit. Je ne sais pas pourquoi, je ne sais pas comment, mais il nous trahit.

– L'affaire est grave, dit Buckmaster d'un ton bizarrement solennel. Il faut en avoir le cœur net. Mon cher

Sutherland, nous allons nous livrer à un exercice qui ne vous fera pas plaisir. Mais il est nécessaire, pour la vérité et pour la sécurité de nos agents.

– Un exercice ?

– Oui. Peter, dit-il en s'adressant à Bodington, allez-y !

Bidington se leva, marcha vers la porte, l'ouvrit et dit :

– Votre présence est requise.

Un homme jeune et athlétique entra dans la pièce, salua Buckmaster et se tourna vers moi. Je connaissais sa mèche folle et ses yeux bleus. C'était Blainville.

Je mis une minute à revenir de ma surprise. Blainville à Londres ! Je l'avais laissé avec les Allemands à Chaumont. Que faisait-il là ? Avait-il toujours la confiance du SOE ?... J'étais absolument sûr de moi. Incompréhensible.

Lui ne paraissait pas troublé. Il me salua en souriant.

– John, je comprends votre point de vue. Vous avez enquêté, vous avez pris beaucoup de risques, vous avez monté cette affaire de parachutage. Votre conclusion est logique. En principe, j'étais le seul à savoir. Mais vous vous trompez...

Je n'arrivais plus à réfléchir.

– Je vous explique, dit aussitôt Buckmaster. Quand vous avez envoyé la conclusion de votre enquête, il y a trois jours, nous nous sommes concertés. Nous avons décidé de faire revenir Blainville. C'était nécessaire. Blainville nous est précieux. Nous ne pouvions pas le condamner sur une dénonciation. S'il refusait de rentrer, c'était un aveu. Il est venu tout de suite, dès qu'il a pu monter dans un avion. Nous l'avons interrogé. Son histoire se tient. C'est pourquoi il fallait une confrontation avec vous.

La fureur me gagnait. J'avais mis ma vie en jeu, celle de Noor, celle de toutes sortes d'agents pour débusquer celui qui trahissait Prosper. Et maintenant mes supérieurs ne me croyaient pas. Ils se fiaient à un traître qui était devant moi, avec son regard franc et son ton compatissant.

– Je vous ai donné tous les éléments. Si vous ne me croyez pas, tant pis pour vous. Tant pis pour le SOE.

– John, dit Blainville. Votre raisonnement est fragile. Vous avez éliminé Darbois et Vienet. D'accord. Mais il reste Prosper. Il a négocié avec les Allemands. Il a donné des agents, des caches d'armes. Qui vous dit qu'il n'avait pas commencé plus tôt ? Qu'il n'avait pas été arrêté il y a une semaine ou un mois, puis relâché ? Si c'est le cas, tout s'éclaire. Vous n'avez pas besoin de moi comme coupable.

– Je n'y crois pas, dis-je. Vous étiez le seul à connaître le parachutage. Et si Prosper avait trahi avant son arrestation, je ne serais pas là. J'aurais été capturé tout de suite.

– Et moi, si j'avais trahi, dit Blainville, je ne serais pas là. Pourquoi jouer ma vie à Londres, volontairement, si je travaille pour la Gestapo ? Et si j'avais trahi, c'est moi qui vous aurais livré. Pourquoi vous laisser en liberté ? Vous êtes un agent dangereux pour les Allemands. À la place d'un traître, je vous aurais tout de suite dénoncé.

Il marquait un point. Je repris :

– Vous ne connaissiez pas mon refuge. J'étais caché dans le XVIe, dans un appartement dont vous ignoriez l'adresse. Et, quand vous l'avez connue, Aurore a failli se faire arrêter. Je suppose que vous m'avez fait suivre, ou quelque chose comme ça... Ensuite, je vous ai demandé de prévoir un parachutage et les Allemands étaient là. Vous étiez le seul à savoir.

– Je n'étais pas là ce jour-là. J'ai prié le réseau Salesman de s'en charger, comme souvent auparavant. Ce sont eux qui ont tout organisé. Pas moi. Je ne vais pas à tous les parachutages. Il y en a trop.

– Mais les Allemands étaient là et vous étiez le seul à savoir...

– Non, je n'étais pas le seul. Les gens de Salesman le savaient aussi. Par définition. Ils se sont fait prendre, voilà tout.

À ce moment-là j'explosai.

– Arrêtez cette comédie. Je vous ai vu. Je vous ai reconnu, vous! Vous comprenez?

Blainville restait d'un calme exaspérant.

– Je ne comprends pas comment c'est possible. J'étais à Paris ce jour-là.

– Non! Je ne suis pas fou. Je vous ai vu, avec les soldats, derrière la maison.

– Vous l'avez imaginé. Il faisait nuit, vous étiez loin, vous étiez persuadé que c'était moi, vous vouliez me voir. Alors vous m'avez vu. Mais je ne suis pas le seul à avoir les cheveux châtains...

– Blainville, cela ne sert à rien. Je dirai que je vous ai vu devant un jury criminel. Vous étiez là. C'est tout.

– J'étais à Paris!

– Mensonge!

– J'étais à Paris, c'est vérifiable.

Ahuri, furieux, je me tournai vers Buckmaster, qui resta impassible. C'est Bodington qui donna l'estocade.

– Il était à Paris ce jour-là, dit-il d'un ton las. J'ai vérifié.

– Quoi?

– Il était à Paris. Un de nos agents l'a vu quai de Montebello, le soir. C'est un agent fiable. Vous connaissez cette boîte aux lettres, Sutherland, vous l'avez utilisée. Quand vous étiez en Touraine, Blainville était à Paris. C'est un fait. Vous avez commis une erreur, Sutherland. Personne ne peut vous en vouloir. Vous êtes d'une parfaite bonne foi et votre conduite est exemplaire. Nous sommes contents de vous. Vous avez porté des coups très durs aux Allemands. Le SOE peut être fier de vous. Seulement, vous vous êtes trompé sur Blainville. Il garde notre confiance.

25.

Il était midi quand je sortis du siège du SOE. Il me fallut le reste de la journée pour retrouver un semblant de calme. Je marchai au hasard des rues dans Londres, de Baker Street à Piccadilly, le long d'Oxford Street et autour de Hyde Park. Une alerte aérienne me laissa de marbre, piéton obnubilé par ses réflexions dans une ville fatiguée de la guerre. Les sirènes chassaient les passants dans les abris. Les rues étaient noires et tristes. Je ne daignai même pas regarder vers le ciel. Pourquoi m'inquiéter, quand j'avais tant de choses sur lesquelles méditer ? Ma pensée m'emportait. Il fallait comprendre. Défi à l'esprit. Défi à cet esprit logique qui était ma seule référence, mon seul point de repère dans la confusion de la guerre.

Je revoyais sans cesse le film de ces derniers jours. Buckmaster et Bodington avaient été très aimables. Ils me tenaient en haute estime, disaient-ils, et me renverraient sur le terrain à la première occasion. Mais, pour l'instant, j'étais en congé de l'armée, assigné au repos après une mission dangereuse. Et Blainville, lui, était reparti en France. Pendant deux heures, Bodington avait tenté de me persuader de mon erreur. Il avait repris les détails de mon enquête avec une minutie extraordinaire. Effectivement, si l'on s'en tenait à la logique formelle, j'avais pu me tromper. J'avais enquêté à la manière de Sherlock Holmes : j'avais suivi toutes les pistes pour les éliminer une à une. Aussi invraisemblable qu'elle puisse paraître, disait le détective à la loupe, la dernière devait être la bonne. Et, pour moi, la dernière piste s'appelait Blainville.

Bodington avait fait valoir les incertitudes de la vie clandestine, l'imprudence de Prosper et des siens, le travail patient de la Gestapo. Il y avait dix causes possibles à l'échec du parachutage, à la réaction allemande dans l'affaire de Foligny ou dans celle de Dreux. La Gestapo venait de décapiter la résistance gaulliste en capturant Jean Moulin à Caluire et les principaux responsables de « l'armée des ombres ». Au même moment, elle avait démantelé le plus efficace des réseaux du SOE, le réseau Prosper. Ses indicateurs étaient légion, ses sources d'information innombrables.

Tout était vrai. Rien ne me convainquait. C'est moi, me disais-je, qui avais vu Prosper, Vienet, Darbois, Blainville. C'est moi qui avais monté le piège du parachutage. C'est moi qui avais reconnu Blainville dans mes jumelles. C'est moi qui avais tremblé pour Noor, dont le refuge – notre refuge – avait été retrouvé, comme par hasard, quelques heures après mes contacts avec Blainville. Bodington raisonnait dans l'abstrait. Il n'avait pas vécu cette histoire. Moi, si.

Alors, mon cerveau se mit en quête d'une autre explication. J'échafaudais les scénarios les plus fantastiques. « Blainville est le traître, dis-je en traversant le Strand, sans faire attention au " bobby " qui me sifflait. Dans ce cas, continuai-je, Bodington est sa dupe. Il est sous le charme, il ne voit pas ce qui est évident. Mais pourquoi ? Pourquoi un des responsables suprêmes de mon organisation, si rompue à tous les coups bas, est-il abusé de la sorte ? À moins qu'il ne soit pas abusé. À moins que... »

Je fis une halte dans un pub pour tenter de reprendre mes esprits. Je commençais à divaguer. Une seule chose m'importait : le destin de Noor. Elle courait tous les risques. Si Blainville était bien le traître, elle allait à sa perte. Il connaissait nos relations. Il n'aurait de cesse qu'il ne la fasse arrêter. Elle aussi avait vécu ce que j'avais vécu. Elle était un procureur redoutable. Blainville ne pouvait pas continuer son œuvre sans l'éliminer. La mort planait sur Noor. Il fallait tout faire pour empêcher cela. Il fallait la garder. À tout prix.

Mais, pour sauver Noor, il fallait débrouiller le faisceau des hypothèses. Je revenais à mon point de départ. Sa vie dépendait d'un exercice de l'esprit. La mienne aussi. J'en étais certain : si mes déductions étaient fausses, si ma logique trébuchait, si mes syllogismes s'égaraient, Noor mourrait. Il fallait savoir qui était l'ami et qui était l'ennemi. Tout se mêlait dans ma tête. J'entrevoyais un gouffre. Je pensais me battre pour la cause la plus limpide, pour la liberté, contre la tyrannie. Voilà que tout s'obscurcissait. Au fond de cet abîme, j'apercevais un monde sombre et nouveau. Un monde dans lequel les héros étaient douteux et les idéaux flous. Un monde où le bien et le mal se mélangeaient. Un monde où les hommes cherchaient leur salut sans dieux, sans repères, sans règles. Noor se moquait de mon esprit logique. Comme elle avait raison. Ma confrontation avec mes deux généraux en chef, ceux en qui je mettais toute ma foi, m'avait ébranlé. J'étais sûr de moi en venant vers eux, comme l'enfant vers son père. Ils m'avaient désavoué. Un univers s'effondrait.

Soudain, l'image d'un homme me traversa l'esprit. Philby ! Mon ami de Cambridge était un espion. Un vrai. Lui saurait. Dans le labyrinthe des intrigues, dans le maquis des combinaisons, il trouverait le fil. Pourquoi Buckmaster et Bodington croyaient-ils Blainville quand j'étais persuadé qu'il trahissait ? Y avait-il un secret derrière tout cela ? Était-ce naïveté ou machiavélisme ? Philby répondrait. Attablé devant un whisky sur King's Road, je supputais sa réaction. Il ne pouvait pas parler, il ne pouvait pas me fournir la moindre information. Mais il pourrait me décrire un décor, il pourrait élargir le cercle, généraliser, m'expliquer quelques bribes de cette guerre que je saisissais de moins en moins. Comme on dit dans le journalisme, Philby me donnerait le « background », toutes ces données inutiles et lointaines, que les mauvais reporters négligent et sans lesquelles on ne comprend rien.

Deux heures plus tard, nous étions assis dans des fauteuils indiens faits de bois sombre et de coussins profonds. De chaque côté de la pièce, comme dans une scène coloniale, de grandes défenses d'éléphant encadraient nos sièges. Des photos jaunies étaient accrochées au mur du salon. On y voyait des officiers à cheval sous le soleil tropical et des indigènes qui fixaient l'objectif avec crainte. Un serveur âgé passait la tête de temps en temps pour nous proposer du xérès.

Pendant mon séjour en France, il avait été muté de Beaulieu à Londres. L'Intelligence Service l'avait chargé d'organiser la surveillance des services secrets de l'Union soviétique. Le chef du MI6, Stewart Menzies, « C », comme on disait à l'époque, travaillait loyalement avec nos alliés russes. Mais, tel Churchill, son maître en anticommunisme, il savait que, tôt ou tard, l'URSS se retournerait contre nous. Il fallait préparer cette échéance. Il fallait savoir ce que tramaient les espions de Staline. L'ironie voulait que Menzies ait choisi Philby pour cette mission. Car, en juillet 1943, personne ne savait, à commencer par moi, que mon camarade de Cambridge travaillait pour les communistes.

Au téléphone, Philby m'avait parlé avec amitié. Il avait tout de suite compris que l'affaire était grave et proposé un rendez-vous à son club.

– Mon père vient ici tous les jours quand il est à Londres, me dit-il en guise d'explication.

– Que fait ton père, Kim?

– Il est espion lui aussi, dit Philby en riant. Nous sommes une lignée d'espions!

Il me raconta l'histoire de Saint-John Philby, gentleman de Cambridge et passionné d'exotisme. Il avait connu Lawrence, celui que le public allait appeler Lawrence d'Arabie, et, comme lui, opérait dans le monde arabe. Il s'était lié à la famille des Saoud et se complaisait dans des intrigues pétrolières et religieuses en Arabie. Il avait poussé le sens du devoir jusqu'à acheter une maison à La Mecque et épouser une esclave qu'il avait affranchie. Enfant d'un premier lit, mon ami Kim avait quatre demi-frères et demi-sœurs nés d'une ancienne esclave en Arabie.

– Ton père est là-bas en ce moment?

– Oui. Il soutient les Saoud. Mon père n'a pas mes idées. Avant la guerre, il penchait vers l'Axe. Il aime les régimes d'autorité. Maintenant, il défend nos intérêts au Proche-Orient. Nous et les Américains, nous avons tout intérêt à maintenir ces wahhabites au pouvoir. Ce sont des féodaux immondes, mais, depuis Lawrence, ce sont nos amis. C'est une dictature religieuse, mais ils nous livrent le pétrole à bon prix. Ils tiennent le sol sacré, nous tenons le sous-sol. C'est ainsi qu'Allah est grand !

Je souris et laissai passer un temps.

— Kim, dis-je, je suis désorienté. Quelque chose me dépasse. Il faut que je comprenne. La vie d'une femme... importante pour moi en dépend. Peux-tu m'aider ?

Je m'étais exprimé avec une gravité qui le poussa à se concentrer. Il me répondit sur le même ton.

— Je peux tout faire pour toi. Tu le sais. Sauf trahir mes devoirs d'officier. Tu en conviendras...

— Je ne te demande aucun secret. Je voudrais une explication... générale. J'ai besoin de tes conseils.

— OK. Dis-moi.

Philby m'écouta sans rien dire, le menton dans ses deux mains jointes, ses yeux noirs fixés sur moi. De temps en temps, il buvait une gorgée de xérès, sans me quitter du regard.

Je lui racontai tout, par le menu, sans omettre un détail. De temps en temps, il opinait. Ou bien il levait les sourcils, sans jamais m'interrompre. À la fin, il dit seulement :

— Tu es sûr d'avoir reconnu Blainville le soir du parachutage ?

— Oui. J'en suis certain. Mais je l'ai vu de dos.

— Mais tu en es sûr ?

— Oui.

— Et quand tu as eu cette conversation avec Buckmaster et Bodington, qui menait la discussion, qui te répondait ?

— Euh... Bodington. Oui, Bodington. Buck était une sorte d'arbitre. C'est Bodington qui me contredisait. C'est lui qui a essayé de me convaincre de mon erreur.

– Bodington a fait entrer Blainville ?

– Oui. C'est lui.

– On peut en déduire que c'est lui qui l'a fait venir.

– Sans doute...

Philby se tut. J'eus l'impression qu'il hésitait. Je repris :

– Kim, tu sais quelque chose ? Quelque chose qui éclaircit cette affaire ?

Il attendit avant de répondre. Puis il se lança, comme s'il avait pris une décision.

– John, je ne sais rien. Les opérations sont parfaitement cloisonnées. Je m'occupe des bolcheviks, pas des nazis. J'ignore tout de ce que nous faisons en France. Pourtant, cette histoire me paraît claire.

– Claire ?

– Je vais te donner mon avis sur le problème que tu me poses. Je ne vais te livrer aucune information, je n'en ai pas. Tu vas apprendre un secret d'État. En fait, tu l'as déjà surpris, mais tu n'en es pas tout à fait conscient... Je ne trahis aucun devoir en te parlant. Souviens-toi que cette conversation n'a jamais eu lieu. Elle n'existe pas. Elle n'a jamais existé.

– Je ne comprends rien à ce que tu me dis. Mais, bien sûr, cette conversation n'existe pas. Tu as été journaliste comme moi. Tu le jures ?

– Je le jure. Qu'est-ce qui est clair ?

Il réfléchit une minute, puis se pencha en avant, le regard bienveillant, comme s'il allait expliquer quelque chose de trop compliqué pour moi.

– Blainville est très utile à notre organisation en France, n'est-ce pas ?

– Euh... oui... Sauf s'il trahit. Ce que je crois.

– Oui, il trahit. Mais, en même temps, il est très utile...

– Comment cela ? En quoi un traître est-il utile ? Il aide nos hommes, puis il les donne. Belle utilité.

– Oui, il fait les deux choses. Et ses supérieurs le couvrent.

– Ils le couvrent ?

– Ils le soutiennent. Tu en as été témoin.

– Ils se trompent. Ils n'admettent pas sa trahison. Blainville est un menteur extraordinaire...

– Tu ne vois pas ce que je veux dire. À mon avis, c'est simple : Blainville est un agent double.

– Un agent double ? Il travaille pour les deux camps ? Donc, c'est un traître. Un double traître.

– Non, c'est un agent double. C'est-à-dire un agent doublement utile. En fait, il travaille pour nous.

– Mais comment ça, pour nous ? Il a balancé à la Gestapo une famille entière et il a failli faire saisir des dizaines de tonnes d'armement. Voilà ce que je sais.

– Cela fait partie de son travail pour nous.

– Comment ?

– C'est son rôle. C'est un agent double.

– Tu veux dire qu'il agit avec l'accord de nos services ?

– Oui, je le pense. Il a convaincu la Gestapo qu'il travaillait pour elle. En fait, il continue de travailler avec nous.

– C'est un roman.

– Oui, en plus intelligent. C'est la vérité. Je vois que tu n'es pas au courant de nos traditions.

– Quelles traditions ?

– Celles de l'Intelligence Service. Tu devrais pourtant le savoir. Nous avons les meilleurs services secrets du monde. *Britannia rules the sea...* (La Grande-Bretagne est maîtresse des mers.) Mais, pour construire notre Empire depuis deux siècles, nous n'avons pas seulement

316

utilisé des navires et des marins. Nous avons formé les meilleurs espions qui soient. L'impérialisme britannique domine le monde alors que nous sommes une île de taille moyenne, avec une population plus faible que beaucoup de nations. Ce n'est pas fortuit. C'est une question d'intelligence, dans tous les sens du terme !

– Je sais cela. Mais, mais... que faisons-nous en France, avec cet agent double ?

Il prenait un ton de plus en plus professoral.

– Mon cher, un service secret sert à connaître les intentions de l'ennemi, ses forces, ses faiblesses. C'est le premier degré, l'art élémentaire et déjà difficile. Mais il y a un registre supérieur dans l'espionnage. Un domaine suprême, un domaine pour initiés, un Olympe des agents secrets, un Graal de l'espionnage. Trivialement, on pourrait l'appeler « manipulation ». Mais c'est un mot un peu faible pour ce qu'il désigne. En fait, nous agissons directement sur le cerveau de Hitler.

– Directement...

Je pensai que Philby avait perdu le contact avec le réel. Il était si fier d'appartenir à cette grandiose institution des services secrets qu'il lui prêtait des pouvoirs surnaturels... Pour moi, combattant, journaliste de gauche, l'Intelligence Service m'avait toujours paru le type même de l'institution réactionnaire où les esprits les plus tordus de l'establishment s'amusaient à fomenter des intrigues byzantines dans lesquelles ils se perdaient eux-mêmes, tout en buvant du xérès dans leur club et en plaisantant sur les syndicalistes épais et les politiciens incompétents. Quand ils ne conspiraient pas contre la démocratie et le mouvement ouvrier...

Philby vit mon expression consternée.

– Je vois que tu me prends pour un mégalomane.

– Mais non...

– Si. Alors, je vais prendre un exemple. Blainville. Je ne connais pas son parcours. Mais je l'imagine assez bien. Il travaille en France depuis deux ans, non?

– Oui, je crois. Il est très efficace...

– Selon moi, il a survécu en prenant des assurances.

– Des assurances?

– Soit il a été arrêté par les Allemands et il leur a proposé de travailler pour eux. Puis il l'a dit à ses chefs. Ou bien ils l'ont découvert. Soit il a été voir la Gestapo sur ordre de ses chefs, pour établir sa situation d'agent double. Il est manifeste, à écouter ton histoire, qu'il a réussi à gagner la confiance des nazis sans perdre celle des Anglais. Et qu'il travaille pour les Anglais. Sinon, Bodington ne l'aurait pas défendu.

– C'est une hypothèse...

– Certes. Mais imaginons que j'aie raison. Les Allemands sont persuadés d'avoir un excellent informateur. La preuve : il leur permet d'arrêter des agents, d'intercepter des parachutages, de lire le courrier, etc. Mais tout cela se fait au vu et au su des chefs de Blainville. C'est l'Intelligence Service qui téléguide Blainville dans ses rapports avec les Allemands.

– C'est abominable! Ils sacrifient des agents pour accréditer Blainville?

– Ils en sacrifient très peu.

– Mais c'est monstrueux en tout état de cause. Ils envoient des hommes à la torture et à la mort pour implanter un espion dans la Gestapo.

– Ou des femmes...

Le visage de Noor m'apparut.

– Ou des femmes! Ce sont des méthodes de barbares!

– Des méthodes de guerre... À mon avis, encore une fois, ils sacrifient surtout des armes et des informations.

Ils doivent laisser tomber certains agents dont ils pensent qu'ils étaient grillés de toute manière. Dans tous les réseaux, il y a des pertes. Blainville donne peut-être un petit coup de pouce ici et là. Mais il doit limiter ses informations à des éléments matériels. Il doit dire aux Allemands : Attention ! si les Anglais s'aperçoivent que je trahis, je ne servirai plus à rien ! Ne m'en demandez pas trop... Il s'arrange avec sa conscience. Ce qui compte, c'est que les Allemands croient en lui. S'ils le jugent gagné à leur cause, au bout d'un an, de deux ans, Blainville devient une arme mortelle.

– Comment ?

– C'est tout simple. Imaginons que Blainville leur dise : J'ai appris que le débarquement prévu en Italie aura lieu un peu au sud de Rome, ou bien en Sicile. Les Allemands le croiront, puisqu'ils lui font confiance. Ils pensent que nous sommes civilisés. Ils pensent qu'il y a des choses qu'ils feraient, qu'ils font et que nous n'oserions pas faire. Par exemple, livrer une femme aux tortionnaires pour renforcer le crédit d'un agent double ! Ils ont toujours pris les démocrates pour des mous, pour des scrupuleux, des faibles. Ils pensent que Blainville leur dit la vérité parce qu'il leur a permis d'arrêter un agent qu'ils ont torturé et fait parler et parce qu'ils ne conçoivent pas que Blainville puisse avoir agi sur ordre. Et voilà que Blainville leur donne le lieu du débarquement en Italie ! Ils déploient leurs divisions à cet endroit. Et Patton débarque ailleurs ! Nous aurons fait réussir l'opération en économisant la vie de nos soldats. Dix agents que nous aurons sacrifiés d'un côté nous auront permis de sauver des milliers de GI's de l'autre. Humainement, c'est très payant. Si quelqu'un s'occupe du sale boulot, évidemment. Voilà à quoi servent Blainville et les types dans son genre.

– Pourquoi « les types dans son genre » ?

– Parce qu'un seul Blainville ne suffit pas. Ce que tu ignores, c'est que l'oncle Adolf adore les services secrets. Comme tous les dictateurs. Comme tous les gens de pouvoir. Winston est un expert. Il a débuté au temps de la guerre des Boers. Comme ministre de la Marine, il a triplé les crédits des services de renseignements de la Navy. Notre ami Boney [1], qui a failli nous battre, tout de même, lisait chaque matin les comptes rendus de ses espions. Il commençait par eux ! Avant tout, avant les rapports de ses ministres, avant les dépêches des ambassadeurs, avant les journaux, l'empereur des Français dévorait les rapports d'espions. Souvent, il les payait lui-même. Il les recevait par une porte dérobée, aux Tuileries. Il a gagné à Ulm et à Friedland uniquement grâce à ce type d'informations et il a été vaincu à Waterloo parce qu'il était mal renseigné. Ses espions avaient perdu la main : il a perdu son Empire !

L'histoire était le péché mignon de Philby. À Cambridge déjà, il nous assommait avec ses longs développements historiques.

– Tu parlais de Hitler...

– Hitler est comme Napoléon. Il consulte tous les matins en se levant les rapports de la Gestapo et de l'Abwehr. Rudolf Hess nous a raconté ces détails quand il est passé en Angleterre.

Philby poursuivit, exalté par son sujet :

– Hitler les utilise pour sa stratégie, mais aussi pour préparer ses réunions avec les généraux. Il en sait toujours plus qu'eux, ce qui renforce son autorité. Donc, si Blainville donne à la Gestapo une information bien cali-

---

1. Bonaparte.

brée, bien préparée par nous, elle se retrouve en vingt-quatre heures sous les yeux de Hitler, personnellement. C'est la raison pour laquelle je dis que nous agissons sur le cerveau de Hitler. Ce n'est pas une image. C'est la vérité.

– Hitler y croit?

Mon scepticisme naturel à l'égard des services secrets revenait à la surface.

– Oui, quand les sources sont convergentes, quand tout se recoupe. C'est pourquoi il faut avoir plusieurs Blainville. Et même bien d'autres ruses.

– Bien d'autres ruses?

– Il faut contrôler autant que possible toutes les sources d'information qui vont remonter vers Hitler. Cela suppose une stratégie unifiée à l'échelle mondiale. Je prenais l'exemple du débarquement en Italie. Nous savons tous les deux, comme beaucoup de gens, comme Hitler, que nous allons débarquer en France.

– Bientôt, à ce qu'il paraît.

– Qui t'a dit cela?

– Buckmaster et Bodington. Tout le SOE le sait. Donc, nous accélérons la campagne de sabotages.

– Alors ils ne sont pas prêts.

– Comment cela?

– Si les Alliés étaient prêts à débarquer, ils ne l'annonceraient pas au SOE. Il y a trop d'agents qui se font prendre. Ils le disent pour que certains d'entre vous l'avouent sous la torture. Les Allemands croiront à un débarquement imminent. Ils maintiendront en France davantage de divisions au détriment de la Russie. Staline ne cesse de faire pression pour qu'on accélère le débarquement. Comme nous ne pouvons pas débarquer tout de suite, nous faisons semblant. Cela déconcerte les Allemands et Staline patiente.

– Ils nous mentent sciemment ?

– Évidemment. Vous êtes tous des Blainville en puissance. Celui qui parle sous la torture est assez fiable aux yeux des Allemands. Parce qu'il livre des informations qu'il croit vraies...

J'étais effaré. Philby continua :

– Il y a une autre tactique. Au lieu d'accréditer un agent double, comme Blainville, nous mettons en place un agent à moitié fiable. Par exemple, dans un pays neutre, nous choisissons un autochtone qui travaille à l'ambassade britannique, un Turc, un Marocain ou un Espagnol. Il communique quelques secrets secondaires aux Allemands, qui ont un consulat là-bas. Il se fait payer. Mais, comme il a besoin d'argent, il invente certains détails. Les Allemands s'en aperçoivent. Ils vont s'en débarrasser, quand le type leur donne encore une information secondaire, mais vraie et qui leur est utile. Alors ils le gardent et se méfient. Au bout d'un certain temps, ils se rendent compte que le type est fiable pour des renseignements secondaires, et qu'il affable pour les opérations importantes. Ils le paient toujours, mais ils trient. Bien sûr, nous contrôlons chaque étape. Et puis, un jour, le type livre aux Allemands une information énorme. Par exemple : « Les Russes vont attaquer en masse au nord de l'Ukraine, tel jour à telle heure. » Ou encore : « Les Américains débarqueront en France, tel jour à telle heure. » Cette fois, l'information est exacte.

– Mais... c'est dangereux !

– Non, c'est génial. Nous donnons un renseignement exact aux Allemands. Nous leur révélons un secret militaire, en clair. Mais c'est justement cette information qu'ils écarteront. Ils se diront : « Si cet agent nous dit cela, c'est que c'est faux. Donc, l'attaque aura lieu ailleurs ou à un autre moment. » Et ils retirent leurs divisions de l'endroit en question. Et l'attaque a bien lieu au jour et au lieu annoncés. Nous les prévenons, et ils font le contraire de ce qu'ils devraient faire. Nous agissons directement sur leur cerveau.

– Mais, ensuite, l'agent est grillé.

– Aucune importance. Entre-temps, l'attaque a réussi. Il faut simplement éviter de gaspiller les agents. Il faut les tenir en réserve pour le jour décisif. Puis les masques tombent. Mais il est trop tard. L'ennemi est mystifié et battu. Après, on brûle les archives.

– On brûle les archives ?

– Nous n'allons tout de même pas laisser les historiens ou les journalistes découvrir ce genre de choses !

– Donc, ils tiennent Blainville en réserve... Ils le crédibilisent en attendant.

– Je pense que oui. Et ils mettent en place le jeu de la radio...

Je sursautai. La radio... Le visage de Noor revint me hanter.

– Pourquoi ? Les radios aussi sont embringués dans ces opérations ?

– Évidemment. La radio est un moyen instantané. Une fois un poste établi, on peut s'en servir au jour et à l'heure qu'on souhaite. Hitler est touché tout de suite.

– Un poste établi. C'est-à-dire ?

– Les Allemands ont un service de répression des radios.

– Je le connais. Avec les camions détecteurs, etc.

– Quand ils prennent un opérateur, ils essaient de retourner le poste contre nous. De le faire fonctionner eux-mêmes en nous faisant croire que l'opérateur continue. Ainsi, ils peuvent nous intoxiquer.

Je sautai à la conclusion, qui était manifeste :

— Mais, si nous savons que le poste est retourné, c'est nous qui les intoxiquons. Nous acceptons leurs demandes de parachutages. Nous leur livrons des armes. Nous leur livrons des informations justes, bien triées, jusqu'au moment où nous avons besoin de leur donner une fausse information décisive.

— Tu commences à saisir nos modes de raisonnement.

— Mais qu'advient-il du radio ?

— Le radio n'est au courant de rien. Il faut qu'il joue le jeu. S'il collabore trop facilement, les Allemands peuvent se méfier. Ils ne sont pas plus bêtes que nous. Avant la guerre, ils ont persuadé Staline que la moitié de ses généraux le trahissait. Avec des méthodes analogues...

— Est-ce qu'ils y sont parvenus ?

— Oui. Staline a fait exécuter tous les suspects, qui étaient innocents. Des héros de la guerre civile, souvent. Il a décapité l'Armée rouge sur la foi d'une fable montée par les nazis.

— Si les radios sont utilisés dans ces montages, Noor peut l'être aussi !

— C'est probable. Je n'en sais rien. Mais c'est très possible.

— Dans ce cas, elle est condamnée. Blainville va la faire prendre. Il a failli réussir.

— Aucune idée. Compte tenu de ce que tu m'as dit, je ne suis guère optimiste... Tu es très amoureux, si je comprends bien ?

— Oui. On peut le dire... C'est une femme...

— Une femme que tu aimes.

Les Anglais ne sont pas doués pour exprimer leurs sentiments. Kim avait bien résumé les choses.

– Et maintenant, dis-je, elle va sans doute mourir. Sur ordre de mes supérieurs. Comment Buckmaster peut-il diriger la section F en sachant qu'il sacrifie ses agents ?

– Je pense qu'il l'ignore.

– Il l'ignore ? Mais comment est-ce organisé ?

– Dans un secret parfait, avec toutes les précautions d'usage. Les cas sont rares, car cela demande beaucoup de doigté. Le SOE ne pourrait pas animer une armée d'agents et les sacrifier en même temps. C'est inhumain. C'est l'Intelligence Service qui agit. Nous détectons les agents idoines et nous les manipulons, discrètement. À mon avis, Blainville est directement lié à nos services, ainsi qu'au SOE.

– Mais pourquoi le SOE le couvre-t-il ?

– Gubbins, Buckmaster et les autres ne le couvrent pas. Pas eux. Tu te souviens que je t'ai posé des questions sur Bodington.

– Oui. C'est lui qui a couvert Blainville.

– Connais-tu les fonctions exactes de Bodington ?

– Oui... Non... Pas exactement. C'est le numéro deux...

– C'est le numéro deux et, à ce titre, il est chargé des relations du SOE... avec l'Intelligence Service !

– Non ?

– Si. C'est un ami de nos services.

– Et Noor va mourir...

– Sauf si tu lui sauves la vie.

Je regardai Philby. Je commençais à trouver qu'il en disait beaucoup. Son exergue sur la discrétion nécessaire était oublié. Avec ses raisonnements logiques, il venait de me livrer un secret essentiel. Et maintenant, il m'engageait à agir seul, hors du contrôle de mes chefs. Je le dévisageai et repris :

– La sauver ? Mais on ne peut pas communiquer avec elle. Je ne vais pas l'appeler sur son poste pour lui dire de rentrer sur l'heure. Je suis en congé. C'est Buck qui contrôle les communications. Il faudrait que je retourne en France... Sans que Bodington, Blainville soient au courant...

– ...

– Il y a un moyen ?

– Peut-être...

– Dis-moi, Kim, pourquoi me dis-tu tout cela ? Nous sommes des amis. Mais tu vas loin. Je ne veux pas t'embarrasser. Tu viens de me rendre le plus grand des services. C'est une marque de confiance unique. Je ne te trahirai pas. Mais pourquoi ?

Philby sourit d'un air gêné.

– Je t'ai interrogé sur cette jeune Noor. Et tu m'as dit, en commençant, qu'elle travaillerait désormais en équipe.

– Oui. Avec Violette Laszlo.

En prononçant son nom, je compris les motifs de Kim. Je me rappelai tout à coup une scène à Beaulieu. Bien sûr ! Kim et Violette étaient très proches. Je répétai en souriant :

– Violette Laszlo... Une femme merveilleuse, non ?

– Eh oui, mon cher John, tu vois, tu n'es pas seul à être amoureux ! Je sais que Violette ne m'est pas très fidèle. Mais c'est son style. Je l'aime comme elle est. Elle profite d'autant plus de la vie qu'elle la risque tous les jours. Je la comprends. Au fond, c'est un agent double de l'amour... Je l'aime doublement ! Mais je pensais que tu me poserais la question plus tôt. Tu n'es pas encore professionnel. Évidemment, je ne devais pas te raconter le dixième de ce que je t'ai dit. Si mes supérieurs m'avaient entendu, je serais demain devant un peloton d'exécution. J'ai pris le risque. J'aime bien Noor, mon élève. Et j'aime Violette. Nous sommes alliés. Nous avons une petite bataille à gagner, dans la grande. Il y a un moyen d'aller en France sans qu'ils soient informés de ton départ. Je peux aider Noor et Violette et toi...

26.

Peter était rentré furieux. Il avait grimpé quatre à quatre les escaliers de l'avenue Foch pour rendre compte de son opération. Ernst Goetz l'attendait dans son petit bureau du quatrième décoré de gravures bavaroises, où un coucou ridicule sonnait toutes les heures d'un ton aigrelet. Il devait avoir le même, avant la guerre, dans sa salle de classe, quand il enseignait le français aux gamins de Munich. Il avait suspendu en évidence un portrait de Fouché. Goetz était un passionné d'histoire de France et son grand homme était le ministre de la Police de Napoléon. Peut-être pour cette raison avait-il choisi une affectation en France, dans la police. Et peut-être pour cela, lui qui ne bougeait jamais de son bureau, était-il devenu l'un des agents les plus efficaces de la Gestapo parisienne. C'est lui qui avait recruté Pierre de Gensac, un jeune résistant qui avait parlé avant même qu'on le torture et avait immédiatement accepté de changer de camp. Depuis, Pierre traquait les agents du SOE. Il ne lisait plus que les journaux collaborationnistes et étudiait les classiques du national-socialisme. Il avait même germanisé son nom.

— Alors, Peter ?

– Ils nous ont échappé. Lui, je l'ai vu partir en voiture. Mais j'étais seul et je n'ai rien pu faire. Je pensais que nous aurions la fille. Ils étaient rentrés tous les deux. Je suis sûr qu'elle était là. Quand les autres sont arrivés, nous sommes montés et nous avons enfoncé la porte. Elle avait disparu. C'est incompréhensible. Nous n'avons rien trouvé. Elle est partie. Avec sa radio, en plus...

– Le mieux, je vous l'ai déjà dit, c'est d'attendre à l'intérieur la personne qu'on veut arrêter. Il faut repérer à l'avance, crocheter la serrure, entrer et rester sur place en laissant quelqu'un dans l'escalier. Quand on sonne à la porte, comme une fleur, ils peuvent s'enfuir par-derrière. Ils préparent toujours un itinéraire de fuite. Bon. C'est dommage. On l'aura la prochaine fois. Elle ne peut pas survivre longtemps. En tout cas, les renseignements de Blainville étaient bons.

– Oui. Tout était exact. C'est un bon agent. Il est un peu fantasque. Mais il est bon.

Peter rectifia le pli de son pantalon noir. Il affichait une élégance qui amusait Goetz. Autant que son coucou ridicule faisait sourire Peter.

– Nous tenons presque tout le réseau. L'accord avec Prosper était une excellente manœuvre.

– Oui. Mais maintenant, il ne dit plus rien. Nous l'envoyons en Allemagne la semaine prochaine.

– Évidemment! Boemelburg n'a respecté aucun des accords passés avec lui. Cela ne sert à rien de tromper tout le monde pour avoir l'air d'un bon nazi. Boemelburg ne comprendra jamais ça. Il pense qu'en étant plus fourbe et cruel que les autres on gagne à tous les coups. C'est un mauvais système. On gagne quand on est le plus intelligent. C'est tout. Les nazis mentent tout le temps.

– Vous n'êtes pas nazi, Goetz?

– Si. Enfin, je suis pour mon pays. Pour le Reich. Je trouve simplement qu'il manque parfois de subtilité. À propos, vous connaissez la dernière histoire sur Goebbels ?

– Non. Qu'est-ce qu'on raconte sur le ministre de la Propagande ?

Peter aimait bien les propos sulfureux de Goetz. L'intelligence du professeur de français le justifiait dans sa trahison. Il n'avait pas seulement choisi le parti le plus fort. Il avait choisi le plus malin.

– Hitler et Goebbels sont morts. Ils arrivent devant saint Pierre, qui leur dit : « Ici, il y a le paradis, le purgatoire et l'enfer. Mais comme vous êtes des grands hommes, de grands Allemands, j'ai décidé de vous donner le choix. Où voulez-vous aller ? – Au paradis ! » dit Goebbels. Mais Hitler se méfie et dit : « Montrez-nous les endroits, nous choisirons ensuite. » Saint Pierre leur montre le paradis. Ils entendent une musique de Wagner, ils voient un nuage blanc et, sur le nuage, des hommes en robe blanche assis dans des fauteuils, en train de lire Kant et Hegel. « C'est très bien, dit Hitler. Mais comment est le purgatoire ? » Ils y rencontrent alors Churchill et Roosevelt en train de travailler dans les champs sous un soleil de plomb. « Bon, bon, dit Hitler. Et l'enfer ? » Ils voient une cave tapissée de velours, avec un tapis de peau de bête et des gens qui boivent du schnaps dans des fauteuils de cuir, devant un grand feu. Autour d'eux, des danseuses nues passent et repassent dans des mouvements lascifs. « Eh bien, voilà, dit Hitler, l'enfer, c'est beaucoup mieux ! Je l'ai toujours pensé. – Oui, *mein Führer*, dit Goebbels, et vous aviez vu juste. Nous avons promis aux gens le paradis. Mais nous les emmenions en enfer. »

Goetz riait avant même la fin de sa blague. Il continua :

– « Oui, dit Hitler. C'est exactement ma politique. Allons-y ! » Ils entrent. Les tapis disparaissent, le feu monte en intensité, les danseuses nues deviennent des diables. On leur passe des chaînes et on les pique avec les fourches. « Je ne comprends pas ! dit Hitler. Il faut rappeler saint Pierre. Il nous avait montré tout à fait autre chose. – Oui, dit Goebbels. Saint Pierre ! Saint Pierre ! » À ce moment-là, on entend la voix du Seigneur, qui dit d'un ton caverneux : « Propagande ! Propagande ! »

Goetz riait aux éclats de sa propre histoire.

Une voix, un peu caverneuse elle aussi, retentit.

– Goetz ! Vos histoires sont amusantes. Mais je vous ai déjà dit de fermer votre porte quand vous les racontez. Je ne veux pas que les soldats et les secrétaires vous entendent.

– Ils en racontent de pires, *Sturmbannführer* !

Kieffer entra dans le bureau. Il était boudiné dans son uniforme SS trop petit. C'était un officier replet et revêche, aux tempes grisonnantes. Il habitait au cinquième étage, un appartement meublé avec mauvais goût – le tapis était d'une laine épaisse et violette – qui se situait juste au-dessous des cellules des prisonniers. Dans une d'elles il avait fait enfermer Jean Moulin. Là, Pierre Brossolette, un autre envoyé du général de Gaulle, monterait sur le toit et se jetterait dans la rue pour être certain de ne pas parler. Les interrogatoires avaient lieu la nuit. Il avait dû cesser de faire torturer les résistants pendant la journée : les secrétaires s'étaient plaintes de ne pas pouvoir travailler au milieu des cris. En bon bureaucrate, Kieffer avait cédé pour garantir la qualité du travail administratif.

– J'apprends que vous les avez ratés ?

– Oui. Ils ont disparu.

– Vous voyez, elle est plus maligne que vous ne le pensiez. Elle avait prévu un itinéraire de fuite. Il faut toujours rester à l'intérieur. Pour tout vous dire, mon cher Peter, je pensais qu'elle vous échapperait. Ces deux-là sont redoutables. Ils ont failli découvrir Blainville avec leur parachutage. Il s'en est tiré de justesse.

– En attendant, dit Goetz, j'ai eu une autre idée, *Sturmbannführer*. Nous avons besoin de cette radio. Pour l'instant, nous n'avons plus que celle de Norman.

– C'est déjà quelque chose. Nous l'avons retourné comme un gant.

– Oui, mais je me méfie. Cette histoire de double check de sécurité est étrange.

– Pourquoi ? dit Kieffer.

– Normalement, quand le second check manque, Londres comprend que l'opérateur émet sous contrainte. Londres a dit à Norman qu'il avait oublié le second check. C'était le mettre à notre merci. Ou bien c'est organisé n'importe comment. Ou ils l'ont fait exprès. Dans ce dernier cas, ils ont voulu que Norman trahisse. Ils ont dû savoir qu'il était entre nos mains. C'était une manière de lui suggérer de trahir. Ensuite, ils auraient pu nous intoxiquer.

– C'est compliqué, votre affaire, dit Kieffer.

– Le jeu est compliqué, *Sturmbannführer* ! répliqua Goetz.

Depuis un an, Goetz avait la haute main sur le « Funkspiel » (le « jeu de la radio »). Subtil, retors, il était devenu un expert dans le retournement des radios. Le SOE jouait avec lui comme aux échecs. Combinaison contre combinaison. Cette fois, Goetz avait déjoué la manœuvre de Londres.

– Oui, il nous faut une autre radio, dit Peter. Une radio sûre.

– Alors attrapez cette fille, au lieu de vous plaindre!

– Ce serait parfait, dit Goetz. Elle est isolée aujourd'hui. Si nous nous emparions d'elle, Londres ne le saurait pas forcément. Nous pourrions reprendre le jeu...

– Et quelle est cette idée dont vous parliez?

– Nous pourrions utiliser le réseau Pôle Nord en Hollande. Nous le contrôlons totalement. Je sais que mon collègue d'Amsterdam a monté une excellente opération de Funkspiel. Il a déjà fait larguer des centaines de tonnes d'armes que nous avons saisies. Maintenant, il vient de faire parachuter deux agents qui ont été cueillis à leur atterrissage. Ce sont deux Canadiens. Pickersgill et MacAlistair. Londres croit qu'ils ont commencé à travailler. Nous les avons remplacés par deux hommes à nous, qui sont très efficaces et qui envoient à Londres des rapports convaincants. Grâce à eux, nous avons détruit un réseau hollandais entier. Mais on ne peut plus les utiliser là-bas. Ils risquent d'être grillés. Ils vont venir à Paris, la Gestapo d'Amsterdam est d'accord. Là, ils recourront au réseau Prosper, ou ce qu'il en reste. Puis ils demanderont à transmettre un message urgent. Comme il n'y a plus qu'une seule radio du SOE à Paris, ce sera le poste Aurore...

– Mais comment les introduire auprès des survivants du réseau Prosper? Cette fille soupçonne que Blainville nous renseigne et elle se méfiera.

– Nous ferons en sorte qu'elle ne se méfie pas, *Sturmbannführer*...

Noor marchait. Elle montait la colline de Suresnes, habitée par l'émotion. Sa lourde valise lui tirait le bras, mais elle n'y prenait pas garde : elle marchait dans le monde d'avant guerre. Rien n'avait changé depuis 1939. L'avenue serpentait à flanc de colline. Elle revoyait toutes les maisons, toutes les boutiques, tous les points de vue qu'elle connaissait. C'était le chemin de son collège. Elle avançait à la même allure qu'autrefois. À la place du cartable qui lui déformait l'épaule, il y avait une radio Mark II.

Elle savait qu'elle courait de grands dangers. N'importe qui pouvait la reconnaître, elle, la fille du gourou indien débonnaire qui habitait vers le haut, elle qui avait sympathisé avec tout le quartier, elle qui était devenue l'idole des enfants de Suresnes, grâce à des histoires de princes exotiques et de serpents qui parlent. On pouvait l'aborder. On pouvait la voir d'une fenêtre et la signaler à la police. Mais elle n'avait aucune autre solution.

Après son évasion, elle était restée dans le bosquet en observant, à travers les feuilles, la fenêtre de l'appartement qu'elle venait de fuir. Elle avait vu quelqu'un l'ouvrir, plonger son regard dans la cour, puis la refermer. Elle n'osait pas sortir à découvert. Un quart d'heure plus tard, elle s'était décidée. Le parc était désert. C'était celui de l'ambassade de Serbie qui était fermée. Noor avait sauté le mur, puis marché vivement jusqu'à la place du Trocadéro. Là, elle avait descendu les marches du métro et elle était monté dans la première rame sans savoir où elle allait, pour réfléchir. Elle n'avait plus de refuge, plus d'appui, personne à qui demander conseil. Il y avait bien Vienet, dont elle avait le numéro de téléphone. Mais il était trop tard. Sept heures. Les bureaux aussi étaient fermés. Où dormir ? Dehors ? Risqué... Et elle avait peur des hôtels. Finalement, elle avait pensé à Suresnes. C'était dangereux. Mais on l'aiderait. Elle était seule, poursuivie, menacée. Rentrer chez elle, c'était trouver un réconfort. Un réconfort illusoire. Mais elle avait besoin de cette illusion.

À mi-pente, elle sonna à la porte d'une villa blanc et rose, en partie cachée par des tilleuls. Une dame blonde et frisée vint ouvrir, ronde dans sa robe de taffetas.

– Babuli! dit-elle. Comment vas-tu? Je croyais que tu étais en Angleterre!

– J'étais en Angleterre. Je suis revenue. Je peux entrer?

– Mais bien sûr! Tu ne peux pas aller chez toi, les Allemands occupent la maison.

– Les Allemands occupent Fazal Manzil?

– Oui, depuis 1940. C'est l'état-major de je ne sais quelle armée...

– C'est affreux...

Lucienne Piat était une amie des Vijay Khan. Noor, qu'elle appelait Babuli, comme tous les amis de sa famille, venait chez elle avant la guerre. Elle prenait le thé, elle bavardait, elle jouait du piano, elle racontait des histoires... Lucienne la dirigea vers le salon tapissé de fleurs, aux meubles de merisier, et elles s'assirent dans le canapé de velours gris où Noor avait si souvent pris place. La jeune femme reprenait des forces. Le décor était comme un cocon qu'elle retrouvait, loin des terreurs de la journée.

– Lucienne, dit-elle, je travaille pour les Anglais.

– Pour les Anglais?

– Oui, pour les Anglais et la Résistance. Cette valise contient une radio.

– Une radio?

Lucienne regarda la valise comme une bête venimeuse.

– Oui, une radio. Je suis opératrice. J'envoie les messages de la Résistance à Londres.

– Babuli, tu es dans la Résistance ? Mais c'est très dangereux !

– Oui, Lucienne, c'est dangereux. Mais c'est ainsi. Vilayat est sur un dragueur de mines. C'est dangereux, aussi !

– Mais c'est pour ça que vous avez quitté la France ?

– Oui, nous le devions à notre père...

– Oui, je comprends. C'est bien.

– Lucienne, il faut que tu me rendes un service.

– Un service ?

– Je n'ai nulle part où aller. Ils me cherchent. Puis-je habiter chez toi ?

– Te loger ? Mais... Mais oui, bien sûr, Babuli.

Lucienne n'avait aucune envie de recueillir une opératrice radio des services britanniques, à deux pas d'une maison où cantonnaient des Allemands. Elle songea qu'elle n'avait pas le choix. Lucienne était catholique. Son amie lui demandait asile. Elle n'eut pas le temps d'hésiter : Noor s'était levée et l'avait embrassée sur les deux joues.

– Merci, Lucienne, je te revaudrai ça.

Lucienne eut un doute. Si elles étaient arrêtées toutes les deux... Elle dit mécaniquement :

– Mais non, ce n'est rien !

– Si, c'est beaucoup. Lucienne, il faut que j'envoie un message à Londres.

– Un message ?

– Avec la radio. Il faudrait que je déploie mon antenne quelque part. Tu as un jardin derrière, non ?

– Ici ? Avec la radio ? Mais c'est dangereux ! Les Allemands sont à côté.

– Cela ne change rien. Il faut du matériel pour détecter. Ils n'en ont pas. C'est un service spécialisé qui s'en occupe. Il suffit d'aller vite. Ils n'auront pas le temps...

– Pas le temps de quoi ?

– Pas le temps de venir.

– De venir ? Ils peuvent venir ici ?

– Non, je vais me dépêcher.

Lucienne, terrorisée, était vaincue par la logique imparable de Noor. Elle se laissa faire. Noor déroula le fil vert de l'antenne et l'accrocha dans les arbres du jardin en maintenant la fenêtre ouverte. Elle alluma sa radio et commença à transmettre. Le bruit aigu du morse emplit la maison silencieuse.

– Noor, tu fais un bruit d'enfer ! Ils vont entendre !

– Mais non. ls sont trop loin.

Lucienne partit préparer du thé dans la cuisine. Sa souffrance ne dura pas. Le message était court. Avec les checks de sécurité réglementaires, Noor transmit deux phrases : « Poste Aurore toujours en service. À vos ordres. »

27.

À la sortie de la rivière de Falmouth, la mer s'empara de l'*Angèle-Rouge*. Les crêtes blanches des lames couraient vers nous pendant que la côte disparaissait dans l'obscurité. Le vent de sud-ouest soufflait face au bateau à plus de force 6. Il fallait tailler la route droit dans les vagues, en grimpant des murs d'eau noire pour retomber derrière dans une couronne d'écume. Le fond plat cognait dans les creux, faisant trembler le navire de la coque au mât.

Trop grand pour tenir debout dans le poste de pilotage, Birkin heurtait le plafond, pendant que les lames submergeaient la plage avant et que les embruns cinglaient les hublots comme un fouet. Je m'accrochai à la table à cartes. Elle se replia dans une embardée du chalutier, les cartes marines s'éparpillèrent sur le plancher. Le chiffon qui obstruait le tuyau porte-voix sauta et un flot d'eau de mer mélangée à de la rouille se déversa sur le sol de la cabine. Birkin jura et se pencha pour ramasser le morceau de tissu. Dans l'embardée suivante, le compas de relèvement, l'annuaire Reed et les règles parallèles furent projetés sur une paroi avant de tomber dans l'eau brunâtre. Birkin se mit à quatre pattes pour récupérer son matériel quand il fut pris d'une crise de mal de mer. Il agrippa le seau qui roulait par terre pour vomir dedans, à genoux dans l'eau qui s'écoulait d'un bord à l'autre. Je remis la table à cartes d'aplomb, je ramassai les instruments tombés et les enfermai dans le placard tribord.

– Merci, me dit Birkin, j'ai toujours le mal de mer quand nous partons. C'est normal. L'amiral Nelson, lui, était malade cinq jours à chaque début de campagne. Alors...

Impassible devant sa barre à roue, le capitaine avait à peine jeté un coup d'œil sur nous, le regard concentré sur la route du bateau.

– Il y a un peu de brise, dit-il, vous devriez faire du thé...

Nous étions sur un chalutier trapu d'une quinzaine de mètres, au nez relevé et à l'arrière carré, au bordé bleu et blanc, surmonté d'un court mât de balsa et d'une cabine étroite aux portes vitrées. Trois heures plus tôt, dans le petit clapot de la rivière de Falmouth, il tirait tranquillement sur ses amarres et des matelots le chargeaient de matériel et de jerrycans remplis de fuel. Un grand garçon maigre serré dans un caban bleu marine m'avait accueilli, la pipe à la bouche et une casquette de pêcheur enfoncée sur le crâne.

– Bienvenue à bord de l'HMS *Angèle-Rouge*! Liaison rapide Angleterre-France!

David Birkin était navigateur et second sur l'*Angèle-Rouge*, dont le véritable nom était MFV 2023 (Motor fishing vessel 2023). Très vite, le SOE avait jugé que les liaisons aériennes avec la France occupée ne suffisaient pas. Il fallait les doubler d'une ligne de communication maritime qui permettrait de transporter du courrier, des armes et des agents entre la côte sud de l'Angleterre et la Bretagne, où plusieurs réseaux travaillaient depuis 1940. Philby était au courant. Il avait subtilisé un formulaire dans un bureau de l'Intelligence Service et transmis la demande écrite de transfert à Palace Street, le siège de la cité de Westminster qui coordonnait les mouvements maritimes du SOE pour le compte de la Royal Navy. Comme il n'y avait aucune raison de se méfier – pourquoi un militaire s'amuserait-il à se faire envoyer en France pour y risquer sa vie sans avoir reçu de mission ? – Palace Street m'avait trouvé un embarquement au départ de Falmouth. Bien sûr, Palace Street rendrait compte de la mission au SOE. On s'apercevrait que j'étais parti sans ordres. À ce moment-là, je serais sur la route de Paris...

L'*Angèle-Rouge* devait appareiller un peu avant le coucher du soleil pour traverser la Manche de nuit, invisible pour les avions allemands. J'expliquai à Birkin que j'étais aussi navigateur. Il fut ravi de partager ses soucis.

– C'est un trajet très simple, dit-il en riant. Nous n'avons aucun point de repère. Les Allemands ont enlevé les bouées et éteint les phares. Il faut marcher à l'estime de manière que nous atteignions à cinq heures précises la plage Bonaparte, qui est située au fond de la baie de Saint-Brieuc. Si je me trompe d'un mille ou si je prends plus d'une heure de retard, je rate le rendez-vous.

Courbé dans la petite cabine, il ouvrit un attaché-case gonflé de cartes, de carnets de notes et de crayons bien taillés. Il sortit la carte de la Manche pour l'étaler sur le pupitre de bois fixé à droite de la barre et pointa avec son crayon la sortie de la rivière de Falmouth.

– Voilà. Je prends un point au compas ici, s'il n'y a pas trop de brume. Ensuite, il faut tout calculer, en tenant compte du courant, de la dérive, du vent, de la vitesse, de tout, quoi, pour arriver à l'aveugle jusqu'à la plage. C'est un miracle quand on réussit.

Birkin s'en était toujours tiré. Seul le brouillard ou le mauvais temps l'empêchait de garder la bonne route. Il travaillait des jours entiers sur ses cartes et connaissait par cœur la forme du moindre rocher de la baie de Saint-Brieuc, selon la hauteur de la marée et la direction du relèvement.

À dix-neuf heures trente, un marin émacié, lui aussi vêtu d'un caban de pêche, franchit la passerelle du bord. Birkin cria : « Capitaine à bord ! » Les quatre matelots s'interrompirent pour saluer. Le pacha de l'*Angèle-Rouge* s'appelait Slocum, ce qui me ravissait : Slocum est aussi le nom d'un des navigateurs les plus importants de l'histoire de la plaisance. Au début du siècle, à bord du légendaire *Spray*, il avait fait le premier tour du monde à la voile en solitaire. Avec les écrits d'Alain Gerbaud et les articles d'Adlard Coles, le récit de Slocum était en bonne place dans ma bibliothèque. L'autre Slocum, qui allait nous conduire en France, était un officier de la Royal Navy expérimenté et laconique. Il commandait un chalutier très particulier.

Construit près de chez moi, à East Cowes, sur les plans de Laurent Giles, l'*Angèle-Rouge* ressemblait aux chalutiers français qui croisaient dans les eaux bretonnes. Le chalut était amarré à l'arrière et, sur la plage avant, une petite baleinière de récif peinte en noir était maintenue en place par un filet de corde... Mais, dans les cales, le bateau cachait deux moteurs Hall Scott de cinq cents chevaux qui le propulsaient à vingt nœuds. Et dans l'armoire du carré, une mitrailleuse Enfield était posée debout, au milieu de pistolets et de grenades d'attaque. À vingt et une heures, alors que le soleil disparaissait derrière les collines du Dorset, l'*Angèle-Rouge* descendait la rivière entre deux pentes verdoyantes. Je pensai à Noor qui travaillait sous une menace mortelle. Le lendemain soir, si tout allait bien, je serais dans ses bras... Vingt minutes plus tard, le faux chalutier tanguait dans les vagues de la Manche.

Pâle comme la craie, sa grande carcasse courbée en deux, Birkin prit son premier point avec son compas à main, visant longuement différents endroits de la côte. Il reportait les relèvements sur la carte, quand il fut de nouveau pris d'un vomissement. Cette fois, il se rua hors de la petite cabine pour se courber par-dessus le bastingage. Lorsqu'il revint à son poste, il ruisselait d'eau de mer. Il termina son point en grelottant, puis prépara du thé sur un petit réchaud à cardan encastré dans la paroi de la cabine.

– Nous avons cent vingt milles à faire, dit-il. À seize nœuds, cela fait sept heures et trente minutes de navigation. Nous y serons à quatre heures et demie, une heure avant le lever du soleil. C'est bon...

– Pourquoi cette plage Bonaparte et pas une autre ?

– C'est un nom de code, Bonaparte. Nous la connaissons bien. C'est la seule étendue de sable entre Saint-Quay et Paimpol. Enfin, il y a un réseau efficace à Saint-Brieuc et à Binic. Nous nous amarrons près des récifs et ils nous rejoignent en chaloupe. Cette fois, nous n'avions que du matériel à leur passer, des armes et des faux papiers, avec les instructions. Puis Palace Street nous a avertis qu'il fallait vous embarquer. Apparemment, ils ont du mal à organiser des parachutages dans cette zone. Il y a des défenses aériennes très fortes autour de Saint-Malo. C'est dangereux. Il vaut mieux passer par mer. En hiver, nous allons plus loin, dans l'aber Benoît ou même en Bretagne Sud, dans la zone de pêche des Glénan. Les nuits sont plus longues, nous avons le temps de faire la route. En été, il faut aller au plus court. Le plus court, c'est la plage Bonaparte.

– Pourquoi pas en Normandie ? C'est plus près.

– Non, la région est trop défendue. Et puis il faut des zones de pêche en fonctionnement. Les Allemands tolèrent les chalutiers en Bretagne. Ils les ont interdits plus au nord. Souvent, nous restons une journée sur place pour repartir la nuit suivante. Nous nous mélangeons aux vrais pêcheurs. C'est assez drôle. De temps en temps, ils comprennent qui nous sommes. Alors, ils nous font des signaux de morse avec leurs lampes. « God save the King » ou simplement la lettre V.

Je pensai à Noor.

Nous avions du mal à garder notre thé dans nos tasses. Il fallait crier pour se faire comprendre dans le bruit des vagues et du moteur. Slocum avait allumé sa pipe en se baissant pour cacher la flamme du briquet. En mer, la moindre lumière se voit à des milles. Nous étions au large, sans couverture aérienne. Il fallait rester invisibles. Pour lire la carte, Birkin s'éclairait avec une petite lampe peinte en rouge qui diffusait une lueur discrète. Vers minuit, il me montra le sondeur qui plongeait brusquement.

– Exactement dans les temps, dit-il avec de la satisfaction dans la voix. L'estime est bonne. Nous serons à l'heure.

– Mais comment savez-vous où nous sommes ?

– Il y a une faille à cet endroit, le Hurd Deep, le fond descend à plus de soixante mètres. On ne peut pas se tromper !

Je retrouvais mes réflexes de Cowes, quand mon père m'emmenait dans son petit voilier de l'autre côté de la

Manche, pour de longues virées dans les îles Anglo-Normandes, hérissées de récifs, enveloppées de brouillard, entourées de courants puissants comme des torrents. Maintenant, les îles étaient hostiles. Jersey, Guernesey et Aurigny étaient les seules portions du territoire britannique occupées par les nazis.

Une heure plus tard, Birkin sortit de grosses jumelles du placard tribord. Le vent était tombé et la mer se calmait un peu, même si la houle secouait toujours le chalutier. Birkin scrutait l'obscurité, à la recherche de la ligne noire de la côte. Mais les nuages bouchaient le ciel – c'était une des conditions du voyage : à la lumière de la lune, la surveillance allemande aurait aperçu le bateau.

– Enfer! s'exclama Birkin. Je vois un phare!

– Et alors? C'est très bien, vous pouvez vous repérer...

– Quand les phares sont allumés, un convoi allemand longe la côte... Le reste du temps, ils restent éteints pour empêcher la navigation.

– Je ralentis, dit Slocum. Sutherland, prenez l'autre paire de jumelles. Je veux une veille tous azimuts.

Nous nous mîmes à fouiller chacun la moitié de l'horizon pour détecter le convoi allemand qui devait couper notre route vers la plage. Le chalutier continuait d'escalader la houle pour retomber dans les creux. J'avais du mal à garder l'horizon dans mes jumelles. Une demi-heure se passa à scruter l'eau noire qui jetait quelques éclairs de lumière lorsque la lune transperçait les nuages. Soudain, je distinguai une silhouette triangulaire un peu plus noire que la surface de la mer. Elle s'avançait lentement.

– Navire à tribord! criai-je.

Slocum arrêta les machines. La nuit, l'écume est phosphorescente. En poursuivant sa route, suivie par un sillage blanc, l'*Angèle-Rouge* aurait révélé sa présence. Je pointai du doigt le relèvement du navire suspect. Birkin braqua ses jumelles et poussa une exclamation :

– Il y en a un autre derrière ! Et encore un autre ! C'est le convoi ! Il y en a au moins dix !

À l'arrêt, les embardées du chalutier étaient encore plus gênantes. Il tanguait et roulait furieusement, nous jetant d'une paroi à l'autre. Je suivis du regard la file de bateaux qui progressaient dans la nuit vers Saint-Malo ou Granville, d'ouest en est, débordant les récifs de la baie de Saint-Brieuc. Soudain, je vis un navire plus bas que les autres, qui collait à son prédécesseur. Le convoi commença à franchir le rayon qui venait du phare sur la côte. La silhouette des navires se découpait un instant dans la lumière fugitive du sémaphore. Le bateau bas sur l'eau apparut. J'aperçus un pont de métal luisant, un canon mouillé braqué vers l'avant et une tourelle étroite.

– Ils ont un sous-marin ! criai-je.

– Oui, dit Birkin, ils remorquent un U-Boot. Saloperie ! Si nous avions un canon, nous en ferions de la ferraille !

En 1941 et 1942, les sous-marins allemands avaient failli vaincre l'Angleterre. Invisibles, impitoyables, ils coulaient plus de bateaux que les Alliés n'en construisaient. Puis le courant s'était inversé. L'amélioration des moyens de détection et l'essor des constructions navales américaines avaient permis de surmonter le défi. Mais, pour les marins britanniques, les U-Boot étaient des loups à abattre sans pitié.

– Attendons que le convoi passe, dit Slocum. En principe, ils ne peuvent pas nous voir.

À ce moment exact, la mer nous trahit. Une vague plus haute que les autres souleva le chalutier, qui tomba sur le côté. Birkin fut projeté sur la table à cartes, qui se replia encore. Son crâne heurta la paroi devant lui. Une lumière crue se répandit dans la cabine. Il avait écrasé le bulbe de la lampe rouge entre son front et la paroi, mais il n'avait pas cassé le fil de l'ampoule.

– Nom de Dieu ! Éteignez ça tout de suite ! hurla Slocum.

Je pris le fil électrique dans la main. Je tirai violemment. Il résista. Je refermai mon poing sur le fil. Il me brûla. Je le secouai en tous sens. Enfin, il s'éteignit.

– Nom de Dieu de nom de Dieu ! disait Slocum. Reprenez la veille ! S'ils ne nous ont pas repérés, c'est un miracle.

J'empoignai les jumelles pendant que Birkin se relevait en s'excusant. Il me fallut une minute entière pour retrouver la ligne des navires allemands. Quand les silhouettes noires réapparurent dans mes objectifs, l'écho d'une sirène nous parvint par-dessus le bruit des vagues. L'ombre chinoise du dernier navire se rétrécit. Il virait vers nous. Un gros projecteur s'alluma et balaya la mer dans notre direction.

– Nom de Dieu ! jura Slocum. Ils vont nous repérer ! Il faut partir. Tant pis !

Je songeai à Noor, avec douleur. Slocum avait remis les gaz, faisant tourner le bateau vers le nord-ouest. C'était la seule manœuvre possible. Un chalutier tous feux éteints arraisonné par les Allemands serait soumis à une fouille à laquelle nous ne pourrions survivre, même en nous débarrassant du matériel compromettant. Slocum et Birkin ne parlaient pas le français. Et la puissance des moteurs, très supérieure à la norme des bateaux de pêche, nous aurait confondus en une minute. Slocum se pencha sur l'interphone :

– Tous sur le pont, branle-bas de combat!

Les quatre matelots montèrent l'un après l'autre sur le pont, armés de pistolets. Le dernier mit en batterie la mitrailleuse Enfield sur la plage arrière. Mais nous ne pouvions compter que sur notre vitesse. Les convois allemands étaient protégés par des canonnières dont un seul coup au but nous pulvériserait. La course s'engageait.

– Il n'y aura pas de reddition, avertit Slocum. S'ils nous rattrapent, nous ouvrons le feu. Ils répliqueront et ils nous couleront! Il vaut mieux mourir en mer qu'être interrogé par la Gestapo!

Je regardais dans mes jumelles le bateau qui avait quitté le convoi pour se lancer à nos trousses. Le projecteur continuait de balayer l'eau. Tout à coup, la lumière qui nous cherchait devint plus brillante dans mes objectifs. Ils nous avaient trouvés. Slocum avait poussé les moteurs à fond. L'*Angèle-Rouge* bondissait sur les vagues à vingt nœuds, soulevant d'énormes gerbes d'écume. Derrière la canonnière, je vis le convoi qui s'éloignait sur ma gauche. Il filait vers l'ouest, sans doute pour faire réparer l'U-Boot dans les radoubs de Saint-Malo. Je revins sur nos poursuivants. Le projecteur avait la même brillance et le même diamètre. Ils ne nous rejoignaient pas; nous ne les semions pas.

Birkin était courbé sur la carte. Je jetai un coup d'œil par-dessus son épaule. Nous étions au sud et à l'ouest des Anglo-Normandes. Pour rejoindre l'Angleterre au plus court, il fallait longer le plateau des Minquiers, un archipel de récifs et d'îlots déserts, avant de traverser la Manche. Plus de cent milles. Si l'Allemand nous surpassait en vitesse, ne serait-ce que d'un nœud, il nous rattraperait.

– Cap plein nord, capitaine! dit Birkin. Nous longeons les Minquiers.

– Je sais, dit Slocum.

Je repris les jumelles. J'eus un coup au cœur. Dans mes objectifs, le projecteur était plus brillant et plus volumineux.

– Ils arrivent, capitaine. Le projecteur grossit.

– Dieu nous vienne en aide ! dit Slocum.

La canonnière marchait plus vite : notre sort était scellé. Dans une demi-heure, peut-être un peu plus, ils seraient à portée de tir. Il faudrait s'arrêter et se rendre ou bien recevoir leur feu, qui nous coulerait. Seul un miracle pouvait nous sauver. Une panne de moteur de l'Allemand, par exemple... On pouvait toujours rêver. Je revins vers la carte. Le semis de roches des Minquiers nous séparait encore du détroit. Aucun abri de ce côté-là... il ne fallait en aucun cas s'aventurer dans les récifs où nous pourrions percuter une roche affleurante... J'eus une inspiration.

Une lampe de poche à la main, je me penchai, les yeux fous, sur le détail des sondes et des roches entourées de hauts-fonds représentés en couleur bistre. La table à cartes, comme toute la cabine, tremblait sous l'effet des deux moteurs poussés au maximum.

– Birkin, nous calons combien ?

Il parut intrigué.

– Un mètre. C'est un bateau à fond plat.

– Et lui ?

Birkin se retourna, comme s'il pouvait évaluer le tirant d'eau de la canonnière en la cherchant dans l'obscurité.

– Au moins deux mètres, sinon trois. C'est un bateau étroit. Il a besoin d'une quille profonde.

– Regardez, là...

Birkin se plia sur la carte. J'avais mis mon index sur l'archipel des Minquiers, à droite de la bouée nord-ouest, que tout navire devait contourner par la gauche. Il se releva, dubitatif.

– Vous... vous croyez que ça peut marcher ?

– Il faut viser à dix mètres près. Vous pourrez le faire ?

– Je ne connais pas bien les Minquiers....

– Oui, mais là, à droite il y a ce rocher, le Huguenan. Il est à neuf mètres au-dessus de l'eau. Il doit être très reconnaissable. Non ?

– Sans doute. On doit pouvoir le repérer à la jumelle. Il faudrait gouverner un peu à sa gauche...

– Oui. Il y a combien d'eau, à cette heure ?

Birkin ouvrit un de ses carnets.

– Marée haute moins une heure dix minutes. Huit mètres trente, dit-il après un petit calcul au crayon.

– La sonde est à sept mètres. Si nous passons là, nous aurons un mètre d'eau. Un peu plus...

– Oui. Mais, si nous sommes dans le creux d'une vague, nous touchons.

– Avec un peu de chance, nous passons.

– Ils feront le tour par la bouée, de toute manière.

– Pas sûr. Ils auront peur de nous perdre.

Slocum avait tout entendu. Il intervint :

– Sutherland a raison. C'est notre seule chance. Essayons. Donnez-moi le cap.

Birkin nous regarda tous les deux. Il sourit.

– C'est une folie. Mais ça fera une belle histoire, quoi qu'il arrive.

Il regarda la carte et fit coulisser ses deux règles parallèles.

– Cap au 23, dit-il.

– OK, dit Slocum, j'oblique doucement. Vérifiez s'ils suivent.

Je repris les jumelles. Le projecteur avait encore grossi. La mer se calmait et la canonnière taillait sa route sans difficulté. Ornée d'une grosse moustache d'écume, elle gagnait sur nous. Je sentis le chalutier obliquer lentement. Le projecteur resta derrière nous.

– Ils suivent.

– Parfait, dit Slocum. Droit sur les Minquiers.

Dix minutes s'écoulèrent. Nous foncions directement sur l'une des zones les plus malfamées de l'hémisphère Nord, où d'innombrables navires s'étaient abîmés, transpercés par les rochers. La canonnière était maintenant bien visible dans l'œil de mes jumelles. Soudain, je vis un éclair derrière le projecteur.

– Ils tirent! criai-je.

– C'est normal, ils sont à portée, répondit Slocum.

Il avait à peine commencé sa phrase que je vis un geyser blanchâtre à ma gauche, à une centaine de mètres.

– Manqué! En arrière et à gauche!

– Ils vont se régler, dit Slocum. Je vais faire des zigzags.

– Non, nous allons perdre le cap.

– Mais on va se faire tirer comme des lapins.

– Tant pis, dis-je. Il faut tenir cinq minutes.

– Je confirme, dit Birkin.

Un autre éclair jaillit de la canonnière. Cette fois, l'obus tomba à cinquante mètres à droite.

– Encadrés, dit simplement Slocum.

– Je vois le Huguenan! s'exclama Birkin. Un peu à gauche.

– Un peu à gauche, répéta Slocum.

Un geyser apparut dans notre sillage, à droite.

– Si je n'avais pas tourné, ils nous touchaient, dit Slocum.

350

Il fit un léger zigzag et revint sur le même cap. Cette fois, le geyser nous éclaboussa.

– Ils suivent ? dit le capitaine.

– Oui. Je ne comprends pas, dit Birkin.

– Ils pensent que nous ouvrons la voie. Dans les récifs, il faut toujours suivre un autre bateau, c'est la meilleure sécurité.

Slocum sourit d'un air carnassier.

– Nous passons le Huguenan, dit Birkin.

Je vis le gros rocher noir défiler le long du bord, à vingt mètres, et je m'agrippai à la table, attendant le choc. Comme nous le dépassions, un raclement monta des fonds.

– Nous touchons, dit Birkin.

– Oui, mais nous passons ! répondis-je, un sourire soudain sur les lèvres.

Le fond du bateau avait frotté sur le récif. Mais il y avait assez d'eau. Nous avions dû labourer les algues, sans dommage. Slocum gouverna franchement à droite. Il voulait mettre le Huguenan entre nous et la canonnière. Manœuvre précieuse : un nouveau geyser explosa à dix mètres, là exactement où nous aurions été sans le coup de barre.

– Encore manqué ! dis-je.

Slocum continua à zigzaguer pendant une minute. J'observais l'Allemand dans mes jumelles. Je voyais maintenant les servants du canon, affairés à l'avant. Ils pointaient de nouveau sur nous. La canonnière arrivait à pleine vitesse sur le Huguenan. Subitement, le navire s'arrêta. Les soldats furent projetés vers l'avant puis par-dessus bord. Le projecteur s'éteignit. La silhouette noire plongea vers l'avant et se mit en travers. La canonnière venait de percuter à pleine vitesse le haut-fond du

Huguenan. Ses deux mètres de tirant d'eau lui avaient été fatals. Là où nous avions raclé le fond, ils s'étaient écrasés sur le rocher.

– Hourra! Hourra! hurla Birkin. On les a eus! Sutherland, vous êtes un génie!

Je vis des silhouettes s'agiter sur le pont de la canonnière. Les uns cherchaient leurs camarades tombés à l'eau, les autres se penchaient au-dessus du bastingage pour évaluer les dommages. La coque avait dû exploser sous le choc. Je vis le bateau donner de la bande. Il s'enfonça rapidement. Seul le fond, tout proche à cet endroit, l'arrêterait. Effectivement, trente secondes plus tard, la canonnière s'immobilisa entre deux eaux. Slocum mit la barre à gauche et l'*Angèle-Rouge* fit demi-tour.

– Nous allons finir le travail, dit-il.

Il ouvrit la porte de la cabine et s'adressa aux quatre matelots qui le regardaient avec des faces hilares.

– Nous allons l'achever et recueillir l'équipage. S'ils bougent un doigt, vous tirez.

Une heure plus tard, nous filions joyeusement vers l'Angleterre. Slocum avait sorti la bouteille de whisky. Après avoir ramassé les huit Allemands de la canonnière, jeté une grappe de grenades dans l'épave et assisté à son incendie, nous avions ficelé nos prisonniers pour les aligner, couchés l'un contre l'autre, dans le carré. Puis l'équipage s'était entassé dans la cabine, parlant fort et riant beaucoup. Certes, la mission de transport était manquée. Mais un chalutier mal camouflé avait coulé une canonnière moderne à la puissance de feu irrésistible. Voilà qui valait une médaille.

Au milieu de l'hilarité générale, j'étais effondré. Obsédant, le visage de Noor brouillait ma vue. Je ne pourrais pas la rejoindre. À peine débarqué en Angleterre, je serais confondu, mis aux arrêts et jugé pour insubordination. J'irais en prison et elle allait mourir. Slocum vit mon visage fermé.

– Sutherland, ne faites pas cette tête-là ! C'est vous, le héros ! Je vais vous mitonner un rapport qui vous vaudra la Victoria Cross. Je vous le jure. Et, pour votre mission, vous repartirez dans les prochains jours. Cette fois, on vous conduira jusqu'à la plage, soyez tranquille.

– Non, capitaine, après-demain, il sera trop tard. J'ai une mission précise qui ne peut pas attendre. Il en va de la vie de plusieurs camarades.

Il me regarda avec gravité.

– Oui. Je comprends. Écoutez, je voudrais bien faire quelque chose pour vous. Mais il faut que je rentre. On ne peut plus aller à la plage. Il va faire jour dans une heure. Si nous ne sommes pas assez loin, nous serons pris.

– Tant pis, capitaine. Merci. Je suis très touché.

Perdu dans mes pensées, je contemplai la proue qui plongeait encore dans les vagues. L'eau submergeait la baleinière de récif amarrée sur le pont et s'écoulait en ruisselant. Je me tournai vers Slocum :

– Capitaine, vous pouvez faire quelque chose pour moi.

– Si je peux, je le ferai.

– Je vais vous expliquer...

28.

À peine échappée de l'appartement de la rue de la Pompe, logée chez Lucienne, Noor avait revu Vienet au Fouquet's et chez Lapérouse, Kerleven aux Négociants, rue Custine, et au Balto, à Montreuil. Les deux hommes avaient besoin d'elle. Il fallait passer les renseignements militaires, organiser d'autres parachutages, exfiltrer des pilotes d'avions abattus, recevoir les instructions de Londres. Le poste Aurore fonctionnait à plein régime. Noor n'avait pas voulu rester chez Lucienne, qui s'affolait à chaque transmission. Et surtout Suresnes n'était pas sûre, tant Noor y était connue. Il avait fallu quitter la colline et l'enfance. Vienet avait trouvé une chambre pour Noor boulevard Richard-Wallace, à Neuilly. C'était une pièce austère au rez-de-chaussée d'un gros immeuble blanc où cantonnaient aussi des officiers allemands. Kerleven avait indiqué à Noor l'adresse d'une famille ouvrière de Bondy qui possédait un pavillon de brique rouge dans une petite fonderie située sur une rue tranquille. Noor transmettait tous les jours, allant d'une adresse à l'autre pour gêner la détection allemande, revenant de temps en temps chez Lucienne afin d'achever de brouiller les pistes. Elle partait tôt le matin de sa chambre, prenait le métro porte Maillot pour un interminable trajet jusqu'à Bondy, sa valise radio à la main, son carnet de codes dans son sac. Chaque fois, elle risquait sa vie. Un jour, deux soldats lui demandèrent d'ouvrir son bagage au changement de la gare du Nord. Livide, elle s'était exécutée, sûre d'être arrêtée. D'une voix blanche, elle avait expliqué qu'elle transportait du matériel photographique. Plus intéressés par sa silhouette que par la valise, peut-être désireux de ne pas montrer leur ignorance, les deux soldats l'avaient laissée partir. Une autre fois, elle dut émettre de chez elle, pressée par Kerleven qui voulait sur l'heure envoyer un message à Londres. Elle commença à déployer son antenne dans les branches des arbustes qui entouraient le petit jardin bordant l'immeuble.

Comme elle passait le fil vert dans le feuillage, elle entendit une voix :

– Voulez-vous de l'aide, mademoiselle ?

Elle se retourna et ressentit une douleur au cœur. C'était un officier de la Wehrmacht qu'elle avait déjà croisé et qui habitait au troisième étage. Il la considérait d'un air amusé, un sourire aux lèvres.

– Oui, dit-elle, si vous voulez, je dois faire sécher mon linge...

– Donnez-moi ça, je vais tendre la corde. Je fais un nœud au bout, sur cette branche ?

– Ce sera parfait !

– Voilà. C'est curieux, ces fils en métal pour le linge...

– Euh...

Il cligna de l'œil.

– Quand vous écouterez la BBC, dit-il en souriant, ne la mettez pas trop fort. Mes collègues pourraient vous entendre.

Puis il salua en claquant les talons. Noor, ébahie, l'avait regardé partir. Il avait cru qu'elle installait l'antenne d'un poste de TSF et décidé de fermer les yeux sur les écarts d'une jolie fille. Noor pensa que la chance l'accompagnait.

Un après-midi de chaleur, elle s'était assise près de la cahute de bois peinte en vert où se louaient des voiliers miniatures, devant le grand bassin du jardin du Luxembourg. Au bout d'une minute, deux mains s'étaient refermées sur ses yeux. C'était Violette Laszlo. Elle lui avait fixé un rendez-vous par le truchement de Garry.

– Je viens en protection du poste Aurore, avait-elle dit. C'est Sutherland qui m'a demandé de le faire. Il tient à toi, tu sais! Tu as des nouvelles?

– Non. John a disparu. Je sais qu'il est en Angleterre. Mais Londres ne me dit rien de lui. C'est étrange.

– Les hommes sont volages!

– Mais non, c'est très bizarre. Il devait informer Londres du cas Blainville. Depuis, rien. Blainville continue, comme avant. Je suis certaine que c'est un traître, et Londres ne bouge pas. C'est incompréhensible.

– Peut-être qu'ils doutent...

– Ils se trompent. C'est une erreur tragique.

– Qu'en dit Vienet? Blainville le connaît. S'il est le traître, il peut le dénoncer d'un instant à l'autre.

– Londres l'a persuadé que Blainville était clair.

– Tu te trompes peut-être... Si on commence à soupçonner tout le monde, on ne fait plus rien.

Violette avait pris pension chez Darbois, qui habitait toujours rue Joseph-de-Maistre. Les deux jeunes gens se partageaient la protection de Noor. Ils l'escortaient dans ses pérégrinations et restaient près d'elle quand elle transmettait, l'œil aux aguets et le pistolet en poche. Au début, Violette marchait à trente mètres derrière Noor pour repérer d'éventuels anges gardiens. Puis les deux jeunes femmes avaient fini par voyager ensemble afin de rompre l'ennui des interminables trajets en métro.

Quand les deux jeunes femmes entrèrent chez Laurent, les conversations s'arrêtèrent. Précédées d'un garçon en veste blanche, elles traversèrent la salle, les cheveux défaits et le regard étincelant. C'était un grand salon Second Empire aux tapis profonds et aux banquettes de velours rouge et vert. Vienet les attendait à la table du fond, près de la fenêtre qui donnait sur les jardins des Champs-Élysées.

– Mesdemoiselles, vous êtes superbes, dit-il. On dirait deux amazones au retour de la guerre.

– C'est à peu près cela, dit Violette.

Sa moustache fine bien peignée et son costume prince-de-galles tombant parfaitement, Vienet avança lui-même la chaise de Violette, puis celle de Noor.

– On va me prendre pour un don Juan ! dit-il avec une souriante fatuité.

– Mais vous en êtes un, répondit Violette.

– Oh non ! dit Vienet. Ma femme est contre.

– Uh, uh, uh, dit Violette.

On commanda des huîtres et trois perdreaux. Vienet était chasseur. Il se lança dans un récit de chasse en Sologne. Violette répliqua par l'histoire d'une battue aux loups en Hongrie, qu'elle raconta avec fougue, sous l'œil fasciné de Vienet. Noor s'ennuyait ferme.

– Nous n'amusons pas notre amie, remarqua Vienet. Ma chère Violette, je vous invite un soir et nous pourrons parler chasse sans importuner quiconque ! Nous irons à La Tour d'Argent. Vous connaissez leur canard au sang ?

– Oui. J'y allais avant la guerre quand je venais à Paris avec mon mari. Nous dînerons avec votre femme ?

– Non... elle sera en voyage.

– Mais comment le savez-vous, nous n'avons pas fixé de date ? dit Violette d'un ton goguenard.

– Ma femme voyage beaucoup...

Noor riait sous cape en lisant le carnet qu'elle avait ouvert pendant la battue aux loups.

– Mais quel est ce carnet, ma chère Noor ? dit Vienet pour se tirer d'affaire.

– C'est mon carnet de communications avec l'Angleterre. Je dois toutes les consigner. Il y a aussi les codes, avec les clés de codage, jour après jour.

Mais pourquoi vous promenez-vous avec ça ? C'est très dangereux !

– Londres m'a dit de garder mon carnet et de noter tous les messages, jour après jour. Alors je l'ai toujours sur moi. Ils en ont besoin.

– Mais besoin pour quoi faire ? C'est une très mauvaise idée !

– Je ne sais pas. C'est un ordre. De toute manière, ce n'est pas ce carnet qui me fera arrêter. Ou je suis prise, ou je ne le suis pas.

– Mais si vous l'êtes, ils auront tous les codes.

– Oui, mais nous avons un double check de sécurité. Si je ne les emploie pas, ou un seul d'entre eux, Londres saura que j'émets sous contrôle allemand. Ils interrompront aussitôt l'échange et ils changeront les codes. Il y a des sécurités, vous savez.

– Je ne comprends pas pourquoi il faut conserver tous les messages. Qui vous l'a demandé ?

– Un gradé important, qui est venu me voir avant mon départ, à Tangmere. Un certain Bodington, je crois...

– Bodington? Ah bon. Il est le numéro deux. Il doit savoir ce qu'il fait. C'est bizarre, tout de même.

– Nous faisons un métier bizarre, dit Violette.

– Ma chère Noor, dit Vienet en changeant de ton, nous avons besoin de vous le 9 septembre, à l'Alma. Ce n'est pas loin d'ici. Pouvez-vous y être?

– Bien sûr.

– Le Conseil national de la Résistance va se réunir. Pour élire un président. Moulin avait fait un travail formidable. Il est mort, mais nous devons continuer. Le Général nous a envoyé Serreulles comme délégué. Les mouvements et les réseaux sont à peu près unifiés, mais il leur faut un organe représentatif. Sinon, la Résistance risque de se déchirer, ou de tomber aux mains des cocos.

– Des cocos? demanda Noor.

– Des communistes. Enfin, il faut assister à la réunion, faire un compte rendu et l'expédier immédiatement à Londres.

– Très bien, dit Noor, je serai là.

– Dernière chose, dit Vienet. Je voudrais que vous rencontriez deux agents canadiens qui ont été parachutés en Hollande, mais qui doivent rentrer à Londres. En attendant, il faut transmettre leur rapport. Urgentissime!

– Blainville les connaît? dit Noor.

– Oui, c'est lui qui me les a envoyés.

– Mais si Blainville trahit? Nous en avons parlé, René!

– Si Blainville trahit, je devrais déjà être arrêté!

– Peut-être attend-il...

– Londres l'a innocenté. Il faut bien que je me fie à quelque chose, ma chère Noor. Nous prenons des risques. Mais, si nous n'en prenons pas, nous ne faisons rien.

– Bon... comme vous voudrez. Mais je souhaiterais vérifier d'abord avec Londres, pour les deux Canadiens. Vous m'y autorisez, René ?

– À votre guise.

– Comment s'appellent-ils ?

– Ils ont des noms compliqués. Je prends mon papier. Voilà ! Pickersgill et MacAlistair.

29.

Dans la lueur de l'aube, les Écrehous n'étaient qu'une tache sombre sur l'horizon. Pour garder le cap, je la surveillais par-dessus mon épaule en ramant en cadence sur la Manche apaisée. J'avais espéré rejoindre Paris en deux jours. La mauvaise rencontre de la baie de Saint-Brieuc m'avait dangereusement ralenti. Il fallait maintenant gagner la côte en traversant les défenses allemandes à la rame. Projet insensé...

Slocum avait accédé à ma requête en dépit de son irréalisme. Se sentant redevable, il avait obliqué vers l'ouest pour passer au large de Jersey avant de pointer vers l'Angleterre. À trois milles d'un petit archipel désert au nord-ouest de Jersey, les Écrehous, il m'avait largué seul sur la baleinière avec mon pistolet, ma Sten, mon sac et un panier de vivres prélevés sur les réserves du bord. Depuis une heure, poussé par le courant de sud, je ramais dans le jour naissant. J'allais au secours de ma princesse, sur un esquif avançant à deux nœuds vers une côte menaçante, avec en tête un plan qui avait toutes les chances d'échouer.

Les Écrehous, semis de cailloux qu'on voyait de Jersey, entre l'île et la côte française, étaient en principe sous le contrôle de l'armée allemande. Mais j'escomptais qu'aucune garnison n'y stationnerait : pourquoi surveiller des roches hostiles portant une dizaine de maisons étroites que certains habitants de Jersey utilisaient comme résidences d'été ? Le jour se levait. J'entendis soudain le moteur d'un avion loin vers l'ouest. Les Allemands cherchaient leur canonnière. Aussitôt, je me glissai dans l'eau froide et j'attendis, caché par le bordé du canot, la main serrant une amarre. Le bruit du moteur augmentait. Au moment où il volait à la verticale, je plongeai et contournai l'avant de la baleinière pour atteindre l'autre bord, sans lâcher l'amarre. Le pilote verrait un canot vide à la dérive. Il ferait un rapport. J'espérais arriver avant qu'une vedette vienne vérifier. L'avion fit deux passages, ce qui m'obligea à changer chaque fois de bord, grelottant entre deux eaux. Le bruit décrut. Je patientai encore cinq minutes, puis je remontai sur mon petit bateau, dégouttant d'eau. Je me mis à ramer de plus belle en tremblant de froid.

Grâce au courant, j'arrivai au cœur de l'archipel une heure plus tard, pendant que le soleil montait dans un ciel clair au-dessus de la côte française qu'on voyait au loin. Je cherchai une crique aux rives abruptes et j'amarrai la baleinière à l'opposé de la lumière matinale. Le canot était peint en noir. À l'ombre de la roche, on ne le verrait pas du ciel.

Au centre de l'îlot, un petit hameau de granit était resserré sur un piton, dominant une longue grève de sable jaune. Il n'y avait aucun bateau mouillé devant le village miniature : il était vide d'habitants. Je montai vers le piton, gravis l'escalier de la plus grande maison et fracturai la porte. J'entrai dans un salon avec une table de bois et des fauteuils de rotin devant une cheminée bien nettoyée. Il y avait une petite cuisine à l'arrière et deux chambres minuscules à l'étage. Une odeur de moisi flottait dans l'air et des taches d'humidité s'étalaient sur les murs blancs. Je poussai un fauteuil vers la fenêtre et m'assis face à la mer. Il fallait prendre mon mal en patience, l'angoisse au cœur, pendant que Noor continuait à marcher dans la vallée des ombres.

J'attendis une journée entière, au milieu des mouettes criardes, dans le bruit des vagues, observant le mouvement de la marée, scrutant l'horizon vers le sud et comptant les heures. Pour rien. La nuit, je dormis bien dans un lit étroit et des draps humides que j'avais dénichés dans une petite armoire. Enfin, le lendemain, une heure avant la pleine mer, un bateau apparut. C'était un caseyeur venant chercher des homards. Le soleil était haut dans le ciel et la mer bleue ondulait parmi les récifs entourés d'écume. De mon observatoire, je vis le petit bateau couleur turquoise surmonté d'une cabine en bois blanc s'avancer sur le miroir de la mer et pénétrer avec prudence au milieu des roches. Sur bâbord, il y avait une grosse poulie reliée au moteur par une courroie. C'était le mécanisme qui permettait de relever les casiers mouillés dans les criques. Devant la maison, je voyais des boules de caoutchouc flotter à la surface de l'eau verte. Je savais qu'une corde les reliait à des cages d'acier posées sur le fond dix ou quinze mètres plus bas, percées d'une ouverture en entonnoir où les homards se faisaient prendre au piège. Deux ou trois fois, mon père m'avait conduit ici avec son voilier au cours de nos pérégrinations anglo-normandes. J'avais remarqué le manège des pêcheurs de homards venus de France, qui partageaient le domaine de pêche avec les Jersiais.

Le bateau jeta l'ancre sous la maison, au milieu de la crique. Puis le pêcheur se munit d'une grande gaffe et attira vers lui la première bouée. Il enroula la corde autour de la poulie et commença à remonter le casier. Une fois qu'il eut fini, je sortis tranquillement de la maison. Sa silhouette s'immobilisa. Je devinais son visage stupéfait. Je le vis qui fouillait les rochers du regard pour chercher un bateau. Je levai la main pour essayer de le rassurer, puis j'avançai sans hâte vers la baleinière cachée à l'ombre du rocher, je la détachai et commençai à ramer dans sa direction. Quand j'arrivai à portée de voix, il cria :

– Stop! Arrête-toi! Qu'est-ce que **tu** veux? *What do you want?*

– Je suis pêcheur. Ils m'ont abandonné.

– Pêcheur d'où?

J'attendais la question. J'avais une chance sur quatre. S'il connaissait le port que j'allais indiquer, il me confondrait. À mes pieds, au fond de la barque, j'avais posé ma Sten, recouverte d'un chiffon. La baleinière se rapprochait du caseyeur sur son erre. S'il se méfiait, j'étais résolu à employer la force.

– De Carteret!

– Quel nom? Quel armement?

– Capitaine Delassus! Armement Hénock!

C'étaient deux familles françaises que j'avais connues avec mon père lors d'une escale à Jersey, en 1938, quand nous étions amarrés bord à bord dans le port de Saint-Hélier. Au moins, les noms étaient du coin.

– Ce sont les Delassus de Villedieu?

– Oui, hasardai-je.

– Qu'est-il arrivé?

– Dette de jeu. Nous avons joué une nuit entière, l'autre semaine. L'un d'eux trichait. Je l'ai dénoncé. Ils étaient tous de mèche. Ils m'ont largué ici. Maintenant, il faut que je rentre !

L'histoire était invraisemblable. Je n'en n'avais pas trouvé de meilleure. Mais le pêcheur avait été rassuré par la mention des Delassus. Il hésitait.

– Je pourrai t'aider à remonter les casiers, dis-je.

– Bon. Allez, grimpe !

Je lui lançai une amarre, qu'il tourna sur un taquet d'acier. Je lui passai ma valise, puis je sautai à bord en prenant appui sur le banc de nage. La baleinière se mit à rouler et le chiffon qui dissimulait la Sten glissa.

– Eh, stop ! Qu'est-ce que c'est que ça ?

Son regard allait de mes mains à la mitraillette. Il s'empara d'un grand couteau qu'il avait laissé en évidence sur le capot du moteur et le pointa sur moi. Faisant un pas de côté, il se pencha sur la barque et fixa la Sten.

– C'est une mitraillette anglaise, ça ! C'est bien ce que je pensais. Tu viens d'Angleterre !

– Oui.

– Tu ne pouvais pas le dire plus tôt, crétin ?

Couchées côte à côte dans le grand lit, Noor et Violette bavardaient comme deux collégiennes. Elles revenaient de l'Alma. Noor avait pris en note le compte rendu de la réunion du Conseil national, puis, après le départ des chefs de la Résistance, transmis immédiatement un résumé des débats rédigé avec le nouveau président du mouvement clandestin, Georges Bidault. Violette et Darbois étaient restés en bas, l'un dans le hall de l'immeuble, l'autre sur le trottoir d'en face, à l'angle de l'avenue Marceau, pour protéger la réunion. D'autres agents armés s'étaient réparti les rues voisines pour prévenir toute intrusion. Les débats avaient été longs, virulents. Les gaullistes voulaient établir l'autorité du Général sur la Résistance intérieure. Ils préparaient la prise du pouvoir à la fin de la guerre. Et, surtout, de Gaulle avait besoin de cette caution pour l'emporter sur Giraud dans la lutte féroce qu'il menait à Alger et assurer son hégémonie sur la France libre. Roosevelt soutenait Giraud, Churchill commençait à trouver de Gaulle décidément trop rétif. Les mouvements tenaient à leur indépendance; les communistes cherchaient à pousser leur propre organisation unitaire, le Front national. Finalement, les plus politiques avaient compris l'enjeu. Le regroupement autour du Général couperait court à l'opération Giraud, qu'ils jugeaient trop conservateur et trop proche des Américains, tout en limitant le risque d'une prise de pouvoir communiste après la victoire. Noor avait transmis à Londres un texte unitaire où l'appui à de Gaulle n'était pas marchandé, en échange d'un engagement répété du Général en faveur des institutions républicaines et de la réforme sociale. Puis les deux jeunes femmes étaient parties en métro l'une derrière l'autre, Noor avec sa valise radio, Violette la main sur son pistolet. Épuisées, elles s'étaient couchées dans la petite chambre à un seul lit.

– Comment fait-on une division en Allemagne? demanda Noor.

– Comment ça, une division? dit Violette.

– Une division. L'opération de calcul qui s'appelle une division. Comment divise-t-on un nombre par un autre?

– Mais... pourquoi veux-tu le savoir?

– J'ai mon idée pour demain.

– Pickersgill et MacAlistair?

– Oui. C'est Blainville qui les envoie. Je me méfie.

– Quel rapport ?

– Je t'expliquerai. Comment fait-on une division quand on est allemand ?

Noor prit une feuille dans son carnet, la déchira et la tendit à Violette avec un crayon. Sans comprendre, Violette fit sa division.

– Tu es sûre ?

– Oui. Je suis allée à l'école en Hongrie. Je sais que la méthode est la même. Ils mettent le dividende sur la première ligne, le diviseur sur celle du dessous, et écrivent le résultat à droite, au-dessus du reste.

– Très bien. Les Anglo-Saxons, au contraire, placent le dividende à droite et le diviseur à gauche. Ce sera utile...

Le caseyeur longeait l'archipel de Chausey, laissant à droite la tourelle du Pignon, le cap sur le phare du Roc où les Allemands avaient construit deux bunkers, l'un au nord de la pointe, l'autre au sud, au-dessus du port.

– Nous sommes dans les temps, dit Samoel.

Toute la journée, nous avions relevé les casiers des Écrehous, puis nous étions partis vers le sud et Granville, le port d'attache de Samoel, le pêcheur qui aimait bien les résistants. Comme ses collègues, il connaissait l'existence des bateaux du SOE. Mais il était entendu que jamais un pêcheur ne dénoncerait ces voyages nocturnes. La plupart avait continué leur métier. Seuls ceux de Sein et de Molène étaient partis en Angleterre dès 1940. Les autres s'étaient dit qu'il fallait bien vivre. Mais la corporation, à la différence de bien d'autres, avait la fibre patriotique. Samoel décida de m'emmener à Granville. Encore fallait-il tromper la surveillance allemande.

– Le soir tombe, dit le pêcheur. Je devrais passer les jetées maintenant. La nuit, toute navigation est interdite. Mais ils ne se formaliseront pas pour une demi-heure de retard. Quand nous arriverons, il fera sombre. Ce sera plus facile. Une fois que nous aurons passé le bunker, si on se rapproche suffisamment de la côte, on est dans un angle mort. Ils ne peuvent pas nous voir, ni des jetées ni du bunker. À ce moment-là, tu montes dans le canot et je te largue. Tu longes la première jetée et tu entres dans le vieux port. La sentinelle me regardera. Elle ne pensera pas à surveiller le pied de la jetée.

– OK. Merci pour tout.

Samoel me tendit un verre de calvados.

– Tiens, ce n'est pas le verre du condamné. C'est pour avoir chaud.

J'avais remis mon matériel dans la baleinière que le caseyeur avait prise en remorque. Deux fois, nous avions croisé des vedettes allemandes, qui nous avaient salués d'un geste de la main. Depuis trois ans, les occupants et les pêcheurs s'étaient habitués les uns aux autres. Il ne se passait jamais rien dans cette partie de la Manche, entre les Anglo-Normandes et la côte. Les défenses surarmées de Jersey et Guernesey étaient comme des bastions avancés pour la baie du Mont-Saint-Michel. Elles éloignaient la RAF. Le SOE faisait débarquer ses agents plus à l'ouest, en Bretagne. La vigilance allemande s'était relâchée.

Le bateau approchait du Roc, le promontoire qui pointait vers l'ouest et sur lequel on avait construit le premier quartier du port de Granville, au-dessus de la baie protégée des vents de nord et d'ouest. À petite vitesse, il doubla la pointe, longea la berge de près, juste sous le phare et le bunker. Il faisait nuit, maintenant.

Samoel avait allumé ses feux de position. Du coup, la baleinière en remorque était invisible.

– Ça y est, dit-il en se penchant vers l'arrière, ils ne nous voient plus. Tu as deux minutes, pas plus !

– Allez, Dieu te garde, dis-je. Vive la Normandie !

– C'est ça. À bas Jersey !

Je sautai dans la baleinière. Les pêcheurs normands et jersiais ne cessaient de se disputer les zones de pêche. Il avait fallu aux Normands un sens aigu de l'intérêt national pour changer d'ennemis et considérer que les Anglais étaient moins dangereux que les Allemands. Samoel défit l'amarre du canot et me la lança, sans ralentir un instant son bateau. Je me mis à ramer furieusement vers la jetée, dont la masse sombre me dominait. L'œil occupé par les feux du caseyeur, les guetteurs pouvaient difficilement voir la petite tache sombre du canot qui filait vers la côte. J'arrivai au pied de la jetée, où la houle déferlait contre les pierres de granit, levant des gerbes d'écume. J'obliquai parallèlement à la paroi, vers les tourelles d'entrée. Il suffisait aux sentinelles de se pencher pour me voir. Mais l'entrée du caseyeur devait distraire leur attention. En cinq minutes, je fus au seuil du port, dont la mer commençait à se retirer. Je franchis le halo de lumière rouge projeté par le feu d'entrée bâbord. Trente mètres plus loin, au bout de l'autre jetée, un feu vert tournoyait aussi. Samoel m'avait indiqué un escalier de pierre qui descendait jusqu'au ras de l'eau, sur la face intérieure de la jetée. J'y amarrai le canot et jetai mon sac sur les marches luisantes qui remontaient vers le haut de la muraille. Je sortis mon poignard de commando et le marteau que Samoel m'avait laissé. En moins d'une minute, je perçai le fond du bateau en deux endroits. L'eau emplit le canot. Je sautai sur l'escalier, puis repoussai la baleinière aussi loin que je pus. Elle fit une dizaine de mètres sur son erre, ralentie par l'eau qui envahissait le fond. Une minute plus tard, elle avait coulé bas. On la retrouverait à marée basse, posée sur la vase. À ce moment-là, je serais loin.

Je pris mon sac et montai prudemment sur la jetée. Près du feu d'entrée, au bout de la jetée, un soldat regardait la mer. J'étais cinquante mètres derrière lui. Je me dirigeai vers le fond du port sans qu'il bouge. Quand j'atteignis le bout de la jetée, un spectacle me saisit. À mes pieds, dans la cale de radoub, je reconnus une coque oblongue surmontée d'une petite tourelle, dissimulée sous une vaste bâche qui la cachait des avions de reconnaissance. C'était l'U-Boot que j'avais aperçu en remorque deux nuits plus tôt, avant que la canonnière nous donne la chasse. Découverte capitale. Le sous-marin n'avait pas pu être réparé à Saint-Malo, sans doute parce que les chantiers étaient débordés. Il avait poussé jusqu'à Granville où une autre équipe de techniciens l'avait en charge. Je marchai vite pendant que la sentinelle me tournait le dos.

Ma décision fut rapide. J'avais désobéi en allant au secours de Noor. Geste logique. Mais je ne pouvais pas laisser derrière moi une proie aussi importante pour la Navy sans avoir tenté quelque chose. Ç'aurait été trahir. Je devais m'attaquer au sous-marin, quitte à perdre deux ou trois jours. Noor risquerait d'autant plus l'arrestation. Je n'avais pas le choix. Accroupi derrière un amas de casiers vides qui sentaient le crustacé séché, j'échafaudai mon plan.

30.

Une nouvelle fois, le passage de Noor avait provoqué l'arrêt des conversations. Les hommes tournaient la tête et les femmes lui lançaient des regards envieux ou admiratifs. Il y avait du monde à la terrasse du café de Flore, devant le boulevard vide de voitures. Le clocher de l'église Saint-Germain-des-Prés se détachait sur un ciel de septembre parsemé de petits nuages. Noor poussa les lourdes portes vitrées pour entrer dans le café. Au fond de la salle, les deux Canadiens l'attendaient. Pickersgill était un jeune homme blond à la mèche raide et aux yeux bleus rieurs, MacAlistair portait une courte barbe qui équilibrait une calvitie précoce.

– Bonjour, dit Noor, je suis Aurore.

Les deux hommes se levèrent et se présentèrent.

– Merci d'avoir bien voulu venir, dit Pickersgill, nous sommes coincés à Paris. Sans vous, nous ne pouvons rien faire...

– Vous étiez en Hollande?

– Oui, mais nous ne pouvions plus rester. Il a fallu partir vite. Nous ne connaissions que Blainville. Il vous a donné le message...

– Il est à Paris?

– Oui. Il revient de Londres. Il a reçu de nouvelles instructions de ses supérieurs. Il a mis ses activités en sommeil pour l'instant. Il se cache. Il est visible seulement le matin, une heure par jour, au café de sa femme, rue Saint-André-des-Arts. La chute de Prosper l'a rendu prudent...

– Je vois qu'il vous a mis au courant de nos ennuis...

– Dans les grandes lignes. Ce n'est pas lui qui nous rapatriera. Nous devrons passer par le réseau Cinéma. Blainville nous a dit que vous connaissiez cette filière...

Noor hésita.

– Oui, je la connais. Mais il me faut un peu de temps. Nous en reparlerons. Vous voulez envoyer un message et vous n'avez plus de poste de transmission ?

Ce fut Pickersgill, le radio, qui répondit.

– Il a été pris en Hollande. Mais j'ai pu le mettre hors d'usage avant que la Gestapo le saisisse.

Un homme seul vint s'asseoir deux tables plus loin sur la banquette de cuir rouge. Noor lui jeta un coup d'œil.

– Nous devons transmettre, continua Pickersgill. Il s'agit du rapport sur nos activités hollandaises et il est assez long.

– Vous avez le texte sur vous ? Je peux l'emmener maintenant, ce sera plus simple.

– Oui. Le voilà.

MacAlistair sortit plusieurs feuillets.

Noor surprit le regard de l'homme seul sur la banquette qui se tournait furtivement vers eux. Elle s'empara des feuillets.

– C'est long, dit-elle. Je vais le calibrer, je voudrais savoir si je dois faire plusieurs transmissions. Je suis le seul poste à Paris et j'ai beaucoup de trafic.

Elle commença à compter les caractères et les lignes, puis elle calcula de tête.

– Au moins trois heures de transmission! dit-elle.
Vous ne pouvez pas réduire?

Elle avait commis une erreur de calcul en estimant le
temps de transmission. Si Pickersgill ne corrigeait pas, il
n'était pas radio. Il ne tomba pas dans le piège.

– Impossible! dit Pickersgill en souriant. Cela ne peut
pas faire trois heures.

– Attendez, je recompte.

Noor ouvrit son carnet et refit les calculs, cette fois par
écrit. Elle referma le carnet quand elle eut fini.

– Si! Trois heures!

– Mais... il doit y avoir une erreur. Vous ne pouvez
pas être si lente.

Pickersgill s'impatientait. Elle déchira une feuille de
son carnet et la lui tendit avec son crayon.

– Comptez vous-même. Je fais vingt-quatre mots
minute. On ne peut pas se tromper.

Énervé par l'erreur évidente, il prit le crayon et se mit
en devoir de refaire le calcul. Il multiplia le nombre de
lignes par le nombre de mots sur chaque ligne, puis
commença une division par 24. Noor fixait le papier sur
lequel il écrivait. Au lieu de placer le diviseur sur la
même ligne que le dividende, Pickersgill l'inscrivit à la
ligne du dessous.

Noor repoussa sa chaise en arrière et se leva. Elle
plongea la main dans son sac et prit son pistolet.

– Vous n'êtes pas canadiens! Blainville a encore
essayé de m'avoir. Ne bougez pas!

Les clients la regardaient. Les garçons s'étaient arrêtés. Pickersgill et MacAlistair étaient paralysés sur leur
siège. Noor reculait lentement pour se rapprocher de la
sortie. L'homme qui était assis sur la banquette sortit
une arme. Noor le vit et braqua son pistolet sur lui.

– Posez ça !

L'homme s'exécuta. Les deux faux Canadiens s'étaient mis debout. Noor les visa à leur tour, à bout de bras. Sa main tremblait.

– Attention ! Je vais tirer ! Restez où vous êtes !

Deux clients de la terrasse étaient entrés dans le café et s'approchaient d'elle par-derrière. Elle sentit une présence et se retourna. Les deux hommes se figèrent. Mais les Canadiens en profitèrent pour avancer. L'étau se resserrait. Les clients médusés contemplaient la scène.

– Donnez-nous ce pistolet, mademoiselle, dit l'un des hommes.

– Reculez ou je tire !

Sa voix était moins assurée. Noor avait peur. Elle savait qu'elle ne tirerait pas. Les quatre hommes se rapprochaient lentement. Une voix forte résonna à l'autre bout de la salle, près de l'escalier en colimaçon qui menait à l'étage.

– On ne bouge plus !

Violette Laszlo s'était levée. Elle pointait une Sten sur le groupe. En partie caché par un pilier du café, l'homme de la banquette crut qu'elle ne le verrait pas et reprit son arme. Une rafale courte le transperça. Il s'effondra sur la table en perdant son sang. Plusieurs clients poussèrent un cri. D'autres se jetèrent sous les tables.

– Allez, Noor, on dégage !

Les deux jeunes femmes sortirent du café à reculons braquant leurs armes sur la salle. Sur le boulevard, une Citroën noire attendait. Elles entrèrent chacune d'un côté et la voiture démarra. Les trois policiers se précipitèrent et firent feu. En vain. La Citroën avait tourné rue de Rennes, hors d'atteinte.

– Vous l'avez encore manquée ! C'est une manie ! En plus, nous avons un mort.

Goetz fulminait en arpentant son bureau de l'avenue Foch.

– Nos hommes avaient très bien manœuvré, dit Peter. Elle était encerclée. J'étais sur la terrasse avec Hans. Nous étions quatre contre elle. Aucun problème. Mais elle s'est levée tout d'un coup, je ne sais pas pourquoi...

– Elle s'est levée parce qu'elle a réussi à faire faire une division à ce crétin, dit Goetz. Mais enfin, bon sang, c'est élémentaire ! Tout le monde sait chez nous que les opérations d'arithmétique sont différentes selon les pays ! Nous employons sans cesse ce moyen pour confondre les Anglais. Nous leur demandons des multiplications ou des divisions. Ils ne les font pas comme les Français. Nous non plus, d'ailleurs. Elle vous a piégés. Elle est très maligne et vous la sous-estimez !

– Nos deux agents l'avaient pourtant trompée...

– Croyaient-ils ! Il faut absolument que nous l'attrapions. C'est le dernier poste de radio en fonction pour le SOE dans la région parisienne. Si nous nous en emparons, ils n'ont plus rien pour des semaines. Nous avons une bonne chance de les tromper, car elle n'a plus grand monde autour d'elle. Si nous l'appréhendons discrètement, nous pouvons la retourner contre Baker Street.

– Je sais, *Herr Ober*, je sais...

– Et cette fille qui a tiré à la mitraillette ! D'où sort-elle ? Un agent tué de notre côté et pas d'arrestation ! Boemelburg va apprécier ! Blainville nous avait dit que cette Aurore était isolée. En effet ! Elle avait un garde du corps et un chauffeur.

– Oui. Maintenant, elle va se méfier de Blainville. Il avait réussi à paraître innocent. Il est de nouveau suspect... Je crois qu'ils ont fait une autre bêtise!

Goetz s'immobilisa. Il tourna vers Peter son visage rougeaud, des éclairs dans les yeux.

– Quoi? Une autre?

Il éructait.

– Oui, dit Peter. Pour crédibiliser leur histoire, ils ont cité le café de Blainville et indiqué ses horaires.

– Mais ils sont fous!

– Non, c'était logique. Elle connaît Blainville. En lui fournissant des détails à son sujet, ils montraient qu'ils appartenaient au réseau.

– Mais nom de Dieu! Blainville est en ce moment notre agent décisif. Il faut le protéger! Ils ont donné ses coordonnées à une fille qui vient de nous tuer un homme, qui a démasqué Blainville et qui nous a échappé deux fois.

– Elle devait les connaître...

– Vous n'en savez rien! Elle croyait Blainville en Angleterre. À présent, elle sait qu'il est à Paris. C'est dangereux, c'est dangereux...

– Blainville ne nous aide pas toujours...

– Il ne peut pas. Kieffer ne le comprend pas. Vous non plus, Peter. Si Blainville nous dit tout, il perd son crédit auprès des Anglais. Dans ce cas, il ne nous sert plus à rien. Ce type sait beaucoup de choses, je le sens. Il a l'oreille du commandement anglais. Il peut un jour nous révéler une information décisive. Il faut le préserver.

– Ce n'est pas grave. Il suffit que Blainville change d'adresse.

Goetz était exaspéré.

– Il ne peut pas, sa femme tient le café ! Et, s'il change d'adresse, les Anglais vont se méfier.

– Mais qu'est-ce que vous craignez ?

– Cette fille est redoutable. Elle est capable de monter un coup contre Blainville. Maintenant, elle est sûre qu'il l'a dénoncée. Elle est capable de le descendre, ou de le faire descendre. Peter, ils viennent de nous tuer un agent et de s'enfuir en plein Paris. Ce sont des clients sérieux.

– Oui... Oui, vous avez raison.

Goetz avait entrepris de remonter son coucou. Il arriva au bout du ressort. Il se retourna et resta immobile, l'œil fixé sur Peter.

– J'ai une idée ! Cette fille connaît l'adresse et l'heure, n'est-ce pas ?

– Oui.

– Nous pouvons essayer de nous rattraper...

Dans la petite chambre du boulevard Richard-Wallace, Noor était assise sur un canapé de tissu usé, devant Violette qui refaisait son maquillage dans un miroir piqué de taches noires. Elle écumait aussi.

– Ils ont failli nous avoir, les salauds ! C'est Blainville, encore Blainville, toujours Blainville ! Mais quand comprendront-ils, à Londres ?

– Ils ont pu passer par une autre filière, dit Violette. Manifestement, la Gestapo avait infiltré tout le réseau Prosper...

– Mais non, Violette ! Vienet m'a parlé de deux Canadiens envoyés par Blainville. Ces deux Canadiens sont de la Gestapo. J'ai toute confiance en Vienet. Je sais qu'il est sûr. C'est Blainville. Il faut le mettre hors d'état de nuire. C'est trop dangereux de travailler dans ces conditions.

– On en a eu un. Toujours ça de pris.

– C'est vrai. Mais pourquoi as-tu tiré?

– Il a saisi son pistolet. Je n'allais pas le rater. Noor, ton pacifisme te perdra.

– Je suis de moins en moins pacifiste, d'ailleurs... Violette, j'ai une bonne information.

– Laquelle?

– Blainville est dans son café tous les matins vers neuf heures.

– Il a un café?

– Oui. Il l'a acheté avec sa femme. C'est une couverture que lui a payée le SOE. John m'a tout raconté. C'est au coin de la rue Saint-André-des-Arts et de la rue Gît-le-Cœur.

– Donc?

– Donc, nous pouvons le descendre.

– Le tuer? Noor, tu évolues!

– C'est un être nuisible. Nous sauverons beaucoup de gens...

– Je ne dis pas le contraire. Nous avons ordre d'abattre les traîtres. C'est une règle de base... Mais il faut prévenir Londres.

– Ils vont nous expliquer que Blainville est fiable.

– Nous ne pouvons pas abattre un agent du SOE sans ordres.

– Nous avons la preuve qu'il trahit. Qu'est-ce qu'il faut de plus?

– Des ordres.

– Nous allons perdre du temps. Il va disparaître.

– Non. Nous pouvons appeler Londres et localiser Blainville en même temps. Puis nous aviserons.

– Violette, c'est lui, le traître. Il faut le liquider. John m'a appris à ne pas tergiverser.

– Si c'est un traître, je le descendrai moi-même.

– Commençons tout de suite, dit Noor en se levant.

– Soyons prudentes. Il se méfie. Il faut repérer. Sans se faire voir.

– Je peux m'en charger, je connais Blainville. Ensuite, je compte sur toi.

31.

Je tirai le soldat en arrière, ma main sur sa bouche, puis je portai un coup violent de bas en haut. La lame s'enfonça jusqu'à la garde. Je retirai le poignard, mais pas la main. Il ne cria pas. L'acier planté dans son dos avait traversé le torse. Je savais qu'il avait perforé une artère, peut-être le cœur. Le sang envahissait les poumons et ne parvenait plus au cerveau. Le soldat perdait connaissance. Il tomba lentement. Je le retins en passant ma main droite sous son bras tout en gardant l'autre sur sa bouche et je le déposai doucement sur le sol. Dans vingt secondes, il serait mort.

J'avais rampé dans l'herbe centimètre par centimètre pendant dix minutes pour m'approcher de lui, sans faire le moindre bruit. Nonchalant, il regardait la mer qu'il dominait d'une vingtaine de mètres. Il montait la garde au sud de la pointe du Roc, devant le bunker que les Allemands avaient construit en contrebas du phare. Il ne se retourna pas pendant ma progression, sans quoi il m'aurait vu dans la lumière de la lune. J'étais plaqué au sol dans l'obscurité, ma dague de commando attachée dans son étui le long de ma cuisse. J'avais cent fois répété ce mouvement à l'entraînement. Il était mort sans comprendre.

Je braquai ma lampe torche derrière moi. Un seul éclair. Quatre silhouettes noires se détachèrent de la pente et se précipitèrent dans le bunker. J'entendis le bruit sec des silencieux Welrod. Les deux soldats qui l'occupaient devaient dormir. Ils étaient morts eux aussi sans bruit. L'un des hommes de Cowburn traîna le corps de la sentinelle dans le bunker. Il commença à le déshabiller pour prendre sa place. Au bas de la pente, on voyait l'eau tranquille du port qui reflétait la lumière de la lune. La marée était haute et la mer avait empli le premier bassin. Le second, à l'opposé, vers la ville, était fermé par une écluse. À nos pieds, la cale de radoub était creusée dans la pierre, à la naissance de la jetée que j'avais longée à la rame deux nuits plus tôt. Les chalutiers à réparer y entraient à marée haute, puis s'échouaient quand l'eau se retirait. À marée basse, la cale ressemblait à un amphithéâtre ovale avec ses travées en espalier sculptées dans la roche où les ouvriers pouvaient travailler sous la coque des bateaux. L'U-Boot avait pris la place des chalutiers. Il était là, juste au-dessous de nous, caché par une grande bâche sombre.

Il restait un poste de garde à neutraliser, puis le grillage de barbelés à franchir. Nous avions pris possession du bunker nord, de l'autre côté de la pointe, près du casino. Nous laissions derrière nous deux fausses sentinelles qui parlaient allemand. Depuis longtemps, le SOE avait fourni à Cowburn les plans des ouvrages (à peu près les mêmes tout le long de la côte) qu'il avait collectés auprès de la Résistance et les procédures de surveillance utilisées par les Allemands sur le mur de l'Atlantique. Grâce aux hommes remplaçant les soldats que nous avions tués, nous serions capables de donner le change une heure ou deux, le temps d'opérer sur l'U-Boot.

J'avais retrouvé Cowburn par la boîte aux lettres de Garry à Dreux. Je lui avais raconté l'histoire du sous-marin en réparation et nous avions établi un plan d'attaque. Le port de Granville était gardé de deux côtés. On ne pouvait pas traverser la ville, les défenses étaient trop fortes. Mais en contournant la pointe du Roc par le casino, au nord, on pouvait atteindre le port en passant sous le phare, comme si on venait de la mer. Il y avait deux bunkers dont les canons étaient pointés vers le large. En les neutralisant, nous pouvions franchir les défenses. Les Allemands ne croyaient pas à une attaque par là. Granville était au fond de la baie du Mont-Saint-Michel. Pour y arriver, une flottille hostile devait s'approcher des îles Anglo-Normandes, dont les canons énormes pouvaient couler n'importe quel navire. Les bunkers de Granville étaient là par acquit de conscience.

Pendant que Cowburn et Garry s'approchaient du dernier poste de garde, sur le quai au pied du Roc, je m'allongeai dans l'herbe, sur le chemin de ronde qui courait à mi-pente. Je sortis mes jumelles et je posai ma Sten devant moi. Je devais rester en couverture, au cas où une patrouille viendrait de la ville. En cas de problème, je devais appeler Cowburn avec le talkie-walkie. Je commençai à balayer le port éclairé par la lune dont on voyait le reflet blanc dans la mer ; tout était calme. Au bout de la jetée, vers le large, une sentinelle regardait aussi vers la mer. Je l'avais vue en arrivant sur la baleinière. La lumière rouge du feu d'entrée l'éclairait en cadence et se reflétait sur l'eau. Dans le bassin à flot, il y avait plusieurs cargos et des chalutiers amarrés bord à bord, devant le hangar sombre de la criée. Au-delà du bassin, j'aperçus un autre poste de garde faiblement illuminé, entouré de chicanes et de barbelés, qui interdisait l'accès vers la ville. Rien ne bougeait.

Je revins vers le port, toujours noir et désert, puis vers la sentinelle. Je me figeai. Dans la lumière rouge du feu d'entrée, un détail avait arrêté mon regard. Je réglai les oculaires des jumelles sur la surface de l'eau, au pied de la jetée. Intrigué, puis fasciné, je distinguai un petit sillage s'avancer dans le premier bassin. Un sillage sans bateau. J'écarquillai les yeux. Pas de doute. Une traînée de bulles venait crever à la surface. Le sillage était produit par des bouteilles de scaphandres autonomes : des hommes-grenouilles nageaient sous l'eau du port.

— Cowburn, dis-je dans le talkie-walkie, il y a un problème.

— Lequel?

— Venez voir. C'est indispensable.

— Sutherland, qu'est-ce que vous racontez?

— Il se passe quelque chose dans le port qui change tout.

— Mais quoi?

— Venez. Il le faut.

Cowburn revint en cinq minutes, suivi par Garry et le troisième saboteur. Ils s'allongèrent dans l'herbe un peu plus loin, l'œil sur le poste de garde. Je tendis les jumelles à Cowburn.

— Là, au milieu du port, dis-je en tendant le bras.

Il braqua les jumelles sur l'eau paisible.

— Qu'est-ce que c'est?

— Des hommes-grenouilles. Ils s'approchent de l'U-Boot.

— Qu'est-ce qu'ils font là?

— La même chose que nous, à mon avis. Birkin et Slocum ont dû envoyer un rapport. Un avion a repéré l'U-Boot. Ils ont décidé de le faire sauter. C'est une bonne occasion. Ils sont prêts à tout pour détruire un U-Boot.

Ils ont eu le même réflexe que nous et ils ont envoyé un sous-marin qui doit les attendre à plusieurs milles d'ici. Les hommes-grenouilles arrivent sur ces engins à hélice qui avancent sous l'eau, comme des grosses torpilles. Ils doivent être quatre, deux qui vont vers l'U-Boot, deux qui attendent à l'extérieur, sur les torpilles.

Dans mes objectifs, une tête luisante et noire apparut pour disparaître aussitôt sous l'eau.

– J'en ai vu un. Ils remontent à la surface pour se repérer.

J'imaginais l'homme-grenouille prenant ses repères sur la boussole phosphorescente attachée à son poignet. Il avait replongé. Il suivait maintenant son relèvement en regardant la boussole. Le sillage de bulles allait droit sur le sous-marin.

– Ils auraient pu nous avertir ! dit Cowburn.

– Nous ne les avons pas prévenus.

– Que faisons-nous ?

- À mon avis, rien. Nous ne pouvons pas les contacter et ils atteignent l'U-Boot. Regardez.

Le petit sillage avait disparu sous la bâche qui cachait le sous-marin. Les deux hommes-grenouilles devaient coller à la coque des mines à retardement.

– Mais enfin, c'est insensé ! dit Cowburn. Nous risquons notre vie pour saboter ce sous-marin. Et ils vont le faire sauter avant nous !

– Attendons de voir.

Cinq minutes plus tard, les bulles réapparurent. Les deux plongeurs regagnaient la sortie du port. Je braquai mes jumelles sur la sentinelle.

Le soldat ne contemplait plus le large. Il s'était accoudé à la rambarde de fer qui surmontait la jetée et nous faisait face, regardant le port. Sa silhouette se découpait sur le scintillement des vagues.

– C'est dangereux ! Il peut voir les bulles.

– Garry ! dit Cowburn. Prenez votre carabine. La sentinelle, là-bas, sur la jetée.

Garry prit sa carabine. Il épaula et visa.

– Je l'ai dans la lunette.

– Attendez. À mon ordre. Peut-être qu'il ne verra rien... Si nous devons tirer, nous dégagerons ensuite au pas de course. (Cowburn se tourna vers Garry.) Il faut le tuer. Si vous le ratez, il préviendra les autres. Ils vont fouiller la baie. Les plongeurs seront pris.

Puis Cowburn défit son sac à dos, le plaça devant lui et en tira trois grenades. Dans les jumelles, le soldat semblait inerte, toujours appuyé à la rambarde. Le sillage de bulles s'approchait de lui. Il fallait passer dans la lumière des feux d'entrée pour sortir du port. Le soldat se redressa, puis se pencha sur l'eau noire. Il resta un instant sans bouger, puis il fit un pas de côté vers la droite, et un deuxième... Il avait aperçu le sillage dans la lumière. Il se déplaçait pour le suivre.

– Il les a vus, dis-je. Il va donner l'alarme.

– Feu ! dit Cowburn.

Garry tira. Dans mes jumelles, le soldat fut projeté en arrière, jusqu'à l'autre rambarde. Il allait s'affaisser quand Garry tira encore. Sa tête se renversa en arrière. Son corps bascula et il disparut de l'autre côté de la jetée. Il avait dû tomber à quelques mètres des hommes-grenouilles.

Les coups de feu avaient retenti dans le port. Au-dessous de nous, la porte du poste de garde s'ouvrit et un soldat apparut dans le rectangle de lumière. Il se tourna vers le sommet de la pointe, d'où étaient partis les coups de feu. Cowburn l'abattit de trois coups de pistolet. Puis il dégoupilla ses grenades et les jeta une à une dans l'ouverture de la porte. Le poste s'effondra dans les explosions et se mit à brûler. Garry avait tourné son fusil à lunette sur l'autre poste de garde, vers la ville. Un soldat en sortit. Il tomba, foudroyé par Garry. Les autres gardes restèrent à l'intérieur. Ils devaient téléphoner pour demander de l'aide.

– On dégage! cria Cowburn.

En file indienne, nous prîmes le sentier qui contournait la pointe du Roc. Comme nous approchions du bunker, le téléphone sonna. L'homme de Cowburn qui avait pris la place de la sentinelle entra dans le bunker et décrocha.

– *Ja, ja*, dit-il, *ich habe sie gesehen. Nein, Oberleutnant, sie will nicht gehen!*

Le faux soldat ressortit avec un large sourire.

– Ils croient que le bunker est toujours à eux. Ils m'ont donné l'ordre de surveiller le chemin vers le port et d'empêcher le commando de fuir.

– Parfait. Allons-y, dit Cowburn. Vite!

Cinq minutes plus tard, nous arrivions de l'autre côté de la pointe, au pied du casino dont la masse sombre nous surplombait. La seconde fausse sentinelle avait reçu le même coup de téléphone et nous rejoignit. Un petit chemin menait aux rues de la ville. Les Allemands croyaient que les deux bunkers de la pointe barraient la route du commando. La ruse de Cowburn avait réussi. Dans trois minutes, nous nous disperserions dans les rues de Granville, vers les maisons où nous cacher. Au moment où nous sortions du sentier, près de la jetée du Plat-Gousset, une énorme explosion retentit.

– Ça y est! dis-je. L'U-Boot a sauté. Bien joué! Ils ont mis des mécanismes de retardement rapides.

– Quelle histoire! dit Cowburn. Quelle histoire!

– Les Allemands ne vont rien comprendre. Les barbelés sont intacts. Ils se demanderont comment nous avons
pu nous approcher du sous-marin. Et, comme Garry a
bien tiré, ils ne sauront jamais qu'il y avait des hommes-
grenouilles ! Cela va les rendre fous.

Cowburn, l'homme qui ne souriait jamais, se mit à rire.

– Et les plongeurs vont se demander toute leur vie
pourquoi un soldat a sauté à l'eau sur leur passage.
J'espère qu'il ne leur est pas tombé dessus. Quel coup de
chance ! Quelle histoire !

– Ne dites pas ça, répondis-je. La réussite de cette
opération est due à une coordination parfaite entre les
deux équipes. Voilà ce que nous raconterons aux historiens.

32.

Goetz remontait encore son coucou en écoutant Peter. Le jeune homme voyait le dos large de l'ancien professeur de français et son crâne qui opinait après chaque phrase.

– Blainville prend son petit déjeuner le matin dans son café. L'endroit s'appelle Le Latin. Sa femme le sert. Je ne sais pas si c'est une habitude, mais, hier, il était là. Il dort là, visiblement. Il se met près d'une fenêtre où il lit le journal en buvant du café et en se beurrant des tartines. À cet endroit, il est très vulnérable.

– Il vaut mieux ne rien lui dire, répondit Goetz. Pas la peine de compliquer les choses. S'il sait qu'il est menacé, il risque de se cacher et notre affaire sera à l'eau. Même chose pour les autres. C'est la fille qui nous intéresse, Peter. Priorité absolue. Il nous faut sa radio. Cette fois, pas de fausse manœuvre. On localise son appartement. Quand elle sortira, on entre et on l'attend. Je veux une certitude absolue de réussite. Pas de fusillade dans la rue ou d'évasion par-derrière.

Goetz avait fini de remonter son coucou. Il le fit chanter en mettant l'aiguille sur l'heure juste. L'oiseau mécanique émit un son aigre. Il se rassit à son bureau et regarda Peter, qui enlevait une poussière sur la jambe de son pantalon.

– Vous avez remarqué quelque chose de suspect ce matin ?

– Non. Personne ne s'est arrêté. Des passants qui n'ont pas jeté un œil sur le café. Un jeune type, peut-être, qui a regardé à l'intérieur en marchant très vite. C'est désert, le matin. Pas de clients non plus.

– Alors, ils n'ont pas encore effectué de repérage. Un moyen de protéger Blainville ?

– Le surveiller. Mais je ne sais pas comment si on ne le prévient pas. Il faudrait rester dans le café.

– S'il est averti, nous n'aurons plus d'appât.

– C'est vrai. Mais c'est très compliqué. La rue Gît-le-Cœur prend dans la rue Saint-André-des-Arts. Ce sont deux petites rues où il n'y a personne le matin. Si quelqu'un se tient sous un porche ou devant la librairie d'à côté – elle s'appelle Chevreuil, ou un nom comme ça –, on le remarque sur-le-champ.

– Ils auront le même problème. S'ils repèrent sans être discrets, Blainville les verra. En plus, ils savent que nous savons. Ils penseront forcément que nous leur tendrons un piège. Ils doivent trouver un moyen de repérer sans se faire voir.

– Alors ils ne viendront pas. Ils vont passer dans la rue et jugeront que c'est impossible.

– Pas sûr. Ils voudront se débarrasser du traître. Les consignes du SOE sont formelles. On exécute les traîtres dès qu'ils sont démasqués, sans jugement, sans hésitation. Normalement, ils vont chercher à le tuer. Et comme ils savent qu'il est dans son café le matin à neuf heures, ils choisiront ce moment-là. Mais ils ne peuvent pas venir avec un pistolet et tirer sur lui. C'est trop risqué. Ils doivent d'abord vérifier que ce n'est pas une souricière et prévoir un itinéraire de fuite.

– Je ne vois pas comment ils vont faire, dit Peter en écartant les bras.

– Ils peuvent prendre position dans un escalier, dans l'immeuble qui fait face au café...

– Non, j'ai vérifié. Il y a trois immeubles qui surplombent le café. L'un est fermé. Il n'y a pas de porte. Les escaliers des deux autres ne donnent pas sur la rue. Il faudrait entrer dans un appartement, ce qui suppose un complice dans la place. Impossible.

– Vous avez pensé à l'hôtel ?

– L'hôtel Eugénie ? Bien sûr. Mais, de l'intérieur, on ne voit pas le café. J'ai vérifié aussi.

– Non, l'autre hôtel.

– L'autre hôtel ? Il n'y en a pas d'autre autour du café.

Goetz prit un air triomphant et sortit un rouleau de papier, qu'il déroula devant Peter.

– Pendant que vous faisiez marcher vos jambes, je faisais marcher ma tête. J'ai demandé le plan du cadastre à l'Hôtel de Ville. Voilà la parcelle au croisement de la rue Gît-le-Cœur et de la rue Saint-André-des-Arts.

Peter fit le tour du bureau pour étudier le plan.

– Hé, hé, dit l'Allemand, vous voyez cet immeuble. (Il pointait son doigt sur un bâtiment situé près du café de Blainville, un peu à gauche.) Il est coudé. Derrière c'est la rue Saint-André-des-Arts. Mais, devant, il donne sur la place Saint-André-des-Arts, juste devant la bouche de métro. J'ai vérifié dans l'annuaire. C'est un hôtel, La Gentilhommière.

– Ils ont des chambres à l'arrière ?

Goetz se tourna vers Peter, les yeux brillants.

– Oui.

– C'est très malin. Mais elles sont peut-être occupées.

– J'ai téléphoné. Elles sont libres...

– Ils savent que nous savons, dit Darbois. Ils feront probablement surveiller le café. Quand nous arriverons, ils se jetteront sur nous. J'y suis passé ce matin. Blainville était attablé. Il ne m'a pas vu. Mais ce sont deux petites rues, pratiquement désertes le matin. Il y avait un type suspect, habillé comme Brummell, qui passait lentement en regardant les immeubles. Il m'a aperçu. S'ils postent deux ou trois hommes autour, ils nous prendront à tous les coups.

– Il faut repérer, dit Violette. On doit le descendre d'un endroit sûr, avec une sortie par-derrière.

Les trois jeunes gens étaient assis dans les fauteuils recouverts de skaï rouge chez Darbois, rue Joseph-de-Maistre. Le jeune homme leur avait servi du cognac.

– Derek assure que l'endroit est désert, dit Noor. On se fera détecter tout de suite.

– Il faut trouver un moyen de s'approcher du café discrètement, répondit Violette. Derek a été vu, il ne peut pas y retourner aujourd'hui. J'irai cet après-midi. Il doit y avoir plus de monde...

– Ce n'est pas sûr, dit Noor. Fais attention, Violette. Ils te connaissent maintenant.

– Je prendrai un vélo-taxi. Une fois à l'intérieur, personne ne nous remarque. Et j'ai une idée. Derek, tu as un appareil photo?

Le Granville-Paris traversait lentement la campagne normande. Les collines brillaient sous le soleil et les vallées sortaient de l'ombre. La brume flottait sur le bocage. Fatigué par l'opération de la nuit, j'oscillais entre veille et sommeil en songeant à Noor. Dès le lendemain de l'attaque contre le sous-marin, j'avais pris le premier train. Cowburn m'avait prêté un costume et une cravate en me donnant des nouvelles de Paris. Il avait reçu une lettre cryptée de Violette. Les deux jeunes femmes étaient toujours libres, actives et utiles. Noor était en vie. Les Allemands ne l'avaient pas arrêtée. Pas encore. J'étais de nouveau représentant en machines à écrire. Deux soldats avaient contrôlé mes papiers avant que je monte dans le train. J'étais en règle.

Mon plan était au point. J'en avais parlé à Cowburn, qui me faisait confiance. Il l'avait approuvé. Noor courait trop de risques en France. Sauf à sacrifier l'opératrice, il fallait interrompre l'activité du poste Aurore. Le SOE enverrait quelqu'un d'autre. Blainville en liberté représentait une menace mortelle. Dès mon arrivée gare Montparnasse, je foncerais chez Darbois qui me conduirait à Noor. Nous partirions au plus vite pour la Normandie, où Cowburn organiserait un départ par avion. Je m'expliquerais comme je pourrais avec Buckmaster et Bodington. Je regardai ma montre. Il était neuf heures douze. Dans trois heures, Noor serait sauvée...

À neuf heures quinze, ce même matin, Noor sortit de la station de métro Saint-Michel située sur la place Saint-André-des-Arts. La veille, Violette était revenue triomphante de son expédition. Elle avait suivi toute la rue Saint-André-des-Arts, dissimulée au fond d'un vélo-taxi, prenant photo sur photo à travers les petites fenêtres découpées dans la capote. Darbois avait développé les photos dans sa salle de bains avec le matériel du SOE. Noor avait trouvé la solution. Sur les fenêtres d'un immeuble, un peu à gauche du café, de l'autre côté de la rue, on voyait des stores à moitié baissés. Sur les clichés, on pouvait y lire une inscription à la couleur passée : « La Gentilhommière ». C'était l'hôtel dont l'entrée était sur la place Saint-André-des-Arts et dont l'arrière faisait face au café de Blainville.

– J'y vais demain matin, avait dit Noor. C'est mon tour.

– Il faut voir s'il y a un angle de tir, avait dit Violette.

– Je vais louer la chambre de derrière, avait répondu Noor. Si j'ai bien compris, l'entrée de l'hôtel est à la sortie du métro. S'ils surveillent le café, ils seront rue Saint-André-des-Arts et non sur la place. La sécurité est bonne. Je prendrai une photo. Violette pourra se rendre compte.

À neuf heures trente, Noor entra dans l'hôtel. Elle demanda une chambre sur l'arrière. On lui donna la 27, au deuxième étage. Elle emprunta un escalier étroit aux marches irrégulières. Le quartier est l'un des plus vieux de Paris. Les murs étaient faits de vieille pierre et les marches d'un bois sombre et usé. Noor entra dans une petite chambre avec une armoire à glace et un lit de fer. Il y avait des poutres au plafond et un lavabo de céramique à côté de la porte. Noor alla à la fenêtre, baissa le store sur lequel était écrit « La Gentilhommière » et regarda en bas en écartant l'étoffe. Elle avait une vue plongeante sur le café. Elle vit Blainville attablé, penché sur son journal. Elle prit plusieurs photos. Puis elle patienta. À dix heures, Blainville se leva et disparut vers le fond du café. Noor prit encore des photos, à droite et à gauche, afin de repérer d'éventuels guetteurs. Personne. De la fenêtre, Violette n'aurait aucun mal à ajuster Blainville. Elle devait ensuite descendre deux étages, courir du hall de l'hôtel à la bouche de métro et sauter dans la première rame. Le temps que la police arrive, elle serait loin. Darbois en couverture pourrait l'attendre en bas, dans l'entrée de l'hôtel, et faire face aux imprévus. Le sort de Blainville était scellé.

Noor mit son appareil photo dans son sac à main, rangea dans l'armoire quelques vêtements qu'elle avait apportés dans une petite valise, et sortit de la chambre. Elle descendit l'escalier en regardant autour d'elle. L'hôtel était désert. Personne ne se mettrait en travers. Elle ne s'arrêta pas au palier du premier, se contentant d'un coup d'œil circulaire. Elle laissa sa clé au concierge. Une fois sur la place, la tête dans les épaules, elle n'eut que quelques mètres à parcourir pour s'engouffrer dans la bouche de métro. Elle consulta sa montre. Dix heures dix. Elle avait à peine le temps de rentrer chez elle pour se changer, avant son rendez-vous avec Vienet et les autres. Pressée, rassurée sur le dispositif, elle n'avait pas remarquée que la porte de la chambre 17, au premier étage sous la sienne, était entrouverte.

33.

Il était onze heures quand le Granville-Paris entra en gare en soufflant et grinçant. Je sautai sur le quai et courus vers la sortie. Une file de taxis à gazogène attendait rue de l'Arrivée. Une demi-heure plus tard, je grimpais les marches de l'immeuble décrépit de la rue Joseph-de-Maistre. Darbois venait de se lever, sans doute épuisé par une de ses nuits licencieuses.

– Arthur! Vous êtes revenu! Je suis content de vous retrouver. Je vous croyais replié à Londres. Ils vous ont renvoyé si vite?

– Oui, non, pas exactement... Où est Noor?

– Où? je ne sais pas. Mais je la vois à midi. Nous travaillons sur le cas Blainville.

– Blainville est un personnage dangereux.

– Oui, je sais, c'est un traître.

– Un traître? Je ne suis pas certain...

– Vous n'êtes plus sûr? Mais nous, nous sommes sûrs. Il a failli faire prendre Noor... Nous l'avons échappé belle. Nous avons décidé de l'exécuter.

– Il a failli... Déjà? Derek, je dois vous expliquer. Vous avez rendez-vous avec Noor?

– Oui. Avec elle, Vienet et Violette. Nous avons

un plan. Nous nous rencontrons pour le mettre au point.

– Où et à quelle heure ?

– À l'hôtel Regina, à treize heures. Il se trouve au coin de la rue de Rivoli et de la rue des Pyramides, devant la statue de Jeanne d'Arc. C'est le seul de la rue qui ne soit pas réquisitionné par les Allemands... Vienet aime bien ce genre d'endroit. Il connaît le patron, qui le prévient quand il y a un danger. L'endroit est sûr.

Je regardai ma montre. Il était midi moins le quart.

– Nous avons une demi-heure. Asseyez-vous.

L'hôtel en pierre de taille avait de hautes fenêtres et des balcons ouvragés. Une façade donnait sur les Tuileries, près du pavillon Colbert, seul vestige de l'ancien palais des rois brûlé pendant la Commune. L'autre surplombait la statue dorée de Jeanne d'Arc qui pointait son drapeau vers la rue de Rivoli, au milieu d'une petite place carrée d'où partait la rue des Pyramides. En sortant du métro Tuileries, dont la bouche s'ouvrait le long des jardins, on apercevait les grands drapeaux rouges à croix gammée flotter sur la gauche, du côté de la Concorde. C'était le quartier des hôtels, des touristes fortunés, des sièges bancaires, des boutiques de luxe. Depuis 1940, les Allemands s'y étaient installés. Vienet trouvait qu'on était mieux caché au milieu du luxe et des nazis. Il n'aurait pas aimé que la Résistance l'oblige à vivre chichement. Il voulait bien sacrifier sa vie, pas son mode de vie.

L'entrée du Regina était en retrait, sous les arcades, dans la pénombre. À treize heures dix, suivi par Darbois, je poussai la porte à tambour aux grosses poignées de cuivre. Salué par un groom en uniforme rouge, j'entrai dans un hall de marbre et de bois sculpté où pendaient deux lustres de cristal. À droite, la salle du

restaurant était emplie de clients qui parlaient doucement. Aucun Allemand. Vienet était attablé au fond,
avec Violette. Noor m'avait vu arriver dans la rue de
Rivoli. J'eus un coup au cœur en la retrouvant après
tant de rêveries, plus belle encore que dans ma
mémoire. Elle s'était levée et venait à notre rencontre,
la mine rieuse et le regard brillant. Elle portait un bla-
zer bleu à larges revers, une jupe plissée courte et des
socquettes blanches qui soulignaient le brun de ses
longues jambes. Au milieu du restaurant, elle tomba
dans mes bras.

– Mon amour, tu es là...

Elle m'avait effleuré les lèvres, puis elle avait posé sa
joue contre ma poitrine, me serrant de ses deux bras qui
entouraient mon dos. Nous étions debout, enlacés,
immobiles sous l'œil amusé des clients soudain silencieux. Au bout de trente secondes, Darbois, qui dansait
d'un pied sur l'autre en contemplant la moquette, toussa
discrètement.

– Nous pourrions peut-être nous installer.

Noor ne bougeait pas. Je sentais son parfum m'entou-
rer. Elle était plaquée contre moi sans dire un mot. Je la
repoussai doucement et la prit par la taille. Elle regardait
devant elle, sérieuse et frémissante. Sa main toucha mon
bras et le serra fort. Vienet et Violette riaient aux éclats.
Vienet se leva et tira la chaise de Noor.

– Quelle passion ! dit-il, toujours hilare.

Il avait un costume blanc croisé et un fume-cigarette.
À la boutonnière, un œillet rouge.

– Comment allez-vous, John, bon voyage ? dit Violette.

– Mouvementé. Je suis venu par la mer. Mais j'aime
naviguer... Votre ami Cowburn s'est occupé de moi en
Normandie. Il est toujours aussi efficace.

– C'est un vrai combattant, dit-elle.

– Vous l'êtes tout autant, dit Vienet en la fixant avec insistance. Notre amazone...

Il lui prit la main et la porta près de son menton en s'inclinant.

– Mon cher René, cessez de me faire la cour. Vous savez que je suis fiancée...

– C'est la guerre, ma chère, la vie est plus courte. Une femme comme vous ne peut pas vivre en nonne.

– Taisez-vous ! dit Violette, faussement furieuse, vous devenez inconvenant.

– John a des choses importantes à nous dire, interrompit Darbois.

– Commandons, dit Vienet, nous serons plus à l'aise pour parler. D'abord du champagne, pour les amoureux !

Une coupe de champagne à la main, je racontai mon voyage à Londres. Mais, au lieu de relater ma conversation avec Philby, je présentai comme miens les raisonnements qui conduisaient à une conclusion paradoxale : Blainville était un traître, mais un traître utile qui travaillait pour l'Intelligence Service.

– C'est complètement tordu ! dit Violette. Blainville fait capturer du matériel et des agents pour se faire bien voir de la Gestapo. C'est monstrueux.

– Cela arrive, dit Vienet. Si les Allemands lui font confiance, Londres peut les intoxiquer par son intermédiaire. C'est le jeu...

– C'est un jeu barbare, dit Noor.

– Nous luttons contre les barbares, dit Vienet. Si nous respectons les règles de la civilisation, nous sommes morts...

– Si nous sommes aussi des barbares, à quoi bon se battre ?

– Nous n'avons pas les mêmes buts, ma chère Noor. Cela fait la différence.

– Nous avons les mêmes moyens...

– Parfois...

– Mais, dit Darbois qui semblait sortir d'un songe, il ne faut plus abattre Blainville.

Le garçon s'approcha pour prendre la commande. Vienet ordonna d'autorité des huîtres, du gibier et un nuits-saint-georges 1932.

– Le marché noir a tout de même du bon, dit-il en refermant le menu, sous le regard sombre de Violette.

– Derek a compris, dis-je. Il faut suspendre l'exécution de Blainville. Si mes raisonnements sont justes, nous risquons la cour martiale pour bêtise ou insubordination. Je pense que Blainville est l'homme de Bodington. C'est incroyable, mais c'est comme ça.

– C'est un pur salaud, dit Violette.

– Un salaud utile, dis-je, il y en a.

– Enfin, rétorqua-t-elle, il essaie de nous faire tomber par tous les moyens. Nous n'allons tout de même pas être arrêtés pour faciliter les combines nauséabondes de ce Bodington. Je suis sûre que Buckmaster n'est pas au courant. Ce sont des esprits malades, ces gens de l'Intelligence Service.

– Ceux qui ont les mains propres perdent les sales guerres, continuai-je. Mais vous avez raison sur un point : il faut cesser tout contact avec Blainville. J'ai réfléchi. René, vous êtes le plus exposé : il vous connaît...

– Il ignore mon vrai nom. Et il a probablement décidé de ne pas me donner, sinon ce serait fait. Ce que vous avez expliqué est très clair, John. Il ne dit pas tout aux Allemands. Il ne fait que le strict nécessaire pour être crédible auprès d'eux. Je ferai attention.

– Derek et Violette sont exposés. Je crois qu'il serait plus sage qu'ils retournent en Normandie avec Cowburn.

– Je peux cacher Violette, proposa Vienet.

– Vous êtes bien aimable, dit Violette en riant. Mais pourquoi pas Derek? De toute manière, ma place est près de Noor. Les radios doivent être protégés...

– Ce sera inutile, dis-je. Noor repart demain matin avec moi. Nous rentrons en Angleterre.

– Quoi? dit Noor. Mais pourquoi? Ils ont besoin de moi à Paris.

– C'est trop dangereux, maintenant, Noor. Ils te connaissent, ils cherchent la radio comme des fous, Blainville les aide. Ils ont failli te prendre deux fois. Le SOE renverra quelqu'un très vite. Tu dois faire une pause. Personne ne peut rien te reprocher.

– Mais je suis venue pour travailler. Je ne peux pas m'en aller au bout de trois mois, alors qu'il n'y a pas d'autre radio en région parisienne.

– Il y en aura une autre. J'en discuterai avec Buck. Il comprendra.

– Il a raison, dit Vienet. Vous devez regagner l'Angleterre. (Il la regarda droit dans les yeux.) Vous avez fait bien plus que vous ne deviez. Vous aurez la croix de guerre, Noor. En restant, vous n'aurez pas plus et nous non plus. À moins que vous ne teniez absolument à être décorée à titre posthume...

Violette prit la main de Noor et approuva d'un hochement de tête. Noor s'appuya sur son dossier en baissant les épaules pour signifier sa reddition.

– Un peu de nuits-saint-georges pour fêter votre retour, dit Vienet en attrapant la bouteille. (Il sourit à Noor.) Toujours une que les Allemands n'auront pas.

Le repas s'était achevé dans les rires. Rassurés par Vienet et sa complicité avec le patron de l'hôtel, nous nous détendions dans ce havre inespéré. Vienet courtisait Violette de façon appuyée, en y mettant tout son esprit.

– Vous les reculez..., dit-il soudain en la regardant avec la tête penchée.

– Quoi? dit Violette.

– Vous les reculez.

– Comment, je les recule, qu'est-ce que ça veut dire, je les recule? Je ne recule rien. Je ne recule pas.

– Mais si, vous les reculez.

– Mais quoi, à la fin?

– Eh bien! Les limites du charme et de la beauté!

Au milieu des rires, il tenta de deviner qui était le fiancé anglais de Violette. Buckmaster, Bodington, Montgomery, Mountbatten, tous y passèrent. Pour chacun, Vienet imagina une romance compliquée avec Violette. L'hilarité croissait. Noor pleurait de rire. Elle s'inclinait vers moi en s'abandonnant, la main sur mon bras. Sous la table, je sentais son genou qui frôlait le mien. Vienet disait :

– Je sais, c'est Churchill! Voilà pourquoi ils vous ont envoyée en France. L'idylle embarrasse le gouvernement. Il a fallu vous séparer. Raison d'État! Laissez tomber, Violette, c'est une aventure vouée à l'échec. Clémentine ne le tolérera pas, de toute manière.

Le nuits-saint-georges aidant, il continua :

– Winston est jaloux. Voilà le fin mot de l'affaire. Vous avez trop de succès, Violette, il n'en peut plus. Le MI5 a dû s'en mêler. Et puis le MI9, le SOE, tout le monde. Sécurité nationale. On l'a entendu l'autre soir déclamer, dans son bunker (il se mit à imiter Winston dans son discours le plus célèbre :) « Jamais dans l'histoire des conflits humains, autant d'hommes n'ont autant voulu sauter la même femme. »

Les rires redoublèrent. Il reprit, avec la voix nasillarde du Premier ministre :

– Et c'est moi qui y suis parvenu. Deux fois en une nuit. C'était « ma plus belle heure » !

À quatre heures, passablement éméchés et le ventre rendu douloureux à force de rire, il fallut nous séparer. Dans le hall, je prévins mes amis :

– J'ai un mot à dire à Noor.

– Compris cinq sur cinq, dit Vienet. Je reviens plus tard avec le courrier pour l'Angleterre. Je préfère vous le confier plutôt qu'à Blainville. Vous serez là ?

– Oui. Je vous attends.

Darbois et Violette nous saluèrent longuement en nous souhaitant bon voyage. Les adieux terminés, ils franchirent tous trois la porte à tambour. À travers la vitre, je vis Vienet prendre Violette par le bras. La jeune femme se laissa faire. Mais elle fit de même avec Darbois et ils partirent tous les trois, bras dessus, bras dessous, le long des jardins des Tuileries. Immobiles dans le hall, nous regardions leurs silhouettes diminuer dans la rue de Rivoli. C'était sans doute le meilleur après-midi que j'avais passé depuis le début de la guerre. L'angoisse avait disparu pendant trois heures. En les voyant disparaître dans la ville hostile, je la sentis revenir.

– Noor, nous partons demain matin par le train de sept heures pour Dreux. Nous avons du temps...

– Du temps ?

– Oui, du temps pour nous...

Elle me regarda par en dessous, en souriant, les yeux brillants.

– Du temps pour nous...

Deux minutes plus tard, nous entrions dans la suite royale de l'hôtel, chargée de velours et de tapisseries, dont les hautes fenêtres dominaient les Tuileries. Noor courut vers le balcon et ouvrit la croisée pendant que je laissais cent francs au groom.

– J'aperçois Suresnes! s'exclama-t-elle joyeusement. Avec des jumelles, on verrait Fazal Manzil!

Je la rejoignis et passai mon bras par-dessus son épaule. Elle se serra contre moi et pointa son doigt vers l'ouest. La suite était au dernier étage de l'hôtel. Devant nous, la verdure des Tuileries bordait la Seine dont les ponts de pierre étaient dorés par le soleil. À gauche, le dôme de l'Institut brillait dans la lumière; à droite, la tour Eiffel se découpait en noir sur le ciel bleu. À l'horizon, montait l'ombre des collines de Saint-Cloud et de Suresnes.

– C'était la capitale du monde, dis-je. Et c'est une prison.

– Alors, c'est une belle prison. Et puis ils vont s'évader... Maintenant, je suis sûre que nous allons gagner.

– Pourquoi dis-tu cela?

– À cause de ce que tu m'as raconté. Si nous sommes capables de ce genre de ruse, nous ne pouvons pas perdre. J'étais naïve. Avec la Gestapo, nous devons employer tous les moyens. C'est un devoir. Bodington a raison. Nous en parlerons avec eux. À Londres...

Elle posait au loin son regard rêveur. Je me rendis compte que la direction de Suresnes et du bois de Boulogne était aussi celle de l'Angleterre.

– John, dit-elle après un moment, je suis heureuse.

Je me tournai vers elle. Dans le contre-jour, je ne distinguais que l'éclat de ses yeux noirs. Elle m'embrassa en pressant sa bouche contre la mienne. Je la pris dans mes bras.

L'instant d'après, nous étions couchés sur le grand lit. Nous avions du temps. Noor nous déshabilla lentement. À six heures, le téléphone sonna.

C'était Vienet qui revenait avec le courrier. Noor sauta du lit, nue et légère. Un rayon de soleil fit une tache dorée sur son dos brun.

— Je vais chercher mes affaires pendant que tu discutes avec Vienet, dit-elle en s'habillant, j'en ai pour une heure.

— Tu ne veux pas que je t'accompagne ? C'est peut-être dangereux.

— Non, dit-elle, vous avez sûrement des choses à vous dire. De toute manière, j'ai un arrangement avec la concierge. Elle me prévient si quelque chose sort de l'ordinaire. Il faut que je récupère mes carnets et mes codes. Je vais laisser la radio là-bas. Mon remplaçant pourra s'en servir. Je reviens dans une heure.

— Bon... Ce soir, nous dînerons au Quartier latin. À tout à l'heure, mon amour.

— Je t'aime, dit-elle en fermant la porte capitonnée.

— Police allemande. On ne bouge plus !

La concierge avait laissé un panneau sur la fenêtre de sa loge, comme elle le faisait parfois. Noor n'y avait rien vu de suspect. Mais, quand elle avait ouvert la porte de sa chambre, Peter l'avait saisie par les poignets. Elle se mit à crier .

— Salaud !

Elle essaya les coups de pied. Il les esquiva. Elle se pencha et mordit profondément sa main. La douleur augmentait. Il ne pouvait plus se dégager. Il lâcha l'autre poignet et, de sa main gauche attrapa son pistolet dans sa ceinture. Il l'enfonça dans la gorge de Noor.

– Je vais tirer !

Elle le tenait fermement. Alors, il braqua le pistolet plus bas.

– Je vais commencer par le genou.

Noor comprit qu'il allait appuyer sur la détente. Elle lâcha prise et il la rejeta sur le canapé à côté du lit. Elle hurla :

– Au secours, au secours ! C'est la Gestapo !

Il réalisa qu'elle voulait alerter le voisinage et s'approcha, furieux. Elle tenta de le déséquilibrer en l'accrochant par ses vêtements. Il se dégagea vivement. Elle cria de nouveau. Il recula jusqu'à la porte d'entrée et pointa son pistolet sur elle. Elle le regardait d'un air sauvage, les jambes repliées, les deux mains agrippées à l'étoffe du canapé, prête à bondir. Il ne pouvait pas la tuer. Il ne pouvait pas la maîtriser. Il pouvait encore moins l'emmener. Ils restèrent deux minutes entières face à face.

– Salaud, dit-elle, vous m'avez eue quand j'allais partir.

Sa candeur revenait.

– Il ne fallait pas vous rendre à La Gentilhommière ! Nous savions bien que vous alliez essayer de tuer Blain-ville. Une fois que vous étiez sortie de la chambre 27, il n'y avait plus qu'à vous suivre.

Soudain, il vit le téléphone en bakélite noire à côté du lit. Il s'approcha pas à pas en continuant à fixer Noor. Il prit le combiné et, avec la même main, composa un numéro.

– C'est Peter, passez-moi Goetz.

Il attendit l'air goguenard.

– Oui. Je l'ai.

– ...

– Oui, j'ai les carnets aussi...

– ...

– Non. Je suis seul. Envoyez deux hommes. Elle est dangereuse.

Noor se renversa dans le canapé. Elle se mordit la lèvre et commença à pleurer.

34.

La traction avant s'arrêta sous le porche du 84. C'était un immeuble de six étages qui dominait l'avenue Foch et la porte Dauphine. Serrée sur le siège arrière entre deux flics en costume gris, Noor avait vu les arbres du bois de Boulogne défiler à travers la vitre. De l'autre côté, il y avait Suresnes et Fazal Manzil. Débouchant sur la porte Dauphine, elle avait aperçu l'Arc de triomphe en haut de l'avenue. Elle savait que sur l'autre pente de la colline de l'Étoile, en bas des Champs-Élysées, je l'attendais, tranquille, dans la grande chambre dorée par le soleil couchant. Elle se mordit la lèvre.

– Terminus, dit Peter. Maintenant, on ne rigole plus.

Noor entra dans le siège de la Gestapo comme une vedette de cinéma. Les sentinelles la dévisageaient, les officiers levaient la tête, les secrétaires sortaient sur le pas de leur porte. Conduite par Peter, elle monta l'escalier de pierre. Goetz était sorti de son bureau. Il leva les bras en souriant.

– Mademoiselle Aurore ! Enfin ! Nous n'avons pas cessé de penser à vous depuis des semaines. Je suis content que vous soyez là.

Il avait l'air d'un vieil oncle heureux de retrouver sa nièce. Noor le considérait avec un regard dur.

– Je suis désolé, continua-t-il, mais c'est le jeu. Vous ne pouvez pas toujours gagner. De toute manière, votre réseau était pourri. Une collection de mouchards.

– Je sais, il y a un traître, dit Noor entre ses dents, il fera long feu.

– Un traître ? Non, *des* traîtres, toutes sortes de traîtres ! Ils ont presque tous trahi.

Ils cherchent encore à protéger Blainville, songea Noor. Soudain, au bout du couloir, elle aperçut des bottes noires et brillantes descendre les marches de l'escalier. Serré dans son uniforme, Kieffer apparut. Lui aussi souriait d'un air bonhomme en marchant vers elle.

– Elle est charmante ! dit-il avec gourmandise. Ma chère Aurore, vous nous avez causé beaucoup de souci. Bravo ! Mais maintenant c'est fini. Ils vous ont laissé tomber. Vos supérieurs vous ont envoyée dans un piège, je pense que vous le comprenez. Il va falloir nous aider... Voulez-vous un bonbon ?

Kieffer avait l'habitude de rendre visite à ses prisonniers avec un sachet de bonbons qu'il faisait acheter au mess des officiers installé dans un immeuble de la porte Dauphine.

– Vous aider ? Vous plaisantez, caporal ! (Il se renfrogna quand il entendit l'erreur de grade.) Vous êtes un salaud et tous ceux qui sont là aussi. Vous avez déjà perdu la guerre, vous le savez. Vous aider ? Mais vous êtes condamné, mon pauvre ami.

D'un revers de main, Noor envoya promener le sachet. Les bonbons se répandirent sur le sol. Kieffer pâlit.

– C'est toi qui es condamnée ! Allez ! Emmenez-la !

Les deux policiers la prirent sous les bras et la tirèrent vers l'escalier. Ils passèrent devant un soldat qui était sorti dans le couloir pour voir la prisonnière. Derrière lui, il y avait une pièce en long dont les murs étaient couverts de rayonnages. Noor comprit que c'était une bibliothèque. Et soudain, jetant un œil par-dessus l'épaule du *Feldwebel*, elle aperçut un grand type au menton en galoche qui tenait un livre à la main et la regardait avec un œil curieux. C'était John Starr. Elle se souvint aussitôt d'Arisaig, de Beaulieu et du peintre sarcastique qui faisait rire la promotion. Elle sourit. Starr lui fit un clin d'œil et, comme le soldat se retournait, il ouvrit son livre et fit mine de s'y plonger.

Quand elle eut disparu, pendant que deux soldats ramassaient les bonbons, Kieffer se tourna vers Goetz.

– Quel caractère !

– Elle vous a appelé caporal, dit Goetz en souriant. Ne le prenez pas mal. C'était le grade du Führer pendant la dernière guerre...

– Très drôle, Goetz !

– Elle s'amusera moins demain, *Sturmbannführer*, dit Goetz en rectifiant la position.

Au sixième étage, sous les toits, Noor longea un cabinet de toilette dont la porte était entrouverte, puis une petite pièce où un Feldwebel était assis, plongé dans la lecture d'une revue en couleurs appelé *Signal*, sur laquelle on voyait un soldat de la Waffen SS qui regardait vers l'horizon. Les deux policiers la firent tourner à droite dans un couloir dont le plafond était mansardé. De chaque côté, il y avait des portes de planches brutes cadenassées par de gros verrous. Le Feldwebel les avait suivis, un trousseau de clés à la main. Il les dépassa et ouvrit la porte du milieu sur la gauche. Noor fut poussée dans une pièce sans fenêtre. Derrière elle, on referma la porte dans un bruit de ferraille.

C'était une ancienne chambre de bonne qu'on avait diminuée en posant une cloison supplémentaire. Un lit de fer couvert d'un vieux matelas aux rayures marron occupait le coin droit de la cellule et une chaise l'autre extrémité. Il n'y avait pas d'autre meuble. Levant la tête, Noor découvrit un vasistas au bout d'une sorte de cheminée dont l'orifice inférieur, en dépit de la hauteur du plafond, était condamné par des barres d'acier horizontales. La lumière du soleil couchant tombait à travers la vitre, projetant l'ombre des barreaux sur le plancher. Noor s'assit sur le lit, anéantie.

Elle resta prostrée un quart d'heure, les mains posées à plat sur le matelas. Puis elle se leva, alla à la porte et tambourina sur les planches. Une minute plus tard, elle entendit le pas lourd du soldat.

– *Was ist das ?* Qu'est-ce qu'il y a ? Restez calme ! On viendra vous chercher...

– Je veux aller aux toilettes.

– Vous irez plus tard. Il y a un horaire pour ça.

– Non ! Je veux y aller tout de suite. Je suis pressée. Vous n'allez pas m'en empêcher.

Il y eut un silence. Puis le soldat se décida. Il retourna à la salle de garde et revint avec les clés.

– Bon, allez-y. Mais je vous suis.

Elle marcha devant lui, tourna à gauche et entra dans le cabinet de toilette qu'elle avait vu en arrivant. Elle allait fermer derrière elle quand le soldat bloqua la porte de sa main.

– Il ne faut pas fermer la porte.

– Comment ?

– La porte doit rester ouverte. C'est la consigne.

– Ouverte ? Mais c'est indécent. Vous n'allez pas me regarder. Je ne suis pas un animal.

– Je ne regarde pas, mais la porte reste ouverte. Ce sont les ordres.

Elle se mit à crier :

– Vous êtes décidément des barbares ! Ou alors vous êtes un vicieux !

Le soldat la dévisageait d'un air las, sans bien comprendre.

– Allez, *Fräulein*, ne faites pas de difficulté.

– Je ne vais pas me déshabiller devant vous, espèce de cochon !

– Ça va, soldat ! Laissez-la fermer la porte. Ce n'est pas grave.

Goetz était monté, attiré par le bruit. Il contemplait la scène avec bienveillance. Le soldat prit un air désabusé et recula. Noor mit le verrou.

Du regard, elle fit le tour du cabinet de toilette : une douche d'un côté, un lavabo de grès au milieu, d'où partait un tuyau de fonte qui disparaissait à travers une grille, et, de l'autre, la cuvette des WC surmontée d'une lunette en bois. Au-dessus du lavabo, une fenêtre de verre dépoli éclairait la pièce. Elle s'approcha, tourna le loquet et ouvrit. C'était une cour intérieure, sombre et profonde, aux murs noircis de fumée, percés tout autour de fenêtres rectangulaires. En se penchant, Noor nota que chaque étage était marqué par un rebord de ciment gris. En face d'elle, de l'autre côté de la cour, elle aperçut une fenêtre ouverte. Aussitôt elle se décida. Elle ferma les yeux, se concentra, puis, au bout d'un moment, monta sur la lunette de bois, s'accrocha des deux mains aux huisseries et lança une jambe à travers la fenêtre. Elle se retourna vers le cabinet et passa l'autre jambe à l'extérieur. Puis elle se coula le long du mur et ses pointes de pied se posèrent sur le rebord de ciment. Une main sur le chambranle de bois, elle s'accrocha de l'autre à la fenêtre suivante. Elle fit glisser son pied droit, son pied gauche, et elle commença à faire le tour de la cour de fenêtre en fenêtre, collée au mur de briques, six étages au-dessus du sol.

Cinq minutes plus tard, elle atteignait la fenêtre ouverte de l'autre côté de la cour. Elle allait faire un rétablissement pour sauter à l'intérieur quand on la saisit par le bras. Elle entendit la voix moqueuse de Goetz :

– Faites attention, Aurore, vous pourriez tomber. J'étais certain que vous alliez essayer. Entrez doucement, je vous aide...

Une heure, avait dit Noor. Pourquoi l'avais-je laissée partir seule ? Elle paraissait si sûre d'elle-même, si tranquille. À sept heures et demie, je demandai au standard de l'hôtel d'appeler son numéro. Une voix d'homme répondit.

– Aurore ? Non, elle n'est pas là.

– Quand arrive-t-elle ? C'est Jules...

– Jules ? Oui, elle revient dans une heure.

– Bon, je rappellerai.

Noor ne connaissait évidemment aucun Jules. L'homme avait parlé sans savoir. Je raccrochai lentement et je tombai assis sur le lit. C'était un policier qui avait répondu. Noor était arrêtée. Un monde s'écroulait. Je restai immobile à contempler la fenêtre. Deux heures plus tôt, je voyais sa silhouette se découper sur le ciel. Maintenant, elle était en enfer. Mais comment avais-je pu la laisser partir ? Elle disparaissait à peine retrouvée. Par ma faute ! Par ma faute ! Les larmes me montèrent aux yeux.

Je retournai voir Vienet. Il m'attendait dans le hall, enfoncé dans un fauteuil club.

– Noor est prise, dis-je.

– Non ? Où ?

– Elle est repartie chez elle prendre ses carnets et ses affaires. Elle n'est pas revenue. J'ai téléphoné. C'est une voix d'homme qui a répondu. Elle est seule à connaître cette chambre avec Violette. C'était un policier.

– Quelle horreur ! dit Vienet. (Il était comme frappé d'un deuil. Puis il se ressaisit.) Il faut quitter l'hôtel immédiatement. Rendez la chambre, je vous emmène.

– Noor ne parlera pas.

– Vous n'en savez rien.

– Elle ne parlera pas.

– Ne discutez pas. C'est la procédure. Quand un agent est arrêté, les autres changent d'adresse.

Dans la voiture, il réfléchit à haute voix :

– Première chose à faire, prévenir Derek et Violette. Nous y allons tout de suite. Ensuite, nous essaierons de savoir où ils l'ont emmenée. Nous verrons ce que nous pouvons faire.

J'étais muet à côté de lui, le regard fixe, distinguant à peine la rue, ressassant ma faute catastrophique.

– Et vous ? dis-je au bout de dix minutes.

– Je vais me mettre au vert. J'ai un point de chute à Pigalle et j'annoncerai à mes collaborateurs que je prends quelques jours. Si la Gestapo ne vient pas, c'est que Noor n'aura pas parlé. Alors, je reprendrai mes activités professionnelles. Il faut appliquer les règles. Nous courons suffisamment de risques.

Rue Joseph-de-Maistre, la nouvelle du désastre fit pâlir Darbois et Violette. Ils firent leur valise en silence. Ils avaient un appartement de repli que Darbois avait loué à La Chapelle dès son arrivée.

– Il faut la sortir de là, dit Violette. Nous devons trouver un moyen.

– Bien sûr, dit Vienet, c'est tout simple. En plein Paris, au siège de la police, au milieu de l'armée allemande. Aucun problème.

Violette lui saisit le bras.

– René, vous connaissez des Allemands, vous avez des hommes. On peut tenter quelque chose.

– Nous ne savons même pas où elle est. Dépêchez-vous, nom de Dieu, la Gestapo peut arriver d'une seconde à l'autre. Partez en métro. John et moi allons tenter de savoir où ils l'ont emmenée.

Vienet tourna sur les boulevards extérieurs à la porte de Clignancourt et ressortit à la porte Maillot. Il traversa le bois de Boulogne et s'engagea dans le boulevard Richard-Wallace. Devant la porte de Noor, il n'y avait personne. Mais Vienet me désigna, au coin de la rue suivante, un homme en imperméable qui lisait un journal appuyé contre la grille d'un jardin.

– Ils sont là.

Nous revînmes porte Maillot. Vienet s'arrêta devant un café.

– Téléphonez et dites que vous arrivez dans dix minutes pour apporter une lettre.

Au bout du fil, la voix me répondit qu'Aurore était en retard. Je proposai de venir. « Je serai là », dit-il.

Je sortis du café et remontai dans la voiture. Vienet reprit le boulevard Richard-Wallace. L'homme à l'imperméable avait disparu.

– Il est monté. Ils vont vous attendre à l'intérieur, un dans l'appartement, l'autre caché quelque part dans l'escalier ou sur le palier.

Vienet gara sa voiture un peu plus loin.

– Nous allons planquer ici. Ils vont faire le pied de grue. Comme vous ne viendrez pas, ils comprendront que nous avons détecté la souricière. Ils vont abandonner et rentrer au bercail.

J'admirais le sang-froid et l'astuce de Vienet. Effectivement, une heure plus tard, les deux flics ressortirent de l'immeuble, tournèrent à gauche, passèrent devant nous et s'engouffrèrent dans une Renault verte. Vienet avait mis le contact à leur passage, comme s'il venait de monter dans sa voiture. Il démarra derrière eux et les suivit de loin.

– C'est un peu risqué, dit-il, mais ils ne penseront pas que nous sommes assez fous pour les filer. De toute manière, j'imagine qu'ils ne vont pas très loin. Avenue Foch ou rue Lauriston. C'est dans le XVIᵉ, tout près d'ici.

Porte Dauphine, la Renault tourna dans la contre-allée de l'avenue Foch et freina devant le 84.

– Voilà ! dit Vienet, qui s'était arrêté sur la place. Nous sommes fixés. La Gestapo tient tout le bas de l'avenue. Boemelburg, Kieffer, Schmidt sont là, tout le beau linge ! Ils s'occupent des résistants, des communistes, des Juifs, des radios... Kieffer habite là, Boemelburg à Neuilly. Ils ont dû l'enfermer là-haut, sous les toits. Je vous l'ai dit, je crois, c'est ici qu'ils ont détenu Moulin avant de le transférer dans la villa de Boemelburg. Nous avions élaboré un plan d'évasion, mais ils l'ont transféré trop tôt... Avant, ils emmenaient les prisonniers à Fresnes, mais ils parlaient à d'autres détenus

415

et pouvaient envoyer des messages à l'extérieur. Alors, ils les ont mis là, dans des chambres de bonne, en tout cas les plus importants. Ils les surveillent eux-mêmes et les ont sous la main pour les interrogatoires. Mon cher John, nous avons une chance... Une petite chance.

35.

Noor les regardait d'un air mauvais.

– Il faut tout nous dire, Aurore, répétait Goetz, vos amis ont déjà parlé. Si vous vous taisez, nous allons perdre notre temps. Nous serons obligés d'employer d'autres méthodes.

On entendait le tic-tac du coucou. Peter était assis sur le bureau, à droite de Goetz qui faisait face à Noor. Elle était mal installée, sur une chaise de bois.

– Je ne dirai rien.

– Je sais, c'est la consigne de votre organisation. Il faut se taire pendant quarante-huit heures. Mais cela ne servira à rien. Nous connaissons presque tout sur Prosper. Vous ne l'ignorez pas. Alors, vous allez tout nous raconter, et nous pourrons compléter nos fiches.

– Si vous êtes au courant de tout, vous n'avez pas besoin de moi. Et si vous m'interrogez, c'est que vous ne savez pas tout.

– Elle commence à m'énerver, dit Peter en rectifiant son col de chemise. Mon cher Goetz, il va falloir changer de tactique. On ne va pas y passer la journée.

– Attendez, Peter. Je suis sûr qu'elle va se montrer raisonnable.

Il ouvrit le tiroir de son bureau et sortit un dossier, qu'il posa devant Noor en le retournant pour qu'elle puisse lire. Noor regarda les feuilles que Goetz tournait au fur et à mesure, comme un représentant son catalogue. Sur la première page, il y avait un titre en gros caractères, « Special Operations Executive », et un sous-titre en allemand que Noor ne comprit pas. Sur la deuxième, les adresses du siège de l'organisation à Londres, les noms des camps d'entraînement. Sur la troisième figurait un organigramme avec les noms de Dalton, Gubbins, Buckmaster, Bodington et une dizaine d'autres. Un long texte suivait, toujours en allemand. À la dixième page, Goetz s'arrêta de feuilleter : c'était une carte de France avec les titres des réseaux du SOE en France : « Salesman, Tailor, Butcher... ». La plupart étaient des noms de professions (Vendeur, Tailleur, Boucher...). Noor se concentra. À côté de Paris, le mot « Prosper » était inscrit. Mais à gauche, en Normandie, il manquait le réseau Cinéma. Elle pensa que ce Cowburn dont je lui avais tant parlé était décidément efficace.

— C'est très impressionnant, docteur Goetz. Mais il vous en manque.

Goetz se renfrogna. Peter se raidit.

— Vous allez nous aider, Aurore.

— Jamais. Je ne suis pas une balance. Je ne dirai rien. Rien. Vous voyez tous ces réseaux ? Ce n'est que le début. Quand vous capturez un agent, nous en envoyons cinq. Et je ne compte pas les Français. Le vieux Maréchal les a trompés. Aujourd'hui, ils savent. Ils ne vous laisseront pas en paix.

Noor se souvenait des leçons de politique de Blainville. Elle continua :

— Vous avez calculé combien de soldats allemands nous pouvons tuer, avec ces réseaux ? Vous devriez faire le compte.

Hors de lui, Peter se leva.

– Mais elle nous insulte, cette salope !

– Toi, le petit voyou, dit Noor, tu es français, n'est-ce pas ? Tu sais ce qui t'arrivera quand nos armées entreront en France ? Tu le sais, hein, tu seras fusillé.

– Ça suffit, hurla Peter, tu vas te taire !

– Je croyais que vous vouliez que je parle.

Peter s'approcha d'elle et la gifla à la volée. Elle faillit tomber. Il la frappa encore du revers de la main, puis recommença.

– Tu vas apprendre ce que c'est que la Gestapo. Tu es foutue ! Ce petit jeu ne durera pas. On passe aux choses sérieuses.

Il frappa encore, cette fois si fort qu'elle s'écroula sur le sol. Il la bourra de coups de pied tandis qu'elle se recroquevillait, la tête dans les mains, pour se protéger.

– Ça va, Peter, dit Goetz au bout de deux minutes. Elle a compris. Nous reprendrons demain. Elle aura le temps de réfléchir.

Il se leva et appela le garde.

– Emmenez-la !

Le soldat se pencha et saisit Noor par le bras pour la relever. Ses lèvres saignaient et un hématome rouge apparaissait autour de l'œil droit. Peter la gifla encore pendant que le soldat la tirait dans le couloir.

Noor se réveilla en sursaut. Un long hurlement avait déchiré la nuit. Le hurlement d'un homme poussé au-delà de toute limite, un homme qui exprimait sa souffrance sans retenue, d'une voix sortie de la poitrine, rauque et puissante. Le cri s'assourdit en hoquetant. Un gémissement lui succéda, soudain couvert par des éclats de voix. Puis de nouveau un hurlement, plus fort que le premier. À travers le plancher, Noor entendait des piétinements, des questions dont elle ne saisissait pas le contenu, des plaintes, et ces hurlements d'animal revenaient par intervalles.

Elle voyait la lumière de la lune à travers le vasistas. Après l'interrogatoire, elle était restée assise sur son lit, tâtant ses plaies au visage et ses contusions aux côtes, là où Peter l'avait frappée. La colère et la haine l'avaient soutenue. La nuit venue, l'angoisse était remontée dans son ventre. Elle avait pleuré, sans pouvoir s'arrêter. En prenant son dîner – une gamelle avec de la purée et une saucisse –, elle avait surpris un regard de compassion dans l'œil du soldat qui lui donnait son repas. Ce petit signe d'humanité avait redoublé son anxiété. Elle s'était endormie, épuisée, longtemps après le coucher du soleil. Elle étendit son bras, et sa montre entra dans le rayon de lune qui tombait du plafond. Deux heures du matin. Les hurlements reprirent. Une sueur froide lui coulait sur le front. Demain, pensa Noor, ce sera moi.

À la même heure, Goetz et Peter étaient accoudés au bar du One Two Two. Deux ou trois fois par semaine, ils se rendaient ensemble 122, rue de Provence, où se tenait la plus célèbre maison close de Paris. Là, dans le velours et les dorures, on voyait les plus jolies prostituées de la capitale boire avec des officiers de la Wehrmacht, des huiles de la collaboration ou des pontes du marché noir. Moyennant une somme coquette, on pouvait monter à l'étage avec une de ces beautés, dans un salon spécialisé. Le One Two Two avait quelque chose d'une exposition coloniale. Se succédaient le salon égyptien, avec ses statues de profil, ses serpents empaillés et ses vues des pyramides, le salon Afrique, avec ses négresses en pagne et ses peaux de léopard au pied du lit, le salon Louis XV, avec son boudoir à rideaux de soie et ses reproductions de Watteau...

– Peter, disait Goetz, vous êtes un bon agent, mais vous ne faites pas assez marcher votre tête.

– On ne peut pas laisser cette fille nous insulter, dit Peter en avalant son troisième whisky.

Il fixait une sylphide à la robe minimale. Elle lui sourit. Il continua :

– Nous sommes l'armée allemande, après tout !

– Vous avez raison et vous avez bien fait de réagir. Mais il faut la prendre autrement. C'est une cinglée, une idéaliste. Vous avez bien vu. Elle se fera couper en morceaux...

– Je serai content de diriger l'interrogatoire.

– Je vous assure, cela ne sert pas à grand-chose.

– Comment ça, pas à grand-chose ? Elle vous l'a dit, il nous manque des réseaux. Il faut lui faire cracher ce qu'elle sait.

– Elle n'en sait pas beaucoup plus que nous. Ce qui nous intéresse, c'est sa radio...

– Mais nous l'avons déjà... Sans le mode d'emploi...

– C'est fait, mon cher, dit Goetz en souriant d'un air triomphant. Après l'interrogatoire, j'ai étudié les carnets que vous avez si brillamment saisis. J'y ai passé quatre heures. J'ai tout. Le code, les clés, et même les checks de sécurité. Elle a tout consigné, c'est incroyable ! Il y a ses messages, en clair et en code ! Le premier check est indiqué, quant au second, j'ai compris l'astuce. Ils font une faute d'orthographe évidente au premier mot dans le premier message, au deuxième dans le deuxième message, et ainsi de suite, puis ils recommencent. S'ils envoient un message sans faute d'orthographe, c'est qu'ils émettent sous notre contrôle. C'est tout simple. Ce soir, le poste Aurore reprend du service. Je crois que nous tenons le bon bout.

– Mais les autres vont prévenir Londres qu'elle est entre nos mains.

– Pas sûr. Ils n'ont plus de radio. Elle était la dernière en région parisienne. Ils sont sans communications.

– Ils vont trouver un moyen...

La sylphide était venue s'asseoir sur le tabouret voisin. Peter lui souriait en écoutant Goetz.

– Je n'en suis pas certain, dit-il. Ils ont pour instruction de disparaître dans la nature quand l'un d'entre eux est arrêté. Ils vont se terrer. S'ils essaient de rejoindre Londres, Blainville le saura. Il nous préviendra...

– Et s'ils passent par une autre filière ?

– Ils s'enfuient par l'Espagne, en général, ce qui demande du temps... Nous avons probablement plusieurs semaines devant nous.

– Dans ce cas, pourquoi faut-il l'interroger ?

Peter avait pris la jeune femme par la taille et ils s'étaient levés tous les deux.

– Je me méfie des Anglais. Ils s'habituent peu à peu à nos petits jeux. S'ils sont sur leur garde, ils peuvent réclamer tel ou tel détail personnel. Il faut que nous puissions répondre comme si nous étions Aurore.

– Si elle refuse de parler, pas de sentiments...

– Non, pas de sentiments. Demain, nous continuons. Mais je vais la cuisiner seul. Si ça ne marche pas, vous me relaierez.

À trois heures dix, Noor entendit des pas dans le couloir et quelque chose qu'on traînait sur le plancher.

– *Ach*, il est lourd ! disait une voix.

– On le jette sur le lit et on va se coucher, répondit quelqu'un avec un fort accent du Midi.

La serrure de la cellule voisine claqua, la porte grinça et Noor perçut le rebond du corps sur les ressorts du lit de fer, derrière la cloison. La porte fut refermée, la serrure claqua de nouveau et les pas disparurent dans l'escalier.

Le silence s'installa pendant un quart d'heure. Noor n'arrivait plus à dormir. Elle essayait d'imaginer l'état de l'homme qui gisait à deux mètres d'elle, sur un lit de fer pareil au sien. Tremblante, elle tendait l'oreille. Il lui sembla entendre un léger gémissement. Puis les ressorts du lit grincèrent. Le prisonnier remuait. Elle s'assit sur son lit. Un nouveau gémissement. Elle se leva et s'accroupit par terre de l'autre côté de sa cellule, l'oreille collée à la cloison. Elle entendait maintenant les ressorts se tendre et se détendre et le sifflement léger d'une respiration. Il devait être à vingt centimètres. Elle défit sa montre et prit le boîtier entre le pouce et l'index. En tapotant sur le bois mince, elle épela en morse trois caractères : « OK ? ». Elle écouta. Rien. Mais les ressorts bougèrent encore. Elle entendit un grognement. Elle reprit : « OK ? ». Toujours rien. Elle allait répéter le message quand des coups résonnèrent, plus sourds que les siens. L'homme devait frapper la cloison avec son doigt. Elle comprit la réponse et elle ressentit comme un éclair de joie : « OK ».

La conversation pouvait commencer. Son voisin tapait moins vite qu'elle. Mais elle écoutait les petits bruits saccadés comme s'ils étaient des paroles d'espoir.

– Je suis Aurore. Bonsoir.

– Bonsoir, Aurore.

– Comment allez-vous ?

– Pas mal.

– Vous souffrez ?

– Moins.

– Blessé ?

– Ils m'ont arraché quatre ongles.

Noor eut un frisson d'épouvante. Le prisonnier continua :

– Je n'ai rien dit.

– Je le savais...

– Ils vous ont battue?

– Non, pas encore.

– Vous êtes de quel réseau?

Noor se demanda si cela n'était pas une comédie pour la faire parler. Mais elle avait pris l'initiative. Elle décida de rester prudente.

– SOE, répondit-elle en se disant que cela n'engageait pas à grand-chose.

– SOE?

– Réseau anglais. Et vous?

– Organisation de résistance de l'armée. ORA.

– Vous avez un nom?

– Faye.

– Vous avez sommeil...

– J'ai eu une longue soirée... Aurore?

– Oui?

– Vous êtes jolie?

Elle sourit dans le noir.

– Vous êtes français?

– On ne peut rien vous cacher. Bonsoir...

Culioli habitait en haut de la rue Lepic, sur la pente de la butte Montmartre. Quand il ne faisait pas le coup de feu contre les Allemands, il menait sa vie d'homme d'affaires un peu particulier. Il se levait tard et descendait vers midi sur la place Pigalle. Il déjeunait chez son ami Pierre Poggioli, qui tenait le café à droite de la statue, en face du Moulin-Rouge. L'après-midi, il jouait aux cartes rue de Châteaudun ou rue Richer. Vers six heures, il grimpait de nouveau la rue des Martyrs pour vérifier si ses filles étaient bien à leur poste, adossées à l'entrée des immeubles, corsages pigeonnants et jupes en strass serrées sur les fesses. Puis il faisait la tournée des bars montants et des petits hôtels où elles emmenaient les clients, prélevant directement dans la caisse la part qui lui revenait.

Depuis deux jours, il avait délaissé ses affaires. Vienet et un grand escogriffe de ses amis, avec qui il était « monté » sur l'affaire Foligny habitaient chez lui. Ce matin-là était réuni un conseil de guerre. Nous étions assis dans des fauteuils profonds et des canapés de velours, pendant que Suzy, la régulière de Culioli, en mules et en peignoir de soie, servait le café. Darbois et Violette étaient arrivés ensemble. Ils trempaient leur croissant dans leur bol pendant que « Paul » et « Dominique », les deux amis de Culioli, se servaient des pastis sur le petit bar d'acajou.

— Violette, dit Vienet, vous pourriez venir habiter ici. Mon ami Culioli me l'a proposé. Il y a dix pièces, derrière. Vous auriez une chambre superbe qui donne sur le Sacré-Cœur.

— René, dit Violette, passons aux choses sérieuses.

— D'accord. Je verrai cette fille demain, reprit-il. Elle travaille au troisième étage, avenue Foch. Elle m'a parlé d'un Anglais qui est prisonnier là depuis des semaines. Un certain John Starr. Son nom vous évoque quelque chose ?

— Starr ? Oui ! dis-je. Il est chez nous ! J'étais même son instructeur. Il est astucieux...

— Le problème, c'est que je ne sais pas s'il est fiable. D'après ce qu'elle m'a raconté, il a fait ami-ami avec les Allemands et il a des privilèges. Dans la journée, il est dans la bibliothèque ou dans un bureau. Apparemment, il sait dessiner...

— Il est peintre dans le civil, affirma Violette. C'est un bon amateur. Il expose pour des galeries anglaises.

– Eh bien, maintenant, il expose pour la Gestapo, dit Vienet. Il leur tire le portrait et il leur fait des cartes et des organigrammes. Kieffer l'aime beaucoup.

– Il a dû jouer la comédie pour pouvoir être libre de ses mouvements, hasardai-je.

– Peut-être, dit Vienet. De toute manière, nous n'avons pas le choix. Vu la configuration des lieux, nous ne pouvons en aucun cas entrer dans l'immeuble. Il y a des soldats partout. Il faut qu'ils s'échappent tout seuls. Par les toits. D'après ce que je comprends, ce n'est pas impossible. Ils sont dans des cellules sous les combles et il y a des vasistas. Nous pouvons les réceptionner en bas, à condition qu'ils arrivent jusqu'à la rue derrière. Quand nous avons étudié le problème pour Moulin, c'était la seule solution. Évidemment, il faut que Starr soit de mèche. S'il est avec les Allemands, c'est foutu.

– Essayons, dis-je. Quelle autre solution ?

– Aucune. La fille lui passera un message demain. Nous verrons bien...

36.

Noor était entrée dans le bureau de Goetz, pâle et défaite. Elle avait pu trouver le sommeil vers six heures. Elle s'était réveillée en sueur quand, dans son rêve, on commençait à lui arracher la pointe des seins. L'Allemand la regarda. Il comprit qu'elle n'avait rien perdu de la séance infligée à Faye. Il admira son visage et sa silhouette pendant qu'elle s'asseyait.

– Bonjour, Nora Wilson!

Elle leva la tête, surprise.

– Eh oui! Je connais votre vrai nom. Vous êtes de la RAF, vous étiez radio. Vous voyez, on ne peut rien cacher à l'oncle Goetz.

– ...

– Vous avez entendu ce qui est arrivé cette nuit? C'est ce qui vous attend si nous ne nous entendons pas tous les deux. Je n'aime pas ces méthodes, mais...

– Mais vous les utilisez.

– Si je ne peux pas faire autrement. Il faut bien défendre nos soldats. Les gens comme vous sont sans pitié. Vous opérez sans uniforme, en dehors de toutes les lois. Vous assassinez, vous sabotez, vous massacrez. Et, après, vous vous étonnez que le SD réagisse.

Il disait « SD » et non Gestapo, ce qui était le titre officiel de la police allemande, *Sicherheitsdienst*, service de sécurité.

– Parce que vous respectez les lois ?

– Quand c'est la guerre en uniforme, oui. Mais, avec votre sale guerre, c'est impossible. Vous pratiquez le terrorisme qui s'oppose aux lois de la guerre.

– ...

– Je ne vous comprends pas, Nora. Vous êtes une jolie femme, cultivée, idéaliste. Qu'est-ce que vous faites avec ces voyous ?

– Ce ne sont pas des voyous, ce sont des combattants. Et ils seront les vainqueurs.

– Pour l'instant, nous gagnons. Je suis derrière le bureau et vous devant. Quand ce sera l'inverse, nous verrons...

– Le jour est proche...

– Peut-être. Mais, en attendant, le Reich contrôle toute l'Europe. Les Russes sont en Ukraine et les Américains en Afrique du Nord. Nous avons de la marge ! Vous vous êtes alliés avec les bolcheviks qui sont des sauvages. La Wehrmacht gagnera. Nous défendons la civilisation occidentale. Toute l'Europe est avec nous. Si les communistes gagnaient, tout serait détruit. La culture, l'intelligence, l'art, la religion. Vous croyez en Dieu, Nora ?

– Oui.

Noor avait acquiescé. Elle se mordit la lèvre. La peur de la torture la tenaillait. Aux questions anodines, elle se dit qu'elle pouvait répondre. Le moment des coups serait retardé d'autant. Son esprit lui criait : « méfiance ! ». Mais son corps fatigué redoutait la douleur. La conversation lui donnait un sentiment de répit, presque de sécurité.

Si vous croyez en Dieu, vous ne pouvez pas approuver les bolcheviks. Ils n'ont pas de Dieu.

– C'est leur droit...

– Comment ça, leur droit ? Il n'y a pas de société sans Dieu. Sans religion, la société se délite. Les hommes sans foi sont des animaux.

Noor se souvint de l'enseignement de son père.

– Les nazis sont des païens. Ils adorent les dieux de la forêt, les dieux des montagnes. Ils en sont restés aux Vikings. Ils font des feux dans des champs, ils se mettent en cercle autour et ils pensent que c'est un culte. Le nazisme est le culte de la force. Écoutez Wagner. Siegfried est un barbare idiot. Il possède une épée et de la force. Ce n'est pas une religion !

– Vous me semblez très férue de musique, Nora. Dans ce cas, vous devez savoir que Wagner a écrit des opéras chrétiens. Et le Führer protège le catholicisme...

– Il enferme les prêtres.

– Quand ils complotent.

– La religion, c'est la tolérance.

– La tolérance ? Mais c'est une idée pour les faibles, pour les démocrates. C'est une idée pour les Juifs...

Noor avait oublié la torture. Goetz aussi semblait prendre plaisir à la discussion. Il avait sorti un carnet et notait ce que Noor lui disait.

– Docteur Goetz, vous n'y connaissez rien. Toutes les religions sont tolérantes, si on s'en tient à l'enseignement de leurs prophètes, c'est-à-dire à l'enseignement de Dieu.

– De quelle religion êtes-vous, Nora ? Vous me paraissez bien savante...

– De toutes les religions.

– Comment cela ?

– Je ne vous en dirai pas plus. Mais toutes les religions se ressemblent quand on les étudie bien. Il y a un seul Dieu. Il s'est exprimé à travers plusieurs prophètes, Jésus, Bouddha, Mahomet... Ce qui compte, c'est l'accès à la connaissance directe !

Son poignet s'agitait pour écrire pendant qu'elle parlait. Il releva la tête.

– Mais vous êtes une mystique, Nora. Comme c'est intéressant ! J'aime ces religions orientales. Vous devez être indienne, ou quelque chose comme ça... Vous savez d'où vient la croix gammée, Nora ? De l'ancien culte indien. Le Führer a le plus grand respect pour les religions aryennes. Ce que vous ne comprenez pas, c'est que le IIIe Reich va ouvrir une ère nouvelle. Ce sera une Renaissance. Nous serons débarrassés des Juifs, des bolcheviks, des démocrates et de leur monde matérialiste. Vous êtes une mystique, Nora, et vous défendez les matérialistes. Vous défendez les Juifs et l'argent. Comme c'est étrange !

– Je défends la liberté de choix. Les hommes doivent trouver leur voie tout seuls. Vous voulez penser à leur place. Vous voulez tuer l'esprit.

– Nous voulons fonder une civilisation nouvelle, Nora, cela vaut bien quelques sacrifices. Malheur à ceux qui nous barrent la route.

– Vous ne pensez qu'à tuer !

– Ça suffit, maintenant ! aboya-t-il.

Noor sentit la peur revenir. Elle se mit à trembler. Goetz s'en aperçut. Il se radoucit.

– Tenez, je vais vous prouver que nous ne sommes pas ce que vous dites. Vous pouvez rentrer dans votre cellule. L'interrogatoire est terminé pour aujourd'hui.

Elle le regardait, éberluée.

– C'est fini. Vous voyez, je ne vous ai pas touchée. Vous pouvez demander du papier pour écrire, si vous voulez. Les intellectuels en demandent toujours. Vous pouvez aussi aller à la bibliothèque du troisième. Il y a des livres de Hugo et de Dumas. Ça vous distraira. Garde !

Noor partie, Peter entra dans le bureau.

– Elle a parlé ?

– Elle a commencé. J'avance... J'avance...

Quand la jeune femme déposa le petit papier sur son bureau, Starr leva la tête. Elle le fixait intensément. Dans un souffle, elle dit : « Byron ! » Instinctivement, il prit le papier et le mit dans sa poche. Elle se détourna et continua à balayer le poste de garde. Renversé sur la chaise où il se balançait, les pieds sur le bureau, le soldat n'avait rien vu. Starr trempa son pinceau dans un verre plein d'une eau colorée. Quand elle sortit, son balai mécanique et son seau à la main, son tablier bleu serré à la taille par une ficelle, elle ne lui jeta pas un regard. Il resta concentré sur le paysage champêtre qu'il avait commencé pour Kieffer, qui voulait offrir un tableau original à sa femme lors de sa prochaine permission.

Pendant que le soldat lisait sa revue avec avidité, Starr sortit le papier et le déplia. Des lettres sans suite étaient disposées en lignes et en colonnes, formant des carrés incompréhensibles. Starr reconnut la double transposition qu'on lui avait enseignée à Beaulieu. Il comprit que « Byron » était le mot clé qui permettait de décrypter le message. Il demanda à regagner sa cellule.

L'après-midi, Starr revint à la bibliothèque pour finir son paysage. Il y resta deux heures. Quand le jour baissa, il replia sa boîte d'aquarelles et la prit d'une main, avec les trois pinceaux sur le dessus, glissés sous sa paume Il se leva, mais, avant de sortir de la pièce, il se dirigea vers les rayonnages, cherchant un livre. Il prit *Le Rêve* d'Émile Zola, le seul roman de l'écrivain qui n'ait pas été mis à l'index par Vichy. Puis il suivit le soldat qui le conduisait vers sa cellule. Pour refermer la porte de la bibliothèque derrière lui, il cala la boîte de couleurs et les pinceaux sous son bras.

Au sixième étage, il occupait la cellule du fond, à l'écart des autres prisonniers. Pour s'y rendre, il fallait aller tout droit après la pièce du garde au lieu de bifurquer à droite. Quand il passa à la hauteur du couloir où étaient les cellules de Noor et de Faye, il laissa tomber sa boîte de couleurs et ses pinceaux. Il jura. Et, avant que le garde ait le temps de se retourner, il expédia du pied un pinceau vers la porte de Noor.

– Merde, dit-il, je suis désolé.

Il marcha vers l'intérieur du couloir pendant que le soldat, obligeant, se penchait pour récupérer la boîte, dont plusieurs pastilles de couleur s'étaient échappées. Il ramassa le pinceau, agenouillé sur le sol, sortit vivement un petit papier de sa poche et le glissa sous la porte. Le soldat n'avait rien vu. Starr revint vers lui, prit la boîte qu'il lui tendait et marcha vers sa cellule.

– Merci, vous êtes gentil. Excusez-moi...

Noor avait entendu le bruit de la chute de la boîte de couleurs. Quand elle aperçut le papier, elle comprit aussitôt. Elle s'en empara et le déplia. Elle lut seulement : « Vous n'êtes pas seule. Je veille sur vous. Vos amis aussi. Allez dans la salle de bains, sous la grille du lavabo. Starr. » Elle mit le papier dans sa bouche et l'avala.

À sept heures, elle frappa à sa porte et le garde l'accompagna jusqu'au cabinet de toilette. Il la laissa fermer la porte, sans qu'elle la verrouille. Elle fit couler l'eau du robinet, puis s'accroupit devant la grille du lavabo, la retira et passa sa main à l'intérieur. C'était une petite cavité humide et évasée. En tâtant le rebord, elle sentit un papier roulé et coincé dans l'angle, invisible. Dix minutes plus tard, le cœur battant, elle lisait le message de Starr. « Ma chère Nora. J'ai été content de vous revoir. Ne vous sentez pas trop seule. J'ai été contacté par vos amis. Ils vont nous aider. Depuis deux mois, j'ai eu le temps d'étudier la question. En descellant les barreaux, nous pouvons nous glisser sur le toit. Vos amis nous guetteront en bas, dans l'impasse de derrière. Je vous donne plus de détails dans un prochain message, qui sera au même endroit. Répondez-moi par le même moyen. Courage, espoir... »

Le soir, Faye fut encore torturé. Noor patienta jusqu'à ce qu'il revienne. À deux heures, elle prit de ses nouvelles. Cette fois, on lui avait enfoncé des épingles dans la poitrine et cassé deux doigts en les retournant lentement. Il avait encore résisté. Il gémissait sur son lit de fer. À deux heures et demie, ils furent interrompus par une alerte. Ils entendaient des bruits de moteur d'avion vers l'ouest. La DCA tirait par intermittence. Des projecteurs balayaient le ciel, renvoyant des reflets de lumière crue à travers les vasistas. Obéissant aux ordres reçus, le garde s'était levé et, en pyjama, faisait le tour des cellules, qu'il ouvrait l'une après l'autre. Comme il n'avait pas le droit d'allumer, il inspectait les chambres à la lumière de sa torche. Noor regagna son lit et attendit la fin de l'alerte. Quand tout fut de nouveau silencieux, elle transmit à Faye le message de Starr.

– Notre affaire marche, Peter. La confiance augmente.

– Mais elle n'a rien dit sur ses opérations, sur le réseau...

– Aucune importance. Nous savions déjà tout. Elle raconte ce qui me manque : son environnement, sa culture. Je commence à bien la connaître. Si les Anglais me tendent un piège, je peux répondre.

– Ils ont essayé ?

– Non. Pour l'instant, ils gobent tous les messages. Ils pensent que le réseau Prosper se reconstitue. La semaine prochaine, j'organise mon premier parachutage. J'ai reçu des félicitations de Buckmaster. Il me conseille la prudence. Il m'a dit : « Aurore, méfiez-vous. Quand vous transmettez, ayez une arme. » Voyez-vous, Peter, je sais pourquoi il dit cela. Cette fille est une mystique. Elle doit être hindoue ou quelque chose comme ça. Ces gens-là sont non violents. C'est pourquoi Buckmaster lui prodigue ce genre de conseil. J'ai répondu : « Vous n'ignorez pas mes convictions. Dieu est avec moi... »

Goetz riait franchement. Peter le regardait bouche bée, sans bien comprendre.

Noor avait de longues conversations avec Goetz, qui prenaient chaque jour un tour plus familier et personnel. Noor voyait dans son regard comme de l'admiration, et même de la tendresse. Sans jamais évoquer sa famille, elle finit par se confier, tout en changeant les lieux et les circonstances de son enfance. Il apprit qu'elle jouait du piano et de la harpe, qu'elle écrivait des contes pour enfants et qu'elle le surpassait de loin en théologie. Bizarrement, il continuait à noter tout ce qu'elle lui disait.

Au bout de deux jours, Faye avait commencé à parler. Il avait respecté le délai de rigueur. Il expliqua à Noor qu'il fournissait des informations déjà connues ou sans importance réelle. Pour pouvoir dormir tranquille, Kieffer s'était contenté de ces résultats et avait ordonné qu'on mît fin aux séances de torture. Starr peignait de plus belle. En même temps que ses paysages, il avait dessiné des caricatures des principaux officiers du 84. Il les montrait aux soldats et aux secrétaires, qui étouffaient un rire. Il s'était révélé homme à tout faire et réparait les appareils qu'on lui apportait de tout l'immeuble, des lampes, des agrafeuses, des machines à écrire. Chaque fois, on lui prêtait une trousse à outils, qu'il rendait dès la réparation achevée.

Un jour qu'il venait de restaurer le mécanisme d'un gros réveil, il referma le boîtier de métal, resserra les vis et, au lieu de remettre le tournevis dans son compartiment, vérifiant que le garde ne le surveillait pas, il le dissimula devant la cheminée, derrière la plaque d'acier qui séparait l'âtre de la pièce. Si on s'apercevait de son absence dans la boîte, il ne l'aurait pas sur lui. Il rendit la boîte à outils et revint l'après-midi pour peindre.

Le soir même, Noor trouva l'outil sous le lavabo avec un message. « Voici de quoi desceller les barreaux. Il suffit de creuser discrètement dans le ciment qui les lie. Question de temps. Quand vous aurez fini, je passe le tournevis à Faye. Expliquez-lui. Mes barreaux sont encastrés dans un cadre de bois. Je les déferai en une neure le jour du départ... Cachez bien le tournevis. Courage et espoir. »

Noor regarda le tournevis, puis leva la tête vers les barreaux. Ils étaient trop hauts. Elle monta sur la chaise ; elle ne les touchait pas, même sur la pointe des pieds. Elle réfléchit. Il n'y avait qu'une seule solution. Elle enleva le matelas et les couvertures, bougea le lit avec d'infinies précautions et réussit à le dresser sans bruit contre le mur, à la verticale, dans le sens de la longueur. Elle approcha la chaise, monta dessus et mit un pied sur la tête de lit. Elle se retrouva en déséquilibre en haut du cadre de fer. Elle atteignait les barreaux. Elle empoigna le premier d'une main et vit qu'elle pouvait creuser de l'autre autour des barreaux. Elle redescendit, puis remonta avec le tournevis. Au moment où elle entamait le ciment autour du premier barreau, le lit, mal calé à la base, glissa vers l'intérieur de la pièce et tomba sur le plancher avec un bruit d'enfer. Noor était pendue par une main à son barreau, les pieds à un mètre au-dessus du lit, à plat. Elle entendit le pas du garde. Elle lâcha le barreau et s'écroula sur le lit. Affolée, elle attendait, paralysée, que la porte s'ouvre, ne sachant comment expliquer son étrange position.

La clé tourna dans la serrure, la porte s'ouvrit. Le garde la regarda, médusé. Noor avait une mine atterrée. Elle avait défait la ceinture de sa robe et la tenait dans son poing. Le garde crut comprendre

– *Fräulein*, qu'avez-vous fait? Il ne faut pas. Si vous collaborez, ils ne vous feront pas de mal. Il ne faut pas se tuer! Si vous parlez, vous vivrez.

Il lui avait arraché la ceinture des mains pendant qu'elle éclatait en sanglots.

– De toute façon, ajouta-t-il, c'est trop haut. Allons, remettez-vous! Je vais en parler au docteur Goetz demain matin. Vous allez vous coucher et dormir.

Vienet avait étalé le plan devant lui. Suzy servait des gin tonics et des whiskys en circulant dans une jupe moulante rose vif. Elle me faisait de larges sourires, sous l'œil noir de Culioli, qui commençait à juger un peu long le séjour de son chef de réseau dans sa propre maison.

– Ici, vous avez l'avenue Foch, là, l'immeuble où ils sont enfermés. Ils ont commencé à défaire leurs barreaux. Ils sortiront par les toits, ici, ils marcheront perpendiculairement à l'avenue, vers les immeubles qui donnent sur l'impasse. Là, il y a un passage un peu délicat, mais, en sautant, ils pourront atteindre cet immeuble-là et descendre par l'escalier intérieur. Ils se retrouveront dans l'impasse, ici.

– Où sont les gardes ? dit Violette.

– Là, là et là. Il y en a deux à l'entrée de l'impasse et il y a un poste au coin de la porte Dauphine. Dès que nous les voyons sortir de l'immeuble au fond de l'impasse, nous neutralisons les gardes. Ils courent vers nous et on s'arrache. Ils sont trois. Il faut deux voitures pour les emmener. Et deux voitures de couverture.

– Nous avons planqué toute la soirée d'hier et toute la journée d'aujourd'hui. Ça grouille de soldats et de flics. Mais il n'y a que deux gardes à l'entrée de l'impasse. Les autres sont au coin de l'avenue. Ils se parlent et ne regardent pas toujours derrière eux. Si nous sommes rapides et discrets, nous avons une chance...

37.

– Je ne comprends pas pourquoi ils ne me torturent pas...

– Ils ne torturent pas tout le monde.

– Mais je devrais les intéresser. Je suis radio.

– Ils en savent assez.

– Peut-être. Mais pourquoi me gardent-ils ici?

Dans le silence de la nuit, Noor conversait en morse avec Faye, assise sur le plancher de la cellule, l'oreille contre la cloison. Ces discussions avaient pris un tour chaleureux, drôle, personnel. Celles de la journée étaient plus hachées, plus objectives. Dans l'obscurité, Noor retrouvait des souvenirs d'enfant, quand elle parlait tout bas avec son frère dans la grande chambre de Fazal Manzil. Malgré la lenteur du morse, Noor aimait la compagnie de Faye, qu'elle n'avait jamais vu. Il était rapide, brillant et paternel. Soudain, les sirènes de l'alerte retentirent. Elle dut se recoucher, attendre que le soldat passe avec sa lampe torche, puis que l'alerte se dissipe. Elle revint vers la cloison mitoyenne.

– Vous avez réussi à bouger le lit? demanda Faye.

– Oui. Je l'ai mis au fond, à l'opposé de la porte d'entrée.

– Ils n'ont rien dit ?

– Non. Ils ont trouvé ça bizarre. Mais je suis bizarre, de toute manière.

– Oui. Je le pense aussi.

La veille, elle avait déplacé son lit. Le soldat lui avait demandé pourquoi. Elle avait expliqué que sa vie était monotone et qu'elle souhaitait changer l'emplacement du mobilier. Appelé à la rescousse, Goetz avait souri à Noor et haussé les épaules. Le lit était resté sur son nouvel emplacement.

– Nous serons prêts dans une semaine au plus. Ces barreaux ne sont pas bien scellés.

– Sur le toit, je vous rencontrerai.

– Moi, je pourrai constater que vous êtes jolie.

– Et vous, êtes-vous beau ?

– Très beau

– Nous verrons.

Deux jours plus tard, Noor changea son lit de place en le poussant contre la cloison qui la séparait de Faye. Le soldat ne dit rien. Deux jours après, elle plaça le lit au centre de la cellule et la chaise juste à côté. Elle patienta jusqu'au soir. En lui passant sa gamelle, le soldat ne releva pas la nouvelle disposition des lieux. Elle attendit une heure, puis elle prit la chaise et la posa sur le lit. Elle monta sur le lit, sur la chaise qui tanguait un peu sur les ressorts du sommier de métal. Elle leva le bras et agrippa un des barreaux. Elle tenait en équilibre. Alors, elle sortit le tournevis de sa poche et commença à creuser autour du premier barreau. Si elle entendait le soldat marcher dans le couloir pour une inspection surprise, elle avait juste le temps de descendre, de remettre la chaise à sa place et de s'allonger. Trois fois, elle avait fait l'expérience. L'oreille aux aguets, elle creusait.

– On ne peut pas fonder une civilisation sur les individus, dit Goetz. Ils sont inégaux. Il y a trop de médiocres. Les grandes choses sont faites par les grands hommes. Et une race est supérieure quand elle produit de grands hommes.

– Pour Dieu, un homme est un homme, répondit Noor. Dieu a fait l'Homme à son image.

– Alors, quand il voit des Juifs, il a du mal à se reconnaître ! dit Goetz en riant.

– Toujours les Juifs ! Vous êtes obsédé.

Chaque jour, Goetz parlait avec Noor, souvent de religion et de politique. Chaque fois, il faisait dériver la conversation vers la vie personnelle de sa prisonnière, ses sentiments, sa famille, son enfance. Noor résistait. Mais elle avait fini par trouver du plaisir à échanger des idées avec l'ancien professeur. Incisive, concentrée, elle ne lui cédait jamais dans la joute intellectuelle. Elle se souvenait de ses cours de philosophie et de ses débats avec son frère. Elle ressentait pour Goetz une répulsion foncière, mélangée à une reconnaissance involontaire pour celui qui lui évitait la torture. Entre la victime et le bourreau, une complicité était née. Noor en éprouvait de la honte. Au fond d'elle-même, elle se l'avouait parfois, elle cherchait à éviter les insultes et les coups.

– Mais non ! continua-t-il. Les Juifs pratiquent la religion du faible. Par conséquent, ils corrompent tout. Les antisémites croient que les Juifs sont méchants, avides, cauteleux. Ils les haïssent pour ces défauts. Mais là n'est pas la question. Les Juifs sont dangereux parce que leur religion fait l'éloge des faibles. Ce qu'il faut pour le groupe, pour la race, c'est une religion du fort, qui fasse de grandes choses. Seules comptent les œuvres du groupe. L'individu doit s'effacer. Nous ne sommes rien. Le groupe est tout !

– Pourtant les démocraties ont fait de grandes choses. L'industrie, l'école pour tous, l'art moderne, l'Amérique... Ce sont des inventions des civilisations démocratiques.

– Mais non! Ce sont les grands hommes qui ont fait cela! Vous me faites rire avec la démocratie. Un homme, une voix. Comme si les hommes se valaient. C'est risible. Si la majorité se met d'accord sur un mensonge, devient-il une vérité? Est-ce l'enseignement de votre père?

– Oui. Mais vous ne saurez rien de lui...

– Vous avez reçu une éducation supérieure, Nora. J'aurais aimé rencontrer votre famille.

– Elle n'aimerait pas vous connaître, docteur Goetz.

– Et votre mère, dit-il sans relever. Où est-elle?

– Elle est en Angleterre. Si vous voulez la voir, il faut y aller avec la Wehrmacht. Je crains que vous ne restiez des inconnus l'un pour l'autre...

Goetz écoutait avec acuité. Noor comprit qu'il avait réussi à l'amener où elle ne voulait pas aller. Elle se ferma.

– C'est dommage, dit-il. Après la guerre, peut-être... En tout cas, votre théorie démocratique ne tient pas debout. Vous croyez en Dieu. La démocratie ne croit en rien. Elle n'a pas de vérité, pas d'idéal, pas de passion. Elle met sur le même plan ce qui est vrai et ce qui est faux...

– La vérité finit toujours par cheminer... Il suffit d'aller à Dieu.

– Et si Dieu n'existe pas?

– Dieu n'est pas seulement dans la religion. Il est dans la vie, dans la nature, dans l'amour des hommes. Quand on a pris conscience de cela, Dieu devient une évidence. On peut le connaître. Il suffit d'ouvrir son cœur.

– Mais la plupart des humains ne pensent qu'à eux. Pas à Dieu. Il leur faut un chef. La religion est là pour servir le chef. C'est le chef qui révèle à la race sa grandeur. La liberté, c'est la décadence.

– Les hommes sont faibles, reprit Noor, ils ont commis le péché originel. Mais ils peuvent se racheter. C'est le sens des religions. Tout le monde a sa chance. Docteur Goetz, c'est même de l'arithmétique. Dieu parle aussi dans les mathématiques. Vous ne vous êtes jamais demandé pourquoi la nature s'expliquait grâce à des équations et des calculs, docteur Goetz. Figurez-vous qu'il existe une correspondance entre les lois de l'esprit et celles du monde physique. Dieu a créé les deux. Ce sont les mêmes lois. Plus on avance dans la science, plus on pénètre l'intention de Dieu. En arithmétique, il y a des opérations réversibles et d'autres qui ne le sont pas. On peut faire une addition ou une multiplication dans n'importe quel sens. Deux plus trois ou trois plus deux, c'est pareil. Mais deux moins trois ou trois moins deux, ce n'est pas pareil. La bonne civilisation est celle des opérations réversibles. J'aide mon prochain, il m'aide. Il est libre, je suis libre. Tout est réversible, réciproque, comme les additions et les multiplications. Tout le monde y gagne. Dans votre arithmétique, il n'y a que des soustractions et des divisions. Vous ne pensez qu'à asservir. Au fond, vous ne pensez qu'à tuer.

– Ne recommencez pas, Noor. Vous ne mesurez pas votre privilège. Ici, je suis votre défenseur...

– Mais pourquoi faites-vous cela, docteur Goetz ? Pourquoi toutes ces discussions ?

Il prit un air embarrassé.

– Euh... Je dois faire un rapport. Sur nos ennemis. Mes chefs sont des policiers. Ils veulent comprendre leurs ennemis. Alors, j'étudie...

Noor ne crut pas un mot de ce que Goetz venait de dire.

Il fallut régler le problème de la mie de pain. Noor faisait des trous dans le ciment qu'on voyait d'en bas. Si le

442

garde levait la tête, la tentative serait découverte. Noor interrogea ses deux complices. Faye suggéra de combler les trous avec de la mie de pain. Noor ne mangea plus que les croûtes. Mais la mie de pain était plus claire que le ciment. Starr trouva la solution. Il déposa sous le lavabo des boulettes de mie de pain qu'il avait préalablement colorées avec son aquarelle. Noor les enfonça dans les trous. Le creusement se voyait moins.

Une longue discussion sur les couvertures occupa trois jours. Ils avaient besoin de cordes pour le cas où il faudrait descendre le long d'une façade. Ils ne savaient pas comment se présentait le trajet entre leur cellule et l'immeuble qui donnait sur l'impasse derrière l'avenue. Les Allemands ne leur avaient pas donné de draps, seulement des couvertures qui, une fois pliées, étaient trop grosses pour être nouées entre elles. Il fallait les déchirer. Or c'était un travail long et difficile, et des couvertures déchirées à l'avance auraient révélé le projet. Starr finit par surmonter l'obstacle. Il se procura un couteau. En guise de cordes, ils couperaient les couvertures une fois montés sur le toit.

Le lendemain, Starr croisa la femme de ménage dans l'escalier. Sans la regarder, il lui tendit une petite boulette de papier, qu'elle attrapa sans ralentir. Quand Vienet déplia le papier, il lut : « Sommes prêts pour demain soir. »

Le soir du même jour, au One Two Two, Goetz exultait.

– J'en apprends de plus en plus ! Il y a beaucoup de déchets. Mais j'ai obtenu des informations. Je connais sa famille, je sais que son père est mort ou qu'il est parti en voyage, en tout cas elle ne l'a pas vu depuis longtemps. Je sais comment elle a été élevée, qu'elle joue du piano et de la harpe.

– À quoi cela sert-il ? demanda Peter, qui buvait son quatrième cognac et fixait une brune aux yeux verts qui portait une frange sévère et un fume-cigarette. La vérité, c'est qu'elle vous a tapé dans l'œil, Goetz. Vous vous faites embobiner...

– Pas du tout ! Elle est fascinante, mais je suis trop vieux pour ça.

– Pourquoi trop vieux ? Vous vous prenez pour son père. Je vois bien que vous la protégez.

– Vous avez bu trop de cognac, Peter. Vous ne faites pas marcher votre tête. Nous avançons comme rarement nous l'avons fait. Je vais vous donner un exemple. Hier, les Anglais ont transmis des nouvelles de sa mère. Ils ont dit « Votre mère va bien ; sa santé s'améliore. » Il y avait un piège.

– Quel piège ?

– Pas un piège, mais une difficulté. Je ne crois pas que les Anglais m'aient tendu un piège. Ils ont confiance, ils croient qu'Aurore est toujours en activité. Si je n'avais pas su que le SOE ne fournit des informations que dans un seul sens, des parents vers les agents, et jamais le contraire – Norman, le radio de Prosper, me l'a dit –, j'aurais pu répondre quelque chose comme « Embrassez-la ». Et c'était foutu. Ils auraient tout de suite compris que ce n'était pas Aurore qui émettait, que le poste était sous mon contrôle. Aurore ne pouvait pas envoyer cette réponse. Elle sait très bien que sa mère ignore tout de ses activités et que le SOE ne lui transmet rien. Buckmaster se renseigne sur la famille des agents et donne des nouvelles de lui-même, pour leur moral. Mais rien dans l'autre sens. Pour deux mots, « embrassez-la », le poste Aurore était grillé ! Il faut tout savoir, Peter, tout. Si un jour ils me disent : « Votre père va bien », je saurai que c'est un piège, puisque le père a disparu. De temps en temps, ils font des allusions personnelles. Pour eux, c'est un troisième check de sécurité.

– Je ne comprends pas tout...

– Ne cherchez pas à comprendre, nous gagnerons du temps. Mon cher Peter, nous tenons une affaire en or avec cette fille. Le filon est formidable. Vous verrez. Encore quelques semaines, et le poste Aurore sera notre plus belle réussite.

Le lendemain, dans l'après-midi, Culioli gara une Citroën beige au sud de la porte Dauphine, en face de la villa Fouché. Il sortit de la voiture. Il fit semblant de verrouiller la porte et il s'éloigna. Nous avions fait deux fois l'expérience. Les deux soldats en faction à l'entrée de l'impasse le regardèrent sans réagir. Culioli avait un Ausweis de médecin, en cas de contrôle. Mais nous avions découvert un élément important : les véhicules garés à proximité de la Gestapo n'étaient ni contrôlés ni fouillés. Au cœur de Paris, les Allemands étaient sûrs d'eux.

Une heure plus tard, je quittai la station de métro Dauphine en tenant Violette par l'épaule. Il y avait un petit jardin public près de l'impasse, un peu à droite du bas de l'avenue. Nous allâmes nous asseoir sur un banc en nous embrassant, puis nous nous mîmes à parler, sa tête contre mon épaule. Une camionnette bâchée vint se ranger quinze mètres derrière la Citroën. Vienet apparut, déguisé en chauffeur, et il s'en alla. Nous observions les allées et venues autour des immeubles de la Gestapo. Quelques voitures arrivèrent et repartirent. À sept heures, les secrétaires et les employés quittèrent les bureaux. Il ne resta à l'extérieur que les sentinelles en faction, deux par entrée. De l'autre côté de la place, nous voyions les fenêtres d'un gros poste de garde, à travers lesquelles des silhouettes casquées se découpaient dans la lumière électrique.

À huit heures cinq, la nuit tombée, nous nous approchâmes des deux voitures. Deux minutes plus tard, un side-car entrait en trombe sur la place et percutait un camion à gazogène. Comme un seul homme, les soldats tournèrent la tête de ce côté-là. À cet instant, j'entrai dans la Citroën du côté du chauffeur, suivi de Darbois, qui s'était avancé discrètement d'arbre en arbre et monta à l'arrière, tandis que Violette et Culioli s'engouffraient dans la camionnette bâchée. Les trois compères de la place s'insultaient copieusement sous l'œil des soldats. Finalement, un officier sortit du 86 et leur demanda de circuler. Les soldats poussèrent le side-car endommagé sur le trottoir et le camion repartit après que ses deux occupants eurent laissé leur adresse au motard qui partit furieux.

J'étais couché sur le plancher de la Citroën, la tête sous le volant. Dans la boîte à gants, j'avais trouvé le pistolet à silencieux que Vienet avait dissimulé. Allongé à l'arrière, Darbois avait trouvé le même dans la poche de tissu cousue derrière la banquette du passager. Je savais que, dans la camionnette, Violette avait dévissé une plaque de métal sur le plancher et sorti de la cache un fusil à lunette et une mitraillette. Les soldats qui surveillaient l'impasse étaient à dix mètres de nous, les autres au coin de l'avenue Foch regardaient vers la porte Dauphine. L'attente commença.

38.

Quand Starr ouvrit le vasistas et sortit sur le toit, un léger vent lui caressa le visage. La nuit d'octobre était douce. À droite, il vit les arbres du bois de Boulogne. L'odeur des feuilles jaunies par l'automne l'enveloppait. À gauche, l'Arc de triomphe luisait sous la lune, massif et blanc en haut de l'avenue. Il défit ses chaussures, noua les lacets entre eux et les passa autour de son cou. À pas de loup, en chaussettes, il marcha sur le zinc vers les trois autres vasistas.

Dix minutes lui avaient suffi pour dévisser le cadre de bois qui tenait les barreaux de sa cellule. Les Allemands ne croyaient pas qu'une évasion fût possible au cœur du quartier dont ils occupaient tant d'immeubles. Starr était grand. En posant le lit verticalement contre le mur, il s'était hissé à l'intérieur de la cheminée. Il n'avait eu qu'à tendre le bras pour repousser le vasistas et mettre ses mains sur le rebord. Une traction l'avait extrait de la cheminée. Il avait posé ses coudes sur le zinc et basculé doucement sur le toit.

Tendant l'oreille, il n'entendit que le bruissement du feuillage. Il arriva au-dessus du premier vasistas et l'ouvrit. En contrebas, il vit le visage de Faye levé vers lui. De la main, il lui fit signe de grimper. Comme convenu, Faye avait descellé deux barreaux et laissé le troisième en place pour s'en servir comme d'un échelon. Starr vit ses deux poings fermés sur l'acier. La tête de Faye monta vers lui. Il y eut un froissement et un juron étouffé. La tête de Faye redescendit.

— Merde, dit le résistant en levant le visage. Ils m'ont cassé deux doigts de la main droite.

Le conduit était plus long que dans la cellule de Starr. Faye ne pouvait pas s'accrocher au rebord du toit. Il devait faire un rétablissement sur le barreau, comme sur un trapèze, puis lancer sa jambe et s'appuyer dessus pour continuer à se hisser. Sa blessure le handicapait. Starr se pencha dans la cheminée et tendit le bras.

— Recommencez ! dit-il. Et prenez ma main.

Faye réitéra sa traction. Starr vit sa tête qui apparaissait, puis il perçut les mouvements brusques du rétablissement. Soudain, une main agrippa la sienne. Les quatre-vingts kilos de Faye lui tiraient le bras. Il se maintint sur son coude, bloqua sa respiration et réussit à soulever peu à peu le prisonnier. Faye put s'accrocher et Starr n'eut plus qu'à l'extraire de la cheminée en le prenant sous les aisselles.

— Je suis désolé, chuchota Faye. Ils m'ont abîmé la main. Merci !

— Allons prendre la jeune fille.

Noor entendait des bruits furtifs au-dessus d'elle. Son vasistas s'ouvrit sur la nuit étoilée. Une ombre apparut dans l'ouverture. Elle aussi avait placé son lit en position verticale. Elle se pendit des deux mains au dernier barreau. À moitié engagé dans la cheminée, Starr lui tendit le bras. Elle prit sa main et fut emportée. Elle posa ses pieds sur l'acier et se glissa vivement à l'extérieur.

– Voilà qui est plus simple ! dit Starr. Vous n'avez pas été torturée, vous.

– Non. Ils m'ont laissée tranquille...

– C'est vrai que vous êtes radio...

Faye défaisait ses chaussures lentement à cause de sa main abîmée. Noor s'assit à son tour et l'imita.

– J'en étais sûr, dit Faye, vous êtes jolie !

Elle n'écoutait pas. Elle s'adressait à Starr.

– Pourquoi ? dit-elle, intriguée. Ils ne torturent pas les radios ?

– Pas quand ils ont leurs carnets. Ils vous les ont pris, non ?

– Euh... oui.

– Vous n'avez pas pu les détruire ?

– Bodington m'avait dit de les garder.

– Bodington ? C'est bizarre... C'est contre toutes les règles.

– Je suis prêt, dit Faye.

– Allons-y, répondit Starr. Il faut marcher perpendiculairement à l'avenue. L'impasse est par là.

Leurs chaussures ballottées autour de leur cou, ils progressaient en chaussettes sur le zinc en pente douce. Sur la droite, en contrebas, un autre toit partait à la perpendiculaire. Starr et Faye l'atteignirent les premiers. Ils se retournèrent. Ils furent stupéfaits. Noor s'était arrêtée sur le faîte du toit. Sa silhouette sombre apparaissait sur le ciel, comme une statue au sommet d'un monument. Immobile, tête baissée, elle réfléchissait. Starr revint en arrière. Dès qu'il fut à sa portée, il lui lança à voix basse :

– Mais enfin, Nora, qu'est-ce que vous faites ?

– Pourquoi Bodington me l'a-t-il demandé ? dit-elle, comme pour elle-même.

– Mais je n'en sais rien, moi. On s'en fout ! Ce n'est pas le moment.

449

– Non, on ne s'en fout pas, dit-elle, il y a une raison. Je crois que j'ai compris...

– Nora, ça suffit, vous en parlerez à Londres. Venez maintenant !

Il la prit par la main. Elle le suivit mollement.

À l'arrière du toit du 84, sur la gauche, ils trouvèrent des échelons de fer qui conduisaient à l'autre immeuble. Ils remirent leurs chaussures. Pendant qu'elle nouait ses lacets, Starr entendit Noor qui parlait toute seule à voix basse.

– Ça change tout, disait-elle.

L'un après l'autre, ils descendirent.

L'alerte se déclencha quand ils furent arrivés au milieu du deuxième toit. Il y eut un bruit de moteur d'avion au loin, puis une alarme, proche, et, enfin, une cacophonie de sirènes et une forêt de rayons lumineux pointés vers le ciel.

– Ah non ! dit Starr, à haute voix au milieu du vacarme. Une alerte ! Ils bombardent encore Asnières et Suresnes. Le garde va inspecter les cellules ! Dans deux minutes, ils auront découvert notre évasion.

– Accélérons, dit Faye.

Il marcha plus vite jusqu'à l'extrémité du toit. Celle-ci surplombait de quelques mètres une longue terrasse de ciment, au bout de laquelle on apercevait l'arrière d'un autre immeuble.

– On saute, dit Starr. Nora, allez-y la première.

– Ils vont nous reprendre, dit-elle. Dès qu'ils verront que nous sommes partis, tout le quartier va être en état de siège.

– Nora, vous n'allez pas recommencer. On verra bien. On joue notre chance. Sautez ! C'est un ordre.

– Sautez, nom de Dieu! dit Faye. Faites-nous confiance.

– Il ne s'agit pas de vous, dit Noor juste avant de se lancer dans le noir.

Elle se reçut à l'aveugle sur la surface rugueuse. Starr arriva en souplesse. Ils avancèrent prestement vers l'autre bout de la terrasse.

Ils allaient l'atteindre quand une sirène plus stridente que les autres retentit. Trente secondes plus tard, un projecteur abaissa son faisceau et parcourut le sommet des immeubles.

– Le garde a donné l'alerte, dit Starr. Ils nous cherchent!

– C'est raté, dit Noor, tant pis, laissons tomber.

– Jeune fille, cessez de faire du défaitisme, dit Faye. On continue!

– Attention, dit Starr, le projecteur!

Ils se plaquèrent sur le sol. Le halo lumineux passa sur eux sans s'arrêter. Starr se releva.

– Ils nous ont manqués! On court!

Ils se précipitèrent vers l'immeuble qui s'élevait au bout de la terrasse. Le projecteur continua sa course.

– C'est foutu! avait dit Darbois quand il avait entendu le bruit de l'alerte.

– Pas sûr, avais-je répondu, toujours couché sous le volant de la Citroën. S'ils s'occupent de l'alerte, ils seront moins vigilants.

Nous ne savions pas exactement à quelle heure les trois prisonniers devaient tenter leur chance. Cela n'avait pas grande importance. Il était convenu qu'ils devaient atteindre l'immeuble au fond de l'impasse, sortir sur le trottoir et agiter un chiffon blanc. À partir de minuit,

Darbois et moi devions surveiller l'entrée que nous apercevions en jetant un œil prudent à travers les vitres de la voiture. Depuis minuit, toutes les trente secondes, tour à tour, nous risquions un œil. À cause de l'alerte, les soldats regardaient vers le ciel.

– Je ne vois rien pour l'instant, dis-je. Les sentinelles sont distraites. Ils ont encore une chance.

Le projecteur était reparti dans l'autre sens. De nouveau, les trois évadés s'étaient couchés sur le ciment, pour se relever une fois l'obscurité revenue. Ils arrivèrent au bord de la terrasse. À deux mètres, par-delà le vide, un escalier de fer descendait le long de la façade arrière de l'immeuble. Ils étaient penchés sur le puits obscur, comme des alpinistes au bord d'une crevasse.

– Pas le choix, dit Starr. On saute et on s'accroche à la rambarde. J'y vais. Je vous tendrai la main.

Il prit trois pas d'élan et sauta. Il heurta les montants de l'escalier de fer et les agrippa des deux mains. Il se tortilla et son talon se posa sur la rambarde. Il passa de l'autre côté et s'affala sur le palier étroit. Il jura, se releva, enjamba la rambarde dans l'autre sens, empoigna le montant vertical d'une main et tendit l'autre au-dessus du vide.

Noor sauta à son tour et se retrouva pendue par un bras, les jambes ballantes au-dessus de la cour profonde. Elle se balança pendant de longues secondes. Puis elle attrapa le montant de fer aux pieds de Starr et tomba sur le palier du dessous.

Faye avait reculé de quatre pas et hésitait à s'élancer. C'est dans cette position que le projecteur l'attrapa. Soudain inondé d'une lumière blanche, il poussa un cri de rage

– Allez-y ! Tant pis ! cria Starr.

Faye avança vers le vide et lança sa jambe en avant. Il tomba dans les bras de Starr, se pendit à son cou et réussit à s'emparer de la rambarde avec sa main valide. L'instant d'après, ils descendaient les marches de fer, suivis par le projecteur.

– Ils savent où nous sommes, dit Starr. Si l'immeuble donne sur l'impasse, il nous reste une chance. Sinon...

Au rez-de-chaussée, ils cassèrent un carreau, ouvrirent la porte-fenêtre et atterrirent dans une cuisine. Starr se précipita sur la porte, courut dans un couloir, traversa deux pièces éclairées à droite par la lune et pénétra dans un grand salon obscur. Il tâtonna avant de découvrir un interrupteur. Un lustre de verre illumina la pièce. Il y avait des grands fauteuils, un canapé et une table basse, tous recouverts de draps blancs. Starr avisa les fenêtres aveuglées par des volets de métal peints en blanc. Il fonça sur celle de gauche, tourna la poignée, tira en arrière, défit le loquet des persiennes et les ouvrit en grand. Il se pencha : c'était l'impasse et elle était déserte. Au bout de chacun des trottoirs, il y avait une sentinelle qui lui tournait le dos. Noor et Faye le rejoignirent.

– Il y a des clés sur les portes, dit-il. Fermez toutes les pièces derrière nous !

Puis il enjamba le cadre, sauta sur le trottoir, sortit son mouchoir et l'agita au-dessus de sa tête.

Ce fut Darbois qui aperçut le signal.

– Ils sont là ! dit-il.

– Tu es sûr ?

– Oui. Certain.

– Bon. Prêt ? dis-je.

– À trois ! répondit-il.

– Un... deux... trois !

Dans le même geste, nous ouvrîmes chacun notre portière. Les deux sentinelles nous virent trop tard. Les silencieux Welrod firent un bruit mat. Les deux Allemands s'effondrèrent. Un coup d'œil à droite et à gauche. Le soldat en faction au coin de l'avenue Foch était occupé par l'alerte. Il n'avait rien vu. Suivi de Darbois, je bondis vers les deux sentinelles tombées à terre. La première était morte. La deuxième se tordait sur le sol, les mains nouées sur son ventre. J'armai mon Welrod et je visai sous le casque, entre les deux yeux. Son corps tressauta et s'immobilisa.

De l'autre côté de l'impasse, Starr avait assisté à l'exécution. Il se tourna vers les deux autres.

– On y va !

Il se précipita vers moi. Je vis Faye enjamber la fenêtre à son tour. Starr me dépassa. Darbois lui désigna la Citroën. Il se jeta vers elle. Faye parvint à ma hauteur.

– Allez-y ! dis-je. Où est Noor ?

– Elle est avec nous, elle arrive ! dit-il en se ruant vers la voiture.

Au coin de l'avenue Foch, le soldat n'avait toujours rien vu. Je me retournai vers le fond de l'impasse, espérant voir Noor sortir à son tour.

– Mais qu'est-ce qu'elle fout ? cria Darbois à côté de moi.

Je ne sais pas.

On ne peut pas rester ici !

– Je vais voir ! Attends-moi.

Déconcerté, furieux, je me ruai vers le fond de l'impasse, là où Starr et Faye étaient apparus.

Je trouvai sans mal la fenêtre ouverte et je sautai à l'intérieur. Au milieu du salon illuminé, sur le canapé qui me faisait face, Noor était assise, la tête dans les mains.

– Noor, qu'est-ce que tu fais ? criai-je.

Elle releva son visage et me vit.

– Mon amour !

Elle se leva et courut vers moi.

– Mon amour, dit-elle, tu es là ?

Elle tomba dans mes bras, me serra fort et m'embrassa. Je me dégageai.

– Noor, on s'en va ! Vite !

Elle quitta mes lèvres, recula et me regarda dans les yeux.

– Non, dit-elle. Il ne faut pas. Va-t'en ! Les autres sont sauvés. Je reste !

– Rester ? Tu es folle ! Rester ? Mais... C'est insensé !

J'eus un pressentiment. Contre moi-même, dans un réflexe qui, toute ma vie, me poursuivrait, je dis :

– Pourquoi ?

– Ils ne m'ont pas torturée, tu sais, dit-elle. Tu ne dois pas t'inquiéter. J'ai tout compris. Bodington est un maître. Il a fait exprès de me faire garder les codes. Maintenant les Allemands croient que le poste Aurore est sûr. Cela va leur coûter très cher ! Il faut que je reste, sinon, le plan de Bodington va échouer.

Je ne pouvais pas le croire. Malgré le danger, ma pensée marchait toute seule. Ce que je n'aurais pas saisi sans Philby, Noor l'avait deviné seule. Elle était un pion dans un jeu qui nous dépassait. Et elle le savait. Les Allemands croyaient au poste Aurore. Nous pouvions les intoxiquer. Il ne fallait pas les détromper.

– Noor, il ne faut pas, non ! Ce sont des coups tordus. Tu n'es pas censée savoir tout ça. Viens ! Ils ne te reprocheront rien ! Tu as fait plus que tu ne devais faire. Viens ! La vie est à nous !

Elle me regarda droit dans les yeux. Je sentais son corps contre moi.

– C'est trop tard, John !

– Ils vont venir, Noor. Partons !

– Non ! Si je viens, je trahis. Je dois faire mon devoir. Je sais ! Le poste Aurore est une arme. Je n'ai pas le droit de la détruire. Mon amour, je t'aime ! Ne t'inquiète pas. Ils ne vont pas me tuer. Je suis le poste Aurore. Les Alliés ont besoin de moi. Mon amour. Nous nous retrouverons après la guerre.

J'entendis un bruit qui venait du fond de l'appartement, vers la cuisine. Quelqu'un parla allemand. Une patrouille arrivait. On donnait des coups dans une porte. À cet instant précis, Darbois sauta par la fenêtre.

– Qu'est-ce que vous faites ? Venez ! Vous êtes fous ! Vous roucoulerez plus tard !

Les coups de feu partirent à cette seconde.

Dans la camionnette, Violette et Culioli nous avaient vus tuer les sentinelles et foncer vers la villa Fouché. Puis les projecteurs avaient commencé à fouiller les rues. Avenue Foch, des soldats couraient en tous sens. Violette avait compris que les soldats cherchaient maintenant les évadés. Elle avait relevé la bâche. Dans son viseur, le poste de garde s'était animé, sans doute averti par les gens du 84. Le premier soldat qui sortit, de l'autre côté de la porte Dauphine, reçut une balle dans le front. Le deuxième fut jeté en arrière, touché à la poitrine. Le troisième fut transpercé par un tir dans le nez. Les autres se plaquèrent au sol, à l'abri des murs.

Au coin de l'avenue Foch, une escouade apparut, houspillée par un officier. En deux rafales, Culioli les coucha sur le trottoir. Puis il s'assit au volant, mit en marche et grogna, en se tournant vers Violette :

– Bon, il nous reste une minute, pas plus ! On s'arrache. Les autres suivront.

Darbois nous considérait, étreints et incertains. Il prit une décision.

– Elle ne veut pas venir, John. Laissez tomber! On file!

Je tenais Noor enlacée. Darbois me prit le bras et voulut m'emmener. Elle se dégagea et recula. Les larmes coulaient sur ses joues.

– Noor, je reste avec toi. Tant pis!

Darbois nous regardait, l'air égaré, atterré par tant de folie. Ses yeux allaient de l'un à l'autre. Soudain, il prit une résolution.

– John, elle fait ce qu'elle veut. Mais vous devez me suivre.

– Je reste!

Son poing m'atteignit en pleine mâchoire. Je faillis tomber. Darbois me prit par le bras et m'entraîna. À travers une sorte de voile, j'entendis les coups de feu derrière moi, les bruits des portes devant. Darbois me tira vers la fenêtre et me fit passer dans la rue. Une douleur éclata dans ma poitrine. Je me retournai. Dans le même regard, je vis la porte du salon céder et Noor, debout au centre de la pièce, illuminée par le lustre de verre. Elle avait levé la main. Ses yeux étaient fixés sur moi. Son index et son majeur étaient pointés vers le haut. Souriante au milieu des pleurs, elle faisait le V de la victoire.

Épilogue

Jusqu'à la fin de la guerre, l'image de Noor me hanta. Une plaie au cœur, je n'entendis plus parler d'elle. Le SOE ignorait ce qu'elle était devenue. Son frère, Vilayat, ne savait rien non plus. Je l'avais interrogé à Londres après la reddition allemande. Je l'avais rappelé au téléphone, de loin en loin. Noor ne reparut pas. Sa famille prit le deuil. Nous supposions tous qu'elle avait été tuée. Elle reçut la Victoria Cross à titre posthume. Son nom fut gravé sur un petit monument au milieu de la campagne, près du manoir de Beaulieu où nous avions suivi les cours de Philby Puis, un jour de 1946, Vilayat me dit : « Venez. Le SOE m'a écrit. » Et dans le grand salon de Fazal Manzil dominant tout Paris, pendant que la lumière de l'après-midi baissait, il m'avait raconté.

La patrouille l'avait ramenée au 84, menottée et tremblante. Kieffer était en rage. Quand il la vit, il dit aux soldats de la plaquer contre le mur.

– Alignez-vous ! leur cria-t-il.

Ils ne comprenaient pas.

– Alignez-vous ! C'est un ordre : À mon commandement, feu !

La princesse oubliée

Les cinq soldats s'étaient lentement mis sur un rang, dans un silence de mort. Goetz et Peter étaient debout derrière Kieffer, interdits. Noor les défiait du regard.

– En joue ! avait dit Kieffer.

À cet instant, un garde apparut, qui avait fouillé les cellules. Il tendit à Kieffer une liasse de feuilles de dessin. C'étaient les caricatures que Starr avait faites des officiers et des employés du 84. Kieffer les parcourut l'une après l'autre. Au bout d'une minute, sa colère tomba. Un sourire apparut au coin de sa lèvre. Quand il vit la sienne, il rit.

– Bon, dit-il en levant la tête, ramenez-la en cellule. Je verrai demain ce qu'on en fait.

Noor resta cinq semaines de plus au 84, toujours interrogée par Goetz. Celui-ci constata avec surprise qu'elle collaborait plus volontiers. Il mit ce changement sur le compte du découragement, après l'évasion manquée. Puis il n'eut plus besoin de Noor. Kieffer signa son ordre de transfert. Elle partit pour l'Allemagne avec un convoi de femmes. Elle fut enfermée à Pforzheim. Un jour, un autre ordre arriva. Elle prit le train avec trois résistantes déportées jusqu'à Dachau. On l'enchaîna dans une cellule, par les poignets et par les chevilles. Au petit matin, un SS ouvrit la porte, défit les chaînes et lui dit d'avancer. Elle était au milieu d'une petite cour entourée de baraquements. Elle vit une autre jeune femme, la robe déchirée et le visage tuméfié. Le SS leur dit de s'agenouiller côte à côte. La jeune femme se mit à pleurer. Noor lui prit la main. Un soleil pâle éclairait la scène. La boue était froide sous leurs genoux. Noor sursauta au premier coup de feu. Le sang gicla, et la jeune femme tomba en avant. Alors, Noor se redressa, se mordit la lèvre, puis cria d'une voix forte : « Vive la liberté ! » Elle fut interrompue par le second coup de feu et tomba face contre terre, une balle dans la nuque.

Quand il eut fini cette histoire, Vilayat se leva. Je l'imitai. Il s'approcha de moi et me prit par les épaules. Dans la pénombre qui envahissait le salon de Fazal Manzil, on n'entendit plus que le bruit de deux hommes qui pleuraient.

Je revins à Londres, anéanti. J'allai voir Philby, qui me reçut dans son club, un verre de xérès à la main. Lui aussi avait appris avec horreur le sort de Violette Laszlo. Elle avait été arrêtée un peu après l'évasion de l'avenue Foch. Elle avait tué trois policiers avant d'être maîtrisée. La Gestapo l'avait torturée trois nuits de suite. Quand elle fut fusillée, son beau visage lisse n'était plus qu'une charpie sanglante.

Dans le salon colonial, nous avons évoqué tour à tour les héros de l'aventure Prosper.

Prosper fut fusillé, ainsi que Norman et Andrée Borrel.

Le professeur Adamowski revint de déportation très affaibli et mourut quelques mois après la Libération.

Manouchian avait été pris et lui aussi fusillé, avec son groupe. On soupçonna le PCF d'avoir concouru à sa perte.

Kerleven, de son côté, était devenu un grand dirigeant du Parti.

Darbois avait survécu, laissant derrière lui un des plus beaux parcours du SOE. Il habitait Londres avec deux chats. Nous nous voyions régulièrement.

Vienet avait continué à porter des coups aux Allemands. Il participa au premier rang à la Libération de Paris. Puis, toujours élégant et drôle, il était rentré dans le civil sans rien demander. Il dirigeait une société, hantait le Tout-Paris et collectionnait les maîtresses.

Blainville, enfin, avait poursuivi ses activités pendant six mois, puis il était rentré à Londres. À la fin de 1945, plusieurs résistants portèrent plainte contre lui pour trahison. Il revint en France, son éternel sourire aux lèvres. Il fut enfermé à Fresnes et affronta ses juges. L'accusation avait des preuves accablantes de sa trahison. Mais les personnalités qu'il avait fait voyager clandestinement, Félix Gouin, notamment, alors chef du gouvernement, et François Mitterrand, qui venait d'être élu à l'Assemblée nationale, témoignèrent en sa faveur. Blainville soutint qu'il travaillait pour l'Intelligence Service. J'étais à Paris, mais je ne fus pas convoqué au procès. Le deuxième jour, le tribunal se réunit à huis clos pour entendre un témoin britannique. Mandaté par ses chefs, l'homme expliqua que Blainville avait agi sur ordre et qu'il avait rendu à la cause alliée d'éminents services, malheureusement couverts par le secret militaire. Blainville fut acquitté.

Je lus le lendemain dans *France-Soir* le nom du témoin anglais, qu'un journaliste avait appris par une indiscrétion : Nick Bodington.

– Quelle histoire, disait Philby, quelle histoire ! Mais, mon cher John, j'en sais encore plus que vous.

– C'est-à-dire ?

– Je viens de consulter le dossier Prosper, que « C » m'a prêté pour des raisons personnelles. Je voulais savoir, pour Violette. Mon cher, si nous n'étions pas liés à ces deux jeunes femmes, vous et moi verrions dans ce dossier des motifs de grande satisfaction. Vous, surtout. Votre dulcinée a joué un rôle important, mon cher, très important.

Philby déroula pour moi la fin de l'histoire de Noor, celle que tout le monde ignore. Le poste Aurore avait continué à fonctionner pendant six mois. Trop fier de sa machination, Goetz ne comprit jamais que les Anglais l'avaient abusé. Ils se payèrent même le luxe de lui tendre des pièges en lui demandant des détails sur Noor, qu'il fournit avec un sentiment de triomphe. Il organisa douze parachutages que les Allemands interceptèrent. Il réussit à faire arrêter trois agents supplémentaires, sacrifiés par Londres. Il démantela un réseau entier. Et, le 22 avril 1944, il crut avoir atteint son apothéose. Dans un message court et anodin, Londres priait Noor de transmettre aux réseaux du SOE en région parisienne l'ordre suivant : « Déplacer les caches d'armes de Sologne dans les départements du Nord et du Pas-de-Calais. Renforcer les effectifs à Amiens, Arras et Lille. » Enivré par son succès, Goetz envoya immédiatement un compte rendu à l'OKW, l'état-major du Führer. Le lendemain matin, Hitler prenait connaissance avec gourmandise du rapport Goetz, contresigné par Kieffer et Kaltenbrunner.

Une semaine plus tôt, devant ses généraux assemblés autour d'une grande carte de France, il avait pointé son doigt sur la côte rectiligne de Normandie, au nord de Caen.

– Messieurs, avait-il déclaré, voilà où je débarquerais si j'étais Eisenhower !

Mais, le lendemain, il s'était dit qu'il n'était pas Eisenhower. Plusieurs éléments cités dans les rapports du matin l'inclinaient à penser que les Alliés choisiraient finalement la solution la plus simple : un débarquement dans le Pas-de-Calais, à l'endroit le plus étroit de la Manche, à quelques marches du cœur industriel de l'Allemagne. Patton avait été nommé commandant en chef d'une armée nombreuse stationnée dans le Kent, en face de Dieppe et de Dunkerque. Les bombardements étaient sur cette portion de côte le double de ce qu'ils étaient en Normandie. Le rapport Goetz vint confirmer ce début de certitude. La Résistance veut se renforcer dans le Nord, disaient Goetz et Kieffer en transmettant le message intercepté grâce au poste Aurore, pour frapper dans le dos les défenseurs allemands déployés sur la côte. Le lendemain, coïncidence, Kieffer reçut une confidence de Blainville. Selon l'agent double que la Gestapo croyait contrôler, des rumeurs insistantes au sein du SOE plaçaient le futur débarquement dans le Pas-de-Calais.

Aux yeux de Hitler, tout commençait à converger. S'il y avait un débarquement en Normandie, ce serait une feinte destinée à attirer là-bas les divisions blindées qui défendaient le passage décisif, autour de Lille et de Dunkerque. Le vrai débarquement aurait lieu là, au Nord. Hitler décida d'agir en conséquence.

– Avec quelques autres du même genre, conclut Philby en levant son verre, le poste Aurore nous a fait gagner la guerre. Pas mal pour une musicienne indienne.

Un an plus tard, le 24 octobre 1947, je marchais seul dans l'herbe d'un champ encore verdoyant malgré l'automne, à deux kilomètres de la rivière Beaulieu, cette base d'espionnage maintenant rendue à la voile et à la pêche à la ligne. Au milieu du champ, il y avait une petite basilique de pierre et, à l'intérieur, une plaque de marbre où étaient gravés une centaine de noms. J'avais une couronne de fleurs à la main. Je m'approchai de la plaque et, comme je l'avais fait l'année précédente, je parcourus du regard la première colonne de noms. Au milieu, je m'arrêtai. Elle était là. « *Noor Vijay Khan, agent of the Special Operations Service, killed in the field. George Cross.* » Je me recueillis un instant, puis je posai ma couronne au pied de la plaque. Je remarquai qu'une autre couronne avait été déposée. Les fleurs étaient fraîchement coupées. Une bande de tissu était tendue en travers, sur laquelle on lisait : « *For Noor. The princess that will not be forgotten* » (Pour Noor, la princesse qui ne sera pas oubliée). Je me retournai. Alors je les aperçus.

De l'autre côté de la basilique, cachés jusque-là par un pan de mur, deux hommes me dévisageaient, hésitant sur la conduite à tenir : Bodington et Blainville. Je les considérai pendant de longues secondes. Ils restaient immobiles, et muets. Je m'avançai vers eux, calmement, sans haine. Ils eurent un léger sourire et m'entourèrent. Une larme coulait sur ma joue.

Blainville me regarda, encore incertain.

– Sale guerre, Sutherland, sale guerre.

Bodington me prit par l'épaule.

– Sutherland, c'était la combattante la plus douce que j'aie connue.

te de Noor Inayat Khan
qui a connu la princesse
a mené une formidable
es survivants de l'aven-
n de Madeleine ou au
e.

Inayat Khan (*Aurore*),

rtants se rapportant aux

phie de celui qui a ins-
Russell, Salisbury, 1989.

à l'histoire officielle de

ations Executive, 1940-

sty's Stationery Office,

On lira aussi l'ouvrage fondamental et monumental :

F.H. Hinsley, *British Intelligence in the Second World War*, Her Majesty's Stationery Office, London, 1988.

Henri Noguère, *Histoire de la Résistance en France*, Robert Laffont, Paris, 1976.

Nigel West, *Secret War*, the Story of the SOE, Hodder and Stoughton, 1992.

Sir Brooks Richards, *Flottilles secrètes*, Marcel Didier Vrac, 2001.

Jean Lartéguy, Bob Maloubier, *Triple Jeu*, l'espion Déricourt, Robert Laffont, Paris, 1992.

Squadron leader Beryl E. Escott, *Mission improbable*, RAF women in the SOE, Patrick Stephens Limited, 1991, Sparkford, Somerset.

L'enseignement de Pir-O-Murshid Inayat Khan, le père de Noor, se trouve dans l'ouvrage de Vilayat, le frère de la princesse :

Pir Vilayat Inayat Khan, *The Message in Our Time*, Harper and Row, San Francisco, 1979.

Cet ouvrage a été réalisé par

FIRMIN DIDOT

GROUPE CPI

Mesnil-sur-l'Estrée

pour le compte des Éditions Robert Laffont
24, avenue Marceau, 75008 Paris
en juin 2002

Imprimé en France
Dépôt légal : mars 2002
N° d'édition : 43042/04 - N°d'impression : 60128

Bibliographie

La biographie complète et émouvante de Noor Inayat Khan a été écrite par Jean Overton Fuller, qui a connu la princesse à Londres pendant la guerre et qui a mené une formidable enquête dans les archives et auprès des survivants de l'aventure. Quiconque s'intéresse à l'action de Madeleine ou au SOE doit commencer par cette lecture.

Jean Overton Fuller, *Noor Un Nisa Inayat Khan* (*Aurore*), East-West Publications, 1971.

Fuller a écrit d'autres ouvrages importants se rapportant aux secrets du SOE, notamment :

Déricourt, The Chequered Spy, biographie de celui qui a inspiré le personnage de Blainville, Michael Russell, Salisbury, 1989.

Sur le SOE, on se reportera d'abord à l'histoire officielle de l'organisation :

M.R.D. Foot, *SOE, The Special Operations Executive, 1940-1946*, Pimlico, London, 1984.

M.R.D. Foot, *SOE in France*, Her Majesty's Stationery Office, 1966.

On lira aussi l'ouvrage fondamental et monumental :

F.H. Hinsley, *British Intelligence in the Second World War*, Her Majesty's Stationery Office, London, 1988.

Henri Noguère, *Histoire de la Résistance en France*, Robert Laffont, Paris, 1976.

Nigel West, *Secret War*, the Story of the SOE, Hodder and Stoughton, 1992.

Sir Brooks Richards, *Flottilles secrètes*, Marcel Didier Vrac, 2001.

Jean Lartéguy, Bob Maloubier, *Triple Jeu*, l'espion Déricourt, Robert Laffont, Paris, 1992.

Squadron leader Beryl E. Escott, *Mission improbable*, RAF women in the SOE, Patrick Stephens Limited, 1991, Sparkford, Somerset.

L'enseignement de Pir-O-Murshid Inayat Khan, le père de Noor, se trouve dans l'ouvrage de Vilayat, le frère de la princesse :

Pir Vilayat Inayat Khan, *The Message in Our Time*, Harper and Row, San Francisco, 1979.

Cet ouvrage a été réalisé par

FIRMIN DIDOT

GROUPE CPI

Mesnil-sur-l'Estrée

pour le compte des Éditions Robert Laffont
24, avenue Marceau, 75008 Paris
en juin 2002

Imprimé en France
Dépôt légal : mars 2002
N° d'édition : 43042/04 - N°d'impression : 60128